le livret du Français à l'étranger

D0714440

MINISTÈRE DES AFFAIRES ÉTRANGÈRES

8ᵉ édition

© MINISTÈRE DES AFFAIRES ÉTRANGÈRES
ISBN : 2-11-086877-5

Toute reproduction, même partielle, est interdite
sans accord préalable du Ministère des affaires étrangères

Préface

Avec la fin de la guerre froide, mais aussi après la crise sans précédent de la guerre du Golfe, notre monde a connu au cours des derniers mois de profondes transformations. Notre pays se doit de tenir sa place dans ce mouvement et d'y adapter son action sur le plan international.

L'évolution ne va pas sans soubresauts, la guerre du Golfe l'a démontré, et a justifié la priorité donnée par le Gouvernement à la sécurité de nos compatriotes à l'étranger.

Nos ambassades et nos consulats disposent de plans de sécurité régulièrement mis à jour. Ils sont dotés de moyens de communication modernes, qui leur permettent de joindre rapidement aussi bien la communauté française dont ils ont la charge que l'Administration centrale. Enfin, les mesures nécessaires à une évacuation rapide sont prévues en vue d'une mise en application immédiate ·dès que la situation le justifie.

Cette assurance est un des éléments qui visent à développer, dans les meilleures conditions, notre présence à l'étranger. De nouveaux espaces s'ouvrent, de nouvelles possibilités nous sont offertes dans toutes les régions du monde et il nous appartient de les saisir.

L'expatriation requiert une attention toute particulière, car elle est un des facteurs déterminants de l'équilibre du commerce extérieur, et le gouvernement se préoccupe de faciliter et d'améliorer les conditions du séjour à l'étranger de nos compatriotes. Deux rapports viennent d'être déposés sur l'expatriation, l'un par le député Jean-Yves Le Deaut, l'autre par le sénateur Guy Penne, analysant les moyens à mettre en œuvre pour favoriser le départ des Français vers l'étranger et leur assurer, le moment venu, une réinsertion réussie. Comme vous le savez, une Agence française pour l'enseignement à l'étranger vient d'être créée, qui garantira notamment aux professeurs exerçant hors de France une égalité de traitement. Le projet de création de Maison des Français à l'étranger prend corps et cette entité qui regroupera en un même lieu les représentants de divers ministères et organismes concernés par l'expatriation devrait prochainement voir le jour.

L'ensemble de ces actions doit conduire à une amélioration sensible des conditions de départ et de retour des Français qui s'expatrient et le renforcement de leur présence participe au rayonnement de la France dans le monde.

Roland DUMAS
Ministre d'État,
Ministre des Affaires étrangères

Edwige AVICE
Ministre délégué
auprès du Ministre d'État,
Ministre des Affaires étrangères

Sommaire

● Le CENTRE D'ACCUEIL ET D'INFORMATION DES FRANCAIS A L'ETRANGER (A.C.I.F.E.) remercie les différentes administrations qui ont bien voulu collaborer à la réalisation du présent livret.

L'A.C.I.F.E. sera très reconnaissant aux utilisateurs de cet ouvrage des suggestions qu'ils voudront bien lui faire en vue d'en faciliter les mises à jour ultérieures et de mieux répondre à leur attente.

Introduction
Administration, protection, information des Français à l'étranger

Le Ministère des affaires étrangères

La Direction des Français à l'étranger et des étrangers en France - D.F.A.E. - E.F.

Au nombre de ses missions multiples, le Ministère des affaires étrangères compte celle de définir et de mettre en place une politique globale de protection et d'amélioration des conditions de vie des Français résidant hors du territoire national et de participer à l'élaboration et à la mise en œuvre de la politique concernant l'entrée et le séjour des étrangers en France. Au sein d'un département ministériel traditionnellement responsable de la relation diplomatique, c'est à *la Direction des Français à l'étranger et des étrangers en France,* que cette mission incombe plus spécialement. Un effort constant d'efficacité et d'adaptation dans l'action en faveur des Français expatriés est le premier souci de cette direction, dont les nombreux services (voir organigramme page suivante) correspondent aux différents aspects de l'expatriation et répondent, chacun dans un domaine défini, aux problèmes qu'elle pose.

La Direction des Français à l'étranger et des étrangers en France comprend principalement trois grands services :

1. Le Service des accords de réciprocité

• La Division des conventions sociales, fiscales et d'établissement

Elle participe à l'élaboration et au suivi de toutes les conventions bilatérales conclues par la France avec des États étrangers et relatives à l'élimination des doubles impositions, à la coordination des régimes de sécurité sociale afin d'éviter les ruptures de droits, aux conditions de séjour et d'emploi des Français à l'étranger et des étrangers en France.

Elle traite également des accords d'assistance mutuelle en matière douanière, des accords de sécurité civile, vétérinaires et phytosanitaires ; elle suit les questions de voisinage (abornement et entretien des frontières, droits coutumiers, échanges de territoires, bureaux de contrôles nationaux juxtaposés) et certains problèmes touchant à la circulation automobile (fonds de garantie automobile, échange du permis de conduire, notification de mesures administratives, etc.).

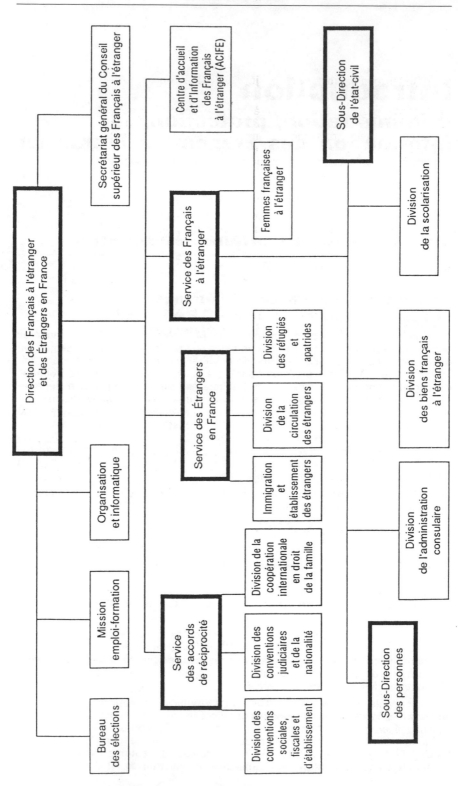

● **La Division des conventions judiciaires et de la nationalité**

Elle prépare, conclut et participe à la mise en œuvre des conventions de coopération judiciaire en matières civiles et pénales, d'extradition et de transfèrement. Elle traite également des questions de nationalité et des demandes de naturalisation par décret émanant de l'étranger, et suit les travaux du Conseil de l'Europe en matière judiciaire et sociale.

● **La Division de la coopération internationale en droit de la famille**

Elle prépare et contrôle les conventions intervenant dans le domaine du droit des personnes et de la famille. Elle est compétente pour suivre les problèmes d'enlèvement international d'enfants, de recouvrement d'aliments à l'étranger et traite enfin, dans le cadre de la *Mission de l'adoption internationale,* des adoptions d'enfants à l'étranger.

2. Le Service des Français à l'étranger

● **La Sous-Direction des personnes**

Au sein de ce service, se poursuit une double tâche visant, d'une part, à assurer la sécurité des communautés et des ressortissants français à l'étranger et, d'autre part, la protection sociale des Français résidents ou de passage à l'étranger.

Dans ce cadre, elle maintient le contact avec les familles des détenus français à l'étranger, met en œuvre les diverses procédures d'aide aux Français de passage en difficulté et veille aux recherches dans l'intérêt des familles. Elle est chargée également de toutes les questions relatives à l'assistance aux Français âgés, nécessiteux ou handicapés, au rapatriement des indigents, aux évacuations sanitaires et aux transferts de corps.

● **La Sous-Direction de l'état civil**

Le Service central de l'état civil, installé à Nantes, est compétent pour les évènements d'état civil qui ont eu lieu à l'étranger concernant des ressortissants français.

Il conserve, met à jour, dans certains cas établit lui-même des actes d'état civil et en délivre des copies ou extraits.

● **La Division de l'administration consulaire**

Elle traite, en liaison avec les postes consulaires, des problèmes administratifs consulaires, en particulier :

● immatriculation des Français résidant à l'étranger, délivrance des titres de voyages, cartes nationales d'identité et laissez-passer, affaires notariales, questions militaires, maritimes et douanières;

● entretien des cimetières civils français;

● légalisations;

● informatisation des postes consulaires.

● **La Division des biens et intérêts français à l'étranger**

Elle a pour mission d'assurer la protection du patrimoine détenu par nos compatriotes et de faciliter le transfert de leurs avoirs bloqués ; elle intervient en particulier dans les cas de spoliation ou de dépossession par des états étrangers et exerce la présidence et le secrétariat des Commissions interministérielles de répartition des indemnisations.

● **La Division de la scolarisation**

Elle assure, sous forme de bourses, une aide à la scolarisation des enfants des familles françaises expatriées fréquentant des établissements d'enseignement français à l'étranger. Les demandes doivent être déposées au consulat où la famille est immatriculée. Peuvent prétendre au bénéfice d'une bourse les familles dont les ressources sont reconnues insuffisantes par la Commission locale des bourses.

En outre, la division de la scolarisation assure le secrétariat permanent de la Commission nationale des bourses et la gestion des crédits alloués à cet effet. Elle informe également le public sur les possibilités de scolarisation dans des établissements d'enseignement français à l'étranger.

N.B. — Les compétences de cette Division viennent d'être transférées à l'Agence pour l'enseignement français à l'étranger.

● **La Mission femmes françaises à l'étranger**

Elle a pour vocation d'informer et de conseiller les femmes françaises, en particulier celles qui ont épousé des étrangers, sur leurs droits et obligations avant leur départ ou durant leur séjour à l'étranger, ainsi qu'à leur retour en France.

3. Le Service des étrangers en France

● **La Division de l'immigration et de l'établissement des étrangers**

Elle participe à l'élaboration de la politique française d'immigration, ainsi qu'à l'application des accords de main-d'œuvre et d'établissement.

Elle est également compétente pour l'octroi à des étrangers de dérogations d'accès à certaines professions libérales, ainsi qu'en matière d'hospitalisation en France de certains étrangers.

● **La Division de la circulation des étrangers**

Elle participe à l'élaboration et à la mise en œuvre de la politique du gouvernement au sujet de l'entrée et du séjour des étrangers sur le territoire national.

● **La Division des réfugiés et apatrides**

Elle coordonne l'ensemble des questions relatives à l'asile territorial, à l'admission et au séjour des réfugiés en France.

Elle assure :

— la présence de la France aux travaux des organisations internationales et des O.N.G. et les relations avec les organisations humanitaires ;

— la préparation et l'application, en liaison avec le cabinet du ministre et les directions géographiques, de la politique d'accueil des réfugiés ;

— l'étude des questions de principe et des instruments juridiques relatifs à l'admission et au séjour des réfugiés ;

— la tutelle administrative de l'OFPRA (Office français de protection des réfugiés et apatrides) ;

— l'instruction des dossiers de demandes de visa formulées auprès des postes au titre de l'asile politique.

● Le Bureau des élections

Il a compétence pour les questions électorales concernant les Français établis hors de France. À ce titre, il organise pour nos compatriotes l'exercice du droit de vote, dans 210 centres de vote, à l'occasion des élections présidentielles, des élections à l'Assemblée des Communautés européennes et lors des référendums, en application de la loi n° 76-97 du 31 janvier 1976.

De même, il prend en charge l'organisation des élections au Conseil supérieur des Français de l'étranger dont la DFAE assure, par ailleurs, le secrétariat général.

● La Mission emploi-formation

Elle a pour but de faciliter et de développer l'accès à la formation professionnelle et à l'emploi des Français à l'étranger lors de leur départ, de leur séjour à l'étranger, ou de leur retour en France.

Ces actions sont conduites en France, en liaison avec le Ministère du travail, de l'emploi, et de la formation professionnelle et les réseaux métropolitains concernés (ANPE, APEC, OMI, etc.) et, à l'extérieur, avec les ambassades, les consulats et les comités consulaires pour l'emploi et la formation professionnelle, les Chambres de commerce internationales, etc.

● Le Centre d'accueil et d'information des Français à l'étranger (A.C.I.F.E.)

Enfin, pour informer les Français candidats à l'expatriation sur les conditions de vie à l'étranger comme sur les droits et garanties qui demeurent les leurs hors du territoire national, le Centre d'accueil et d'information des Français à l'étranger (A.C.I.F.E.) a été mis en place. Il est situé au 30-34, rue La Pérouse. Il offre à la consultation du public 115 monographies sur des pays étrangers, comportant les informations suivantes : présentation du pays, environnement pour un Français, santé, protection sociale, scolarisation, coût de la vie, fiscalité, formalités administratives, principales clauses d'un contrat de travail, droit de vote et représentation des Français à l'étranger. Ces dossiers sont en général actualisés chaque année. Ils peuvent aussi être consultés dans la plupart des préfectures métropolitaines.

L'A.C.I.F.E. publie également le présent « livret du Français à l'étranger », brochure d'orientation qui ne prétend pas traiter de manière exhaustive toutes les questions d'ordre administratif et social qui intéressent nos compatriotes souhaitant s'expatrier ou déjà établis hors de France.

De plus, une « cellule documentaire » met à la disposition du public une importante bibliographie sur la plupart des pays du monde ; un accès à la base de données IBISCUS peut également compléter le fonds documentaire de la cellule.

Toutefois, cette documentation ne concerne pas les pays relevant du Ministère de la coopération. Pour ces derniers, il faut s'adresser au :

• Centre de documentation du Ministère de la coopération et du développement
1 *bis,* avenue de Villars, 75007 Paris
Tél. : (1) 45.55.95.44.

N.B. - L'A.C.I.F.E. n'est pas une agence pour l'emploi et ne peut, en aucun cas, fournir des offres d'emploi pour l'étranger.

Pour de plus amples renseignements sur la documentation qui peut être donnée ou vendue, écrire ou téléphoner au :

Centre d'accueil et d'information des Français à l'étranger (A.C.I.F.E.)
30-34, rue La Pérouse, 75116 Paris
Tél. : (1) 40.66.60.70 et 60.79 (bureau d'accueil)
     (1) 40.66.69.20 (monographies et livret)
     (1) 40.66.73.03 (cellule documentaire)
Télécopie : (1) 40.66.63.61

Ouvert du lundi au vendredi :
pour le bureau d'accueil : de 9 h 30 à 16 h;
pour la vente des monographies et du livret : de 9 h 30 à 17 h 30;
pour la cellule documentaire : de 9 h à 12 h et de 14 h à 18 h.

Vous pouvez également consulter le minitel sur le rôle de l'A.C.I.F.E. et les services qu'il peut rendre :
Tél. : 36.15, Code : A1, Mot-clé : A.C.I.F.E.
     36.17, Code : A9, * A.C.I.F.E.

Les autres sources d'information

Des informations ou une documentation spécialisée (brochures à caractère économique ou juridique, notices, études de synthèse, fiches pratiques) peuvent être obtenues en écrivant à des centres ou organismes tels que :

● le Centre français du commerce extérieur (C.F.C.E.)

10, avenue d'Iéna, 75116 Paris
Tél. : (1) 40.73.30.00

● le Centre d'information et de documentation jeunesse (C.I.D.J.)

101, quai Branly, 75740 Paris Cedex 15
Tél. : (1) 45.67.35.85, minitel : 36.15 Code C.I.D.J.

(Des centres d'informations jeunesse régionaux existent également en France métropolitaine et dans les DOM-TOM.)

● la Documentation française

29-31, quai Voltaire, 75007 Paris
Tél. : (1) 42.61.50.10

Commandes par correspondance :

124, rue Henri-Barbusse, 93308 Aubervilliers Cedex.

● Le guide de vos droits et démarches

Des informations de base très complètes sur l'ensemble des droits et démarches administratives des Français (parents, locataires, contribuables, consommateurs, électeurs, etc), peuvent dorénavant être accessibles par minitel : 36.15, Code VOSDROITS.

N.B. - Quand vous êtes à l'étranger, votre interlocuteur est le consulat dans la circonscription duquel vous résidez. Il sert d'intermédiaire entre vous et l'administration centrale.

1

L'ÉTABLISSEMENT DANS LE PAYS DE RÉSIDENCE

1. Les formalités avant le départ pour l'étranger

Un certain nombre de formalités doivent être accomplies **avant le départ** pour l'étranger. Il convient, en particulier, de vous mettre en règle vis-à-vis de :

• la fiscalité

Lorsque vous quittez la France pour être domicilié à l'étranger, vous devez avoir réglé *les impôts dont vous êtes redevable*. Un quitus fiscal ou bordereau de situation vous sera délivré par votre percepteur habituel lorsque vous vous serez acquitté de vos impôts.

Renseignez-vous en temps utile pour savoir quel sera votre nouveau statut fiscal (résident ou non-résident), auprès du centre des impôts de votre domicile ou du :

Service d'information du Centre des impôts des non-résidents
9, rue d'Uzès, 75094 Paris Cedex 02
Tél. : (1) 42.36.02.33 (ouvert au public de 9 h à 12 h)

• le compte bancaire

Prévenez votre banque du changement de votre situation afin de pouvoir obtenir tous les renseignements sur les conditions d'ouverture des nouveaux comptes bancaires dont vous aurez besoin, soit :

— un compte de résident, en francs convertibles;
— un compte étranger, en francs.

• les douanes - le déménagement

Vous pouvez emporter avec vous les effets et les objets destinés à votre usage personnel au cours de votre séjour à l'étranger.

Mais pour votre mobilier, votre automobile et vos animaux familiers (certains pays réclament des vaccinations pour les animaux familiers, d'autres les interdisent de séjour : renseignez-vous à l'office du tourisme du pays concerné), vous devez déposer une déclaration d'exportation.

Pour vous mettre en règle, consultez le :

Centre de renseignements douaniers

139, rue de Bercy, 75012 Paris
Tél. : (1) 42.60.35.90.

N.B. - Les compagnies de transports internationaux peuvent se charger des formalités de sortie de votre mobilier et de vos affaires personnelles.

• le passeport, le visa

Un visa de séjour ou d'immigration est souvent exigé pour l'entrée dans un pays étranger pour les résidents, surtout s'ils désirent y travailler.

Vous devez le solliciter à l'avance, auprès du **consulat du pays où vous devez vous rendre** (les adresses et numéros de téléphone des consulats étrangers à Paris et en province sont disponibles à l'A.C.I.F.E.).

Sachez que pour obtenir un **passeport** vous devez vous adresser, si vous résidez à **Paris** depuis au moins 3 mois, à **la mairie de l'arrondissement** de votre domicile (antenne de la Préfecture de police) et si vous habitez en province à la **préfecture** dont dépend votre domicile.

• la légalisation

A défaut de convention particulière à ce sujet avec certains pays, la plupart des documents établis en France et destinés à être produits auprès d'une autorité étrangère doivent être **légalisés** par le **Ministère des affaires étrangères**, puis par la **représentation consulaire étrangère en France**.

Adressez-vous au :

Ministère des affaires étrangères
Bureau des légalisations
34, rue La Pérouse
75116 Paris
Tél. : (1) 40.66.64.64.

• la vaccination

Pensez aux vaccinations qui sont obligatoires dans certains pays, pour vous, votre famille et vos animaux familiers. Les **consulats étrangers en France** indiquent celles qui sont requises sur leur territoire.

---

*N.B. - Vous avez intérêt à vous renseigner auprès des **compagnies d'assistance** sur les conditions dans lesquelles vous pouvez vous assurer en cas de **rapatriement sanitaire, maladie grave ou accident**. Cette précaution est particulièrement recommandée quand vous êtes appelé à séjourner dans les pays où l'équipement hospitalier est insuffisant.*

N'attendez pas le dernier moment pour accomplir les formalités de départ : les délais d'obtention des pièces nécessaires peuvent être plus longs que vous ne le pensez.

Certaines vaccinations ne doivent pas être faites à la dernière minute. Au besoin, établissez une liste aussi précise que possible des démarches que vous devez accomplir et faites-les en temps utile.

2. Le rôle des services administratifs français à l'étranger

Ne confondez pas ambassade et consulat.

L'ambassade

L'ambassadeur est le représentant personnel du Président de la République, accrédité auprès du Chef de l'État étranger. Chargé des relations bilatérales d'État à État, il constitue en outre l'autorité suprême pour tous les services français exerçant leur activité dans l'État étranger :
— services culturels et de coopération scientifique et technique.
— postes d'expansion économique.

L'administration consulaire

Le consul est le chef de la communauté française dont il assure la protection vis-à-vis des autorités étrangères et qu'il administre selon la législation et la réglementation françaises. Il peut être assisté dans certains domaines par les consuls honoraires et les agents consulaires. Le rôle du consul est la défense des personnes et des biens français dans le respect de la légalité et de l'ordre public local.

N.B. - Dans les pays où il n'existe pas de consulat, l'ambassade possède une section consulaire qui assure l'intégralité des tâches consulaires.

Protégés par le consul vis-à-vis de l'autorité étrangère, les Français résidant dans sa circonscription sont aussi ses administrés.

A ce titre, le consul est officier d'état civil, chargé des fonctions notariales, des questions militaires, de la délivrance des titres de voyage, des cartes nationales d'identité (sous réserve que le demandeur soit immatriculé), du paiement des pensions civiles et militaires etc.
Tel le maire d'une commune de France, il souhaite connaître la communauté qu'il protège et administre. Il dispose à cet effet d'un moyen de recensement : **l'immatriculation**.

L'immatriculation

Vous avez le plus grand intérêt à vous faire immatriculer au consulat.

Si vous êtes immatriculé, en cas d'accident, d'évènements pouvant menacer votre sécurité ou de difficultés avec les autorités locales, le consul vous connaît, sait que vous êtes en situation régulière et peut intervenir immédiatement.

Si vous n'êtes pas immatriculé, vous bénéficierez de la même protection mais le consul risque de perdre beaucoup de temps à vous joindre et éventuellement à prouver votre qualité de Français et la régularité de votre situation.

En outre, pour les formalités à accomplir dans le cadre de la législation française, l'immatriculation facilite les procédures administratives.

N.B. - Vous ne pourrez vous faire immatriculer que si vous êtes résident du pays où vous séjournez et si vous prouvez que vous êtes autorisé à vous y installer, en accord avec les autorités locales.

Pour vous faire immatriculer, vous devez prouver :

● votre identité (carte nationale d'identité ou passeport français);

● votre nationalité française (carte nationale d'identité, décret de naturalisation, de réintégration, ou certificat de nationalité (voir ci-dessous page 23);

● votre état civil (livret de famille);

● votre résidence régulière dans la circonscription (carte de résident étranger; permis de séjour délivré par les autorités locales; dans certains pays qui ne délivrent pas les deux documents précédents, contrat de travail prouvant que vous séjournez régulièrement dans la circonscription consulaire; éventuellement, document attestant que vous possédez aussi la nationalité du pays d'accueil);

● Votre situation vis-à-vis du service national (livret militaire ou carte de service national) si vous êtes soumis aux obligations militaires.

Après constitution de votre dossier, **une carte d'immatriculation consulaire** vous sera remise gratuitement. La validité de ce document est de **trois ans**. Elle peut être renouvelée.

La carte d'immatriculation consulaire vous permettra de :

● prouver aux autorités locales que vous êtes placé sous la protection du consul de France (rappelez-vous toutefois que, pour ces autorités, cette carte ne peut pas remplacer le passeport ou la carte nationale d'identité : elle n'est ni un titre de voyage, ni un document d'identité; elle ne vous dispensera donc pas de l'obligation éventuelle de détenir une carte de résident étranger);

● prouver aux autorités consulaires françaises que vous êtes un Français résidant régulièrement à l'étranger;

● faciliter le contrôle douanier à votre entrée en France puisque vous ne résidez pas sur le territoire national français; à la sortie, elle vous sera réclamée quand vous ferez viser les documents de détaxe à l'exportation;

- bénéficier de tarifs préférentiels, pour l'établissement de documents officiels, au consulat.

La carte d'immatriculation consulaire est essentiellement destinée à être présentée à l'étranger. Elle ne peut donc pas, de ce fait, servir de pièce d'identité pour toute démarche en France : bureau des P.T.T., banques, magasins etc.

> Si vous avez la **double nationalité**, et donc possédez aussi celle du pays d'accueil, vous ne pourrez invoquer la protection du consul devant les autorités locales que si ces dernières y consentent (principe de la priorité d'allégeance au pays de résidence).

L'immatriculation est facultative.

Si l'immatriculation n'est pas une formalité obligatoire, elle permet toutefois au consul une meilleure gestion de ses administrés.

L'immatriculation est toutefois indispensable :

- pour obtenir, en faveur des vos enfants, des **bourses d'études** dans les établissements français locaux;
- pour vous inscrire sur **la liste électorale** d'une commune de France et pour donner procuration de vote valable pour plus d'un an;
- pour obtenir la délivrance d'**une carte nationale d'identité**.

La délivrance de documents de voyage et d'identité

• Carte nationale d'identité

Le consulat peut vous l'établir. Il vous indiquera les conditions de délivrance et de renouvellement; ce sont les mêmes qu'en France.

En vue de faciliter vos relations avec les administrations et organismes publics, vous avez tout intérêt à posséder ce document.

• Passeport

Vous pouvez également obenir dans les mêmes conditions qu'en France la délivrance, la prorogation ou le renouvellement d'un passeport.

Si vous êtes de passage, le poste consulaire devra, au préalable, consulter l'administration qui vous a délivré ce titre de voyage.

• Pertes ou vols de documents

En cas de perte ou de vol de votre **carte nationale d'identité** ou de votre **passeport**, vous devez faire une déclaration de perte ou de vol auprès des autorités de police locales, puis auprès du consulat français de votre résidence avant de pouvoir obtenir la délivrance de nouveaux documents.

*N.B. - En cas d'urgence et si vous êtes de passage, le consulat peut vous délivrer un **laissez-passer**, valable pour le seul retour au lieu de votre domicile en France ou à l'étranger, par la voie la plus directe seulement.*

En cas de perte ou de vol de votre **permis de conduire français**, la déclaration de perte ou de vol sera faite au consulat. L'exemplaire qui vous sera remis de cette déclaration vous tiendra lieu de permis de conduire pendant un délai de 2 mois et vous servira pour obtenir un duplicata du document égaré ou volé auprès de l'organisme public en France ayant établi l'original.

Dans tous les cas, votre immatriculation au consulat facilitera et accélérera les formalités administratives.

Le certificat de nationalité française

Le certificat de nationalité française, délivré par le juge d'instance, est le seul document qui fait foi jusqu'à preuve contraire.

Pour l'obtenir, adressez-vous :

● au juge du premier arrondissement de Paris, annexe du Palais de justice, 4 à 14, rue Ferrus, 75014 Paris, si vous résidez déjà à l'étranger;

● au juge de votre dernier domicile ou de votre dernière résidence en France;

● ou à défaut, au juge du lieu d'origine de vos parents.

Toutefois, les personnes domiciliées dans les villes ou les pays suivants relèvent de la juridiction des tribunaux indiqués ci-après :
— Maroc : Bordeaux;
— Tunisie : Marseille;
— Madagascar : Saint-Denis de la Réunion;
— Algérie (Alger) : Aix-en-Provence;
— Algérie (Oran) : Montpellier;
— Algérie (Constantine) : Nîmes.

Formalités

Le certificat de nationalité française est délivré gratuitement, il peut être sollicité par correspondance, en envoyant dans une enveloppe timbrée portant vos noms et adresse les documents nécessaires. Dans le cas le plus simple d'une personne née en France de parents eux-mêmes nés en France, il suffira d'une copie intégrale de l'acte de naissance. Dans tous les autres cas, vous aurez intérêt à demander au consulat de vous indiquer les documents dont, en fonction de votre situation particulière, le juge d'instance aura besoin pour apprécier celle-ci.

Il est prudent de prévoir un certain délai de réponse, en raison de la surcharge de travail imposée aux tribunaux d'instance.

Les actes d'état civil

Le consul, tel le maire d'une commune de France, est investi, dans sa circonscription à l'étranger, des fonctions d'officier de l'état civil.

Le consulat tient des **registres de l'état civil**. Il dressera directement, si le pays d'accueil ne le lui interdit pas, les actes vous concernant, vous et votre famille. Il vous délivrera : copies, extraits, fiches, certificats dont vous pourriez avoir besoin. Si l'acte a été établi par l'autorité locale, il pourra en **transcrire** sur votre demande le contenu et vous délivrera également copies et extraits de cette transcription.

Les registres de l'état civil sont tenus, comme ceux des mairies, en double exemplaire. Ouverts le 1er janvier, ils sont clos et arrêtés par l'officier d'état civil à la fin de chaque année. Le premier exemplaire est conservé par le poste consulaire; le second est adressé, au cours du mois de janvier de l'année suivante au :

Service central de l'état civil
Ministère des affaires étrangères,
5-6, boulevard Louis-Barthou
B.P 1056, 44035 Nantes Cedex
Tél. : 40.67.63.21

N.B. - A votre retour en France ce service vous délivrera gratuitement des ***copies*** *et des* ***extraits*** *des actes de l'état civil consulaire français établis hors de votre pays de résidence. Il sera votre interlocuteur pour* ***toute question relative aux évènements d'état civil vous concernant, survenus à l'étranger****. Afin de faciliter les recherches et par là même la délivrance de l'acte, il est conseillé de joindre la photocopie d'un extrait ou d'une copie, même périmés; sinon indiquer la référence de l'acte demandé. Le Service central de l'état civil détient et exploite également les actes de l'état civil colonial et ceux des naturalisés (Français d'origine étrangère).*

● Les actes déclaratifs : naissance, reconnaissance, décès

— Naissance, décès

La réglementation locale peut vous faire obligation de procéder aux déclarations administratives devant les autorités locales de l'état civil. Le consulat vous fournira toutes précisions utiles sur ce point.

Quoi qu'il en soit, vous avez tout intérêt à déclarer aussi une naissance ou un décès auprès du consulat. Si vous ne procédez pas à cette formalité, vous pouvez demander la transcription des actes déclaratifs étrangers sur les registres de l'état civil consulaire. Dans l'un ou l'autre cas, le consul en fera mention sur le livret de famille français.

N'oubliez pas *qu'un enfant, né à l'étranger, de père français ou de mère française, possède la nationalité française.*

— Reconnaissance

Si vous désirez reconnaître un enfant que vous avez eu hors mariage, vous avez intérêt à en parler à votre consul qui vous indiquera si la reconnaissance peut être souscrite devant lui sous la forme d'acte d'état civil ou d'acte notarié.

Si la reconnaissance est faite devant l'autorité étrangère, vous avez tout intérêt à faire transcrire cet acte sur les registres du consulat. Il faut savoir que le droit français attribue, dans le plupart des cas, à l'enfant le nom du premier parent qui l'a reconnu.

● **Les actes constitutifs d'état : le mariage**

— *Mariage entre deux ressortissants français*

Un certain nombre de pays étrangers acceptent qu'un tel mariage soit célébré par le consul

Dans le cas contraire, si le pays où vous désirez vous marier ne reconnaît pas la validité du mariage consulaire, il vous appartiendra de faire célébrer votre union par les autorités locales de l'état civil et de demander ultérieurement au consulat la **transcription** de votre acte de mariage étranger sur les registres de l'état civil consulaire.

Le mariage célébré à l'étranger, selon la loi locale, est valable au regard de la législation française, dès lors qu'il ne contrevient pas aux dispositions du Code civil français.

Mariage entre un ressortissant français et un(e) étranger(e).

Le ressortissant français qui épouse un(e) étranger(e) peut envisager de se marier soit à l'étranger (dans la plupart des pays, devant les autorités locales seulement), soit en France.

La loi française ne soumet pas le mariage d'un(e) Français(e) avec un(e) étranger(e) à une autorisation préalable. Ce mariage est donc libre, sous réserve cependant de remplir les conditions requises par la loi française.

Toutefois, dans la mesure où les conditions d'aptitude au mariage des futurs époux relèvent de leur loi nationale, le Français aurait le plus grand intérêt à s'adresser à notre représentation consulaire dans le pays de résidence du futur conjoint, ou à la représentation consulaire correspondante en France.

Tout mariage célébré à l'étranger entre un(e) Français(e) et un(e) étranger(e) est valable en France s'il est célébré dans les formes locales. Une fois que le mariage a été célébré par l'officier d'état civil local, sa transcription peut être effectuée sur les registres du consulat français dans la circonscription duquel la célébration a eu lieu. Un livret de famille français sera alors délivré aux époux. La demande est à adresser soit directement au consul de France compétent, soit éventuellement au **Service central de l'état civil**, B.P 1056, 44035 Nantes Cedex en fournissant la preuve de la nationalité française de l'un des époux et une copie de l'acte de mariage éventuellement légalisée par l'autorité compétente, ainsi qu'une copie des actes de naissance des époux.

N.B. - Le mariage n'exerce de plein droit aucun effet sur la nationalité. Toutefois, le conjoint étranger d'un(e) Français(e) peut, après un délai de six mois à compter du mariage, acquérir la nationalité française par déclaration souscrite devant le consul de France après transcription de l'acte de mariage sur les registres du consulat, à condition qu'à la date de cette déclaration, la communauté de vie n'ait pas cessé entre les époux et que le conjoint français ait conservé sa nationalité.

Il reste que le Gouvernement peut s'opposer, par décret pris après avis conforme du Conseil d'État, à l'acquisition de la nationalité française dans le délai d'un an pour indignité ou défaut d'assimilation.

• La transcription

La transcription consiste à reporter dans les registres consulaires français les indications contenues dans un acte établi à l'étranger par une autorité étrangère.

Aucun délai n'est fixé pour la transcription d'un acte.

Vous avez tout intérêt à **demander la transcription**, dans les registres consulaires français, des actes établis devant les autorités locales.

Pour obtenir :

— des copies des extraits des actes concernant votre état civil et transcrits dans les registres consulaires français (naissance, mariage, décès...),

— la mise à jour de votre état civil par mentions marginales,

— le livret de famille français,

Adressez-vous :

Si vous résidez à l'étranger, au **consulat de France** *de votre circonscription.*

Si vous êtes revenu en France, au **Service de l'état civil de Nantes**, *dépositaire du double des registres établis par nos consulats à l'étranger (fournissez parallèlement les informations nécessaires à cet effet. Voir ci-dessus page 24).*

Cas particulier du divorce

A l'étranger, le divorce doit être demandé conformément à la législation selon laquelle le mariage a été célébré. Lorsque le divorce a été prononcé à l'étranger et qu'il est définitif, il produit ses effets en France et permet donc, le cas échéant, un nouveau mariage.

Toutefois, pour que le jugement de divorce étranger soit mentionné en marge des actes d'état civil, il vous appartient d'en adresser la demande au **procureur de la République** :

— soit au **tribunal de grande instance de Nantes**, Service de l'état civil des Français à l'étranger, place Aristide-Briand, B.P 1012, 44035 Nantes Cedex, si votre mariage a été célébré à **l'étranger**;

— soit au **tribunal du lieu de votre mariage** si celui-ci a été célébré **en France**.

Cette demande doit être accompagnée d'un exemplaire de l'acte de naissance des époux, de leur acte de mariage et du jugement du divorce définitif, et le cas échéant du jugement provisoire, traduit et de la justification de son caractère exécutoire.

Enfin, si vous avez besoin de rendre exécutoire (exequatur) en France **le jugement** (notamment pour la garde des enfants, le partage des biens communs ou le versement d'une pension alimentaire...), vous adresserez une demande au **président du tribunal français** compétent selon le lieu du mariage (voir ci-dessus) si votre ex-conjoint réside à l'étranger, ou celui de sa résidence s'il habite en France.

Les actes notariés

Le consul de votre lieu de résidence peut avoir compétence pour établir un certain nombre d'actes notariés.

Sous réserve de conventions internationales, notamment bilatérales, et de la loi du pays de résidence, **il vous est possible de faire au consulat** :

- le dépôt de votre testament;
- établir votre contrat de mariage sous certaines conditions;
- procéder à une donation entre époux;
- établir, dans certains cas, un acte de notoriété en vue du règlement d'une succession;
- établir une procuration devant produire ses effets en France.

Toutefois, dans ce domaine de compétences, les consuls n'ont pas un devoir de conseil à l'égard de nos compatriotes sur l'opportunité de passer un acte. Ils ne peuvent que les informer des dispositions du droit français.

Le service national

Comme en France, vous devez accomplir le service national entre 18 ans et 50 ans. La période du service actif est limitée à 29 ans, sauf insoumission ou omission sur les listes de recensement : dans ce cas, l'appel peut intervenir jusqu'à 34 ans (articles L. 35 et L. 7 du Code du service national). Le consul procède au **recensement** des jeunes gens nés ou établis dans sa circonscription. *Les obligations de recensement* ont lieu pendant le premier mois du trimestre suivant celui au cours duquel le jeune homme a atteint ses 17 ans. Cette disposition n'est pas applicable aux jeunes gens ayant la faculté de répudier ou de décliner la nationalité française. Ceux-ci continueront à n'être recensés qu'à partir du moment où ils sont devenus français à titre définitif.

Vous pourrez bénéficier, si vous remplissez les conditions exigées et si vous en faites la demande, des dispositions du Code du service national, telles que le devancement d'appel, le report d'incorporation, des dispenses diverses.

Vous ne pourrez pas souscrire auprès du consulat un engagement dans l'armée française, mais le consul vous renseignera et vous aidera à constituer le dossier qui sera remis à l'autorité militaire.

Les frais de transport des jeunes gens appelés au service national actif sont pris en charge par le budget de l'Etat à condition que leur résidence à l'étranger soit effective et habituelle (Français résidant dans les pays limitrophes), lors de l'incorporation et de la libération de l'appelé. Les voyages à l'occasion de permissions sont à leur charge. Ceux dont la résidence est éloignée de la France (ex : Nouvelle-Zélande) peuvent, jusqu'à l'âge de vingt-neuf ans, présenter une demande d'exemption auprès de l'autorité militaire.

Formalités

En arrivant à l'étranger ou si vous changez de résidence, **vous devez** vous présenter au consulat avec vos documents militaires, pour effectuer une déclaration de changement de résidence destinée à l'autorité militaire.

N.B. - En matière de service national, les double-nationaux sont soumis à des règles particulières (article L 38 du Code du service national).

L'exercice du droit de vote

Règle générale

Tout électeur français se trouvant hors de France au moment d'une consultation électorale (élection municipale, cantonale, régionale, législative, présidentielle, européenne ou référendum) et quelle que soit la durée du séjour, c'est-à-dire qu'il soit Français de passage ou Français résidant à l'étranger, peut exercer son droit de vote **par procuration** à condition qu'il soit inscrit sur une liste électorale en France.

Il faut et il suffit que la personne qu'il charge de voter à sa place (son mandataire) soit inscrite dans **la même commune que lui**.

Les procurations, dressées au **consulat de France le plus proche du lieu de séjour**, en tenant compte du délai d'acheminement postal, (soit au moins deux à trois semaines avant la consultation électorale), peuvent être établies pour **un seul scrutin**, ou pour **un an**, sur présentation d'une pièce d'identité.

N.B. - Les procurations établies pour une durée supérieure (qui peut aller jusqu'à trois ans) sont réservées aux Français résidant à l'étranger et régulièrement immatriculés dans les consulats.

Modalités spéciales pour les Français résidant à l'étranger

Les Français résidant à l'étranger ont, en outre, la possibilité de voter sur place dans leurs ambassades et dans leurs consulats, mais seulement à l'occasion :

● des élections présidentielles;

● des référendums;

● de l'élection des représentants à l'Assemblée des Communautés européennes.

Ils ne peuvent plus alors, mais seulement pour chacun de ces trois scrutins, voter par procuration dans la commune de France où ils sont inscrits sur la liste électorale.

Procédure

Pour voter sur place, il vous suffit de demander votre inscription sur la liste du **centre de vote du consulat dont vous dépendez** (l'immatriculation préalable n'est pas obligatoire et il n'est pas nécessaire d'être déjà inscrit sur une liste électorale en France).

Ce mode de scrutin à l'étranger est autorisé dans presque tous les pays.

Renseignez-vous auprès de l'ambassade ou du consulat de votre lieu de résidence.

Renseignez-vous également sur les modalités d'inscription sur la liste électorale à l'ambassade ou au consulat pour les **élections au Conseil supérieur des Français de l'étranger**.

Attributions diverses

● Bourses

Si vos enfants poursuivent des études en France ou à l'étranger, vous pourrez trouver au consulat les renseignements concernant les études et les bourses scolaires.

N.B. - Des bourses peuvent être attribuées aux étudiants se rendant en France pour y poursuivre des études supérieures.

● Aide sociale

Certains consulats disposent d'une assistante sociale qui peut vous assister et vous guider : situation personnelle, maisons de retraite locales ou en France, placements hospitaliers, aide aux personnes âgées ou handicapées. S'il n'existe pas d'assistante sociale dans votre consulat de rattachement, vous pourrez vous renseigner auprès d'un agent du poste.

● Rapatriement

Le rapatriement aux frais de l'État n'est pas un droit. Toutefois, les personnes résidant à l'étranger qui ne possèdent pas de ressources suffisantes peuvent, sous certaines conditions, demander au consulat leur rapatriement aux frais de l'État. Cette demande est transmise, pour décision, au Ministère des affaires étrangères.

En outre, les Français qui étaient domiciliés dans les Etats placés avant leur indépendance sous la souveraineté, le protectorat ou la tutelle de la France et qui ont été contraints, par suite d'évènements politiques, à rentrer en France, peuvent être rapatriés aux frais de l'État et bénéficier de diverses aides au titre de la loi du 26 décembre 1961. Les demandes peuvent être adressées au consulat.

● Paiement des pensions et retraites

C'est auprès de l'ambassade, du consulat ou du payeur, que vous pourrez toucher votre **pension militaire** ou civile d'ancienneté ou d'invalidité, la **retraite du combattant, les traitements de la Légion d'honneur à titre militaire et de la médaille militaire.**

Au contraire, les autres pensions et retraites (sécurité sociale, retraites des cadres etc.) sont payées par transfert bancaire ou mandat international.

● Recouvrement des pensions alimentaires à l'étranger

Le recouvrement des pensions alimentaires à l'étranger a été facilité par la Convention de New York du 20 juin 1956 (JO du 12 octobre 1960).

Vous pouvez bénéficier des clauses de cette convention :

— si vous êtes domicilié(e) dans l'un des pays suivants : Algérie, Allemagne Fédérale, Australie, Autriche, Argentine, Barbade, Belgique, Brésil , Burkina Faso, Centrafrique, Chili, Danemark, Équateur, Espagne, Finlande, Grande-Bretagne, Grèce, Guatémala, Haïti, Hongrie, Israël, Italie, Luxembourg, Maroc, Monaco, Niger, Norvège, Nouvelle-Zélande, Pakistan, Pays-Bas, Philippines, Pologne, Portugal, Suisse, Saint-Siège, Sri Lanka, Suède, Surinam, Tchécoslovaquie, Tunisie, Turquie, Yougoslavie;

— si la personne qui doit vous verser la pension alimentaire est domiciliée en France;

— si la personne qui doit vous verser la pension alimentaire réside également dans l'un de ces pays.

Dans tous les cas, renseignez-vous :

— au **consulat de France**,

— ou au **Ministère des affaires étrangères – Direction des Français à l'étranger et des étrangers en France – Division de la coopération internationale en droit de la famille –** 23, rue La Pérouse, 75116 Paris. Tél : (1) 40.66.66.99.

Si vous désirez bénéficier de l'aide judiciaire, vous devez fournir une déclaration de ressources ou un avis de non-imposition.

3. La protection des ressortissants français

Résidant dans un pays étranger, vous serez soumis à la législation de votre pays d'accueil, dont l'application s'étend à toutes les personnes physiques ou morales installées ou circulant sur son territoire. Le rôle du consul est de vous protéger contre les éventuels abus, exactions et discriminations dont vous pourriez faire l'objet. Le consulat interviendra en votre faveur auprès des autorités du pays en cas d'incarcération, d'accident grave ou de maladie. Il est également en mesure de vous prêter assistance en cas de difficultés telles que vol, perte de document etc.

● Arrestation et incarcération

Pour tout motif, vous avez le droit, que vous soyez de passage ou résident, de demander à communiquer avec le consulat ou l'ambassade; ils interviendront auprès des autorités locales, pour attester que vous êtes sous la protection consulaire et s'enquérir, dans un premier temps, du motif de votre arrestation.

Le consul sollicitera les autorisations nécessaires pour que lui-même, ses collaborateurs ainsi que les membres de votre famille soient autorisés à vous rendre visite. Il s'assurera ainsi de vos conditions de détention et du respect des lois locales.

Pour vous assister judiciairement, le consulat vous proposera le choix d'un avocat qui vous défendra; vous devrez rémunérer les services de cet avocat. Le consul se fera représenter à l'audience et tentera, dans la mesure du possible, de hâter la procédure.

● Accident grave

Le consulat est en principe prévenu par les autorités locales de tout accident grave survenu à un Français.

Dès qu'il dispose des renseignements suffisants sur votre identité et votre parenté (par l'immatriculation, si vous résidez dans sa circonscription), le consulat prévient votre famille et le Ministère des affaires étrangères qui envisage avec elle des mesures à prendre : hospitalisation ou rapatriement (dont les frais demeurent à votre charge).

N.B. - Vous avez toujours intérêt à souscrire, préalablement à votre départ, un contrat d'assistance avec une compagnie prenant en charge le rapatriement sanitaire.

Dans la mesure du possible, le consulat se procurera les rapports de police et, si nécessaire, les rapports médicaux.

● **Maladie**

Le consulat ou l'ambassade peut vous mettre en relation avec un médecin agréé par ses services et tient à votre disposition une liste de médecins spécialisés.

En cas de décès, le consulat prend contact avec la famille du défunt pour procéder, si celle-ci le désire, aux formalités légales de rapatriement du corps. **Les frais sont assumés par la famille.**

En résumé le **consul et ses collaborateurs** vous assisteront pour les actes que vous aurez à accomplir dans le cadre de la réglementation française et pour les démarches concernant votre séjour sur place.

Ils peuvent vous délivrer également :

● une attestation d'immatriculation consulaire;

● une attestation de résidence;

● un certificat de coutume;

● un certificat d'hérédité;

● une carte d'identité de voyageur de commerce;

● des fiches d'état civil et de nationalité;

et procéderont aux légalisations de signatures.

Ils vous donneront tous les renseignements utiles pour obtenir les extraits de casier judiciaire, l'inscription sur les listes électorales.

Ils vous guideront dans les démarches que vous aurez à effectuer auprès de l'administration locale.

N'hésitez pas à demander conseil; les fonctionnaires du consulat connaissent bien les rouages de l'administration locale et sont en contact fréquent avec les autorités du pays d'accueil (police, immigration, justice, main-d'œuvre, etc.).

Ce que le consulat ne peut pas faire :

● Vous rapatrier aux frais de l'État, sauf dans les cas d'une exceptionnelle gravité et sous réserve d'un remboursement ultérieur;

● régler votre note d'hôtel;

● vous avancer de l'argent sans la mise en place préalable d'une garantie;

● être de permanence 24 heures sur 24;

● intervenir dans le cours de la justice pour obtenir votre libération si vous êtes impliqué dans une affaire judiciaire ou accusé d'un délit commis sur le territoire du pays d'accueil.

4. La réglementation locale

Ayant quitté le territoire français, vous êtes un **étranger** au regard des autorités du pays où vous résidez. Il convient donc que vous soyez parfaitement **en règle avec la réglementation locale à propos de** :

L'immigration, le séjour et la résidence

Que vous ayez obtenu avant de quitter la France le visa d'entrée adéquat (délivré par l'ambassade ou le consulat de votre futur pays de résidence) ou non, vérifiez le plus tôt possible et en tout cas dans les **3 mois** qui suivent votre arrivée, quelles sont les formalités que vous devez accomplir auprès des autorités locales (police ou autorités correspondant à nos autorités préfectorales).

Dans certains pays, ces autorités apposeront un nouveau visa de séjour — de durée plus ou moins longue — sur votre titre de voyage; vous devrez vous-même, dans la plupart des cas, faire établir une carte de résident étranger.

En général, au-delà de **6 mois consécutifs de séjour** dans le même pays, vous en devenez un résident. Ce changement de statut entraîne des conséquences importantes notamment dans le domaine financier (contrôle des changes, douane, fiscalité). **Renseignez-vous au consulat.**

L'emploi

● **Vous avez un emploi assuré avant votre arrivée dans le pays**

Vérifiez si vous êtes tenu ou non, en qualité d'étranger, de faire enregistrer votre contrat de travail auprès des autorités locales compétentes (service du travail et de la main-d'œuvre). Si cet enregistrement est nécessaire, n'entreprenez votre voyage qu'après avoir obtenu l'agrément de ces autorités.

● **Vous arrivez sans emploi**

Renseignez-vous sur place pour savoir si un permis de travail doit être obtenu préalablement à la signature de tout contrat d'embauche.

Orientez vos recherches d'emploi vers des secteurs d'activités correspondant à vos qualifications professionnelles afin d'éviter d'être victime de procédés plus ou moins licites.

Vous pouvez également vous adresser au consulat de France et, le cas échéant, au **comité consulaire pour l'emploi et la formation professionnelle** (voir page 46).

Sachez que de nombreux pays refusent toute transformation de visa de court séjour en visa de travail.

N.B. - Soyez prudent. Rappelez-vous que vous êtes à présent un travailleur immigré et que toute irrégularité de situation peut vous être préjudiciable.

Ne négligez pas les possibilités de garantie sociale dont vous pouvez disposer, soit auprès des systèmes français, soit dans le cadre de la protection sociale organisée par le pays où vous résidez. Pesez soigneusement les avantages des différents systèmes et, au besoin, n'hésitez pas à vous renseigner auprès des **compagnies d'assistance en France**.

Les douanes, la fiscalité, le contrôle des changes

Les douanes

Il est peu probable que vous puissiez bénéficier d'une importation en « franchise douanière » de votre mobilier et de vos effets personnels.

Toutefois, certains contrats de travail (coopération ou contrats offerts par différents pays) pourront prévoir un tel privilège. Assurez-vous de cette franchise **avant** votre départ.

Renseignez-vous auprès de la représentation en France du pays de votre futur lieu d'établissement, sur les délais à prévoir pour cette importation (3 mois ou 6 mois après la première installation).

*N.B. - **Règle impérative** : régularisez vos importations. Faute de quoi, vous risquez d'avoir des problèmes sérieux au moment où vous quitterez le pays définitivement.*

La fiscalité

Soyez parfaitement informé de votre **statut fiscal** (résident ou non-résident) dans votre pays d'accueil afin de définir clairement votre assujettissement à la fiscalité locale ou française (voir chap. 5). Vous éviterez des surprises désagréables au moment de votre départ définitif du pays d'accueil ou à votre retour en France.

En effet, dans la plupart des pays, les autorités locales n'autoriseront l'exportation de vos effets personnels que si vous êtes muni du quitus fiscal (le quitus fiscal est un document nécessaire pour passer la douane avec votre mobilier).

Vous pourrez l'obtenir au centre des impôts dont dépend votre résidence.

Dans les cas extrêmes (litiges entre administration locale et vous-même), la sortie du territoire pourra même vous être refusée.

Le contrôle des changes

Un contrôle existe dans la plupart des pays.

La législation locale sur le contrôle des changes est quelquefois très stricte.

Par exemple : vous ne pouvez entrer sur tel territoire ou le quitter qu'après avoir rempli une déclaration de détention de devises, d'or et de métaux précieux qui engage votre responsabilité.

Évitez, dans ces cas, de voyager avec trop de devises.

Vérifiez également, pour certains pays, que vous ne détenez pas d'importantes sommes en monnaie locale non convertible sur le marché international des changes. L'importation ou l'exportation de cette monnaie vous expose à des poursuites judiciaires.

Vous devrez probablement ouvrir un compte de dépôt à vue auprès d'une banque locale. Si vous avez le statut de non-résident, vous pourrez l'ouvrir en général en devises (ou en monnaie locale convertible).

Pour tout transfert d'argent entre votre pays d'accueil et la France, vous aurez intérêt à prendre contact avec le correspondant local d'une grande banque française (ouverture d'un compte étranger en France, etc.).

N.B. - Évitez de vous placer en situation irrégulière en acceptant des transactions illicites hors des circuits bancaires (taux parallèle, marché noir, etc.). Vous risqueriez dans certains pays d'encourir de graves peines allant jusqu'à l'expulsion ou la prison pour infraction à la législation sur le contrôle des changes.

Vous arrivez dans un pays où vous allez séjourner quelques mois ou plusieurs années. **Vous n'êtes pas un touriste**.

De nombreuses démarches vous attendent, que vous devez accomplir avec un soin prudent. Faites preuve de patience.

Tous les renseignements dont vous avez besoin à votre arrivée peuvent vous être donnés par **le consulat de France** (ou la section consulaire de **l'ambassade**).

5. La représentation des Français résidant à l'étranger

Le Conseil supérieur des Français de l'étranger (C.S.F.E.)

Le Conseil supérieur des Français de l'étranger est un organisme consultatif destiné à permettre aux Français établis à l'étranger de participer, malgré leur éloignement, à la vie nationale et de faire entendre leur voix.

Présidé par le Ministre des affaires étrangères, il est composé de membres élus pour 6 ans *au suffrage universel direct* par les Français établis hors de France.

Le C.S.F.E. se réunit en général un fois par an, en session plénière. Entre-temps peuvent se tenir, à l'initiative du Ministre des affaires étrangères, des réunions soit du bureau, soit de l'une ou l'autre de ses commissions permanentes.

Les membres du Conseil veillent à assurer, de façon constante, en leur qualité d'élus représentatifs des diverses communautés françaises à l'étranger, la défense des intérêts des Français expatriés.

Conseil supérieur des Français de l'étranger

Secrétariat général
23, rue La Pérouse, 75116 Paris
Tél. : (1) 40.66.71.03

Les sénateurs représentant les Français établis hors de France

Le Conseil supérieur des Français de l'étranger élit les sénateurs représentant les Français établis hors de France (lois des 18 mai et 17 juin 1983 - décret du 9 août 1983). La loi du 17 juin 1983 a porté le nombre des sénateurs de 6 à 12.

Les membres élus du C.S.F.E forment le collège électoral pour cette élection qui désormais est directe, le Sénat n'ayant plus à en approuver le résultat. Le mandat des sénateurs est de neuf ans. Ils sont renouvelables par tiers tous les trois ans.

En leur qualité de parlementaires, les sénateurs ont la possibilité de déposer des propositions de lois ou des amendements aux projets de lois, prenant en compte les intérêts et les aspirations des Français à l'étranger.

Sénat

15, rue de Vaugirard, 75291 Paris Cedex 06
Tél. : (1) 42.34.20.00

6. La vie associative

Les associations de Français de l'étranger peuvent vous aider en facilitant votre installation et votre adaptation, quel que soit le lieu de votre résidence.

Plusieurs associations françaises se sont créées à l'étranger : elles se sont spécialisées, soit selon l'origine de certains résidents français, soit selon leur profession, ou encore pour réunir ceux qui s'intéressent plus particulièrement aux questions scolaires et pédagogiques, à la vie culturelle, religieuse, sportive, ou à la formation professionnelle. Ces associations vous permettent de conserver des liens avec la France; elles peuvent vous aider, vous informer, vous orienter ou vous offrir des contacts privilégiés avec les habitants du pays.

La liste proposée ici n'est pas exhaustive : chaque consulat peut communiquer aux personnes intéressées la liste des associations implantées dans sa circonscription. Les organismes sont regroupés par domaine d'activités.

N.B. - Renseignez-vous auprès du consulat pour obtenir la liste des associations, amicales, clubs français ou franco-étrangers de votre pays de résidence.

• L'Union des Français de l'étranger (U.F.E.)

146, boulevard Haussmann, 75008 Paris
Tél. : (1) 45.62.66.31
Télécopie : (1) 42.56.34.56

L'U.F.E. est une association fondée en 1927 et reconnue d'utilité publique. Elle renseigne les Français qui envisagent de s'expatrier. Elle a pour but de créer et de maintenir un contact étroit entre les **Français résidant à l'étranger** et la France. Elle assure la défense des intérêts matériels et moraux des Français établis à l'étranger.

L'U.F.E. regroupe 140 sections locales dans le monde qui peuvent vous accueillir, vous conseiller lorsque vous arrivez dans le pays de votre nouvelle résidence, vous représenter auprès des autorités locales ou des services français, défendre vos droits et vos intérêts.

Elle publie une revue mensuelle, *La Voix de France,* qui renseigne notamment sur la législation française applicable aux Français à l'étranger, ainsi que des monographies, tenues à jour, comprenant une documentation sur les conditions de vie dans les pays étrangers.

• L'Association démocratique des Français à l'étranger (A.D.F.E.)

42, rue La Boétie, 75008 Paris
Tél. : (1) 42.56.15.79
Télex : 648588 - Télécopie : (1) 45.62.01.08

L'A.D.F.E. est une association reconnue d'utilité publique, présente dans 105 pays. Elle permet aux Français vivant à l'étranger de se rassembler sans distinction sociale ou socio-professionnelle, pour :

• maintenir et améliorer leurs liens avec la France;

• prendre en main et résoudre leurs problèmes dans un esprit de solidarité et de justice sociale;

- participer à une vie associative française dynamique et ouverte à la culture du pays d'accueil.

L'A.D.F.E. publie une revue bimestrielle, *Français du Monde*, ainsi que de nombreux bulletins locaux.

• La Fédération nationale des anciens combattants résidant hors de France

18, rue de Vézelay, 75008 Paris
Tél. : (1) 45.75.03.87

Fédération reconnue d'utilité publique, elle regroupe des associations d'anciens combattants (91 réparties dans tous les pays du monde) ayant leur siège à l'étranger, apporte son aide administrative et financière à ses adhérents et défend la cause de ses membres auprès des pouvoirs publics.

Elle est représentée au Conseil supérieur des Français de l'étranger par son président national. Elle abonne ses adhérents à la *Voix du Combattant*, publication mensuelle de U.N.C, qui publie les informations de la Fédération.

Accueil

• L'Union nationale des accueils des villes françaises (U.N.A.V.F)

600 villes-accueil en France : leur but n'est pas de procurer un emploi ou un logement, mais d'accueillir, informer et intégrer les personnes et les familles nouvellement arrivées dans la ville.

Pour connaître l'adresse de l'A.V.F de la ville où vous allez vous installer, écrire au :

Secrétariat national A.V.F.

U.N.A.V.F
20, rue du Quatre-Septembre, 75002 Paris

L'U.N.A.V.F est en liaison avec les accueils français de l'étranger (F.I.A.F.E.).

• La Fédération internationale des accueils français (F.I.A.F.E.)

Hors de France, la F.I.A.F.E. regroupe 35 accueils dans 26 pays. Libres de toute influence politique, confessionnelle ou commerciale, ces accueils sont autonomes et créés selon les lois en vigueur (type loi de 1901) dans différents pays. Ils sont animés par des bénévoles ayant vécu à l'étranger. Les accueils ont pour mission première d'accueillir les expatriés français et francophones et de les aider à mieux vivre leur mobilité.

La F.I.A.F.E. assure le lien entre tous les accueils, fait leur promotion auprès des autorités administratives, des entreprises, des autres associations, de la presse et du public. Elle a pour souci constant la création d'accueils nouveaux dans le monde : les consulats de France connaissent l'existence de la F.I.A.F.E. et son action. Elle édite un Mémento du retour pour les Français rentrant d'expatriation.

Son secrétariat est établi :

2, rue du Colonel-Moll, 75017 Paris
Tél. : (1) 42.67.64.87 - Minitel 36.16 Code : CEDEC * FIAFE

Une permanence est assurée le lundi, de 11 h à 16 h, à la :

Banque Transatlantique
17, boulevard Haussmann, 75009 Paris
Tél. : (1) 40.22.84.51

Enseignement

• L'Alliance française

101, boulevard Raspail, 75270 Paris Cedex 06
Tél. : (1) 45.44.38.28.
Télécopie : (1) 45.44.25.95 (service Action à l'étranger)
　　　　　　 (1) 45.44.89.42 (école et ses services)

C'est une association privée, reconnue d'utilité publique, qui a pour mission d'assurer la diffusion de la langue et de la civilisation françaises. Elle enseigne le français dans son école de Paris où elle accueille quotidiennement environ 4.000 étudiants étrangers.

Dans le monde, l'Alliance française est présente dans 110 pays. En 1989, plus de 300.000 étudiants ont suivi les cours de français dispensés par un réseau de plus de 1.000 comités qui, par ailleurs, entretiennent des bibliothèques, des cinémathèques, des vidéothèques, des discothèques françaises et organisent des manifestations culturelles.

• L'Alliance israélite universelle

45, rue La Bruyère, 75009 Paris
Tél.: (1) 42.80.35.00
Télécopie : (1) 48.74.51.33

Son action d'enseignement de la langue et de la culture françaises, ainsi que d'éducation juive se concrétise essentiellement à travers un réseau d'écoles dans les pays d'Afrique du Nord, du Proche et du Moyen-Orient.

Elle dispose en outre d'établissements scolaires en France et assume la responsabilité de programmes éducatifs dans les écoles affiliées en Belgique, en Espagne, aux Pays-Bas et au Canada.

• La Mission laïque française

9, rue Humblot, 75015 Paris
Tél. : (1) 45.78.61.71.

Cette association, reconnue d'utilité publique depuis 1907, assure la gestion de nombreux établissements d'enseignement dans le monde en liaison avec le Ministère de l'éducation nationale, le Ministère des affaires étrangères et celui de la coopération.

Aux termes de conventions, elle propose également son concours aux communautés françaises et aux entreprises qui expatrient du personnel afin d'implanter des écoles permanentes ou temporaires à l'étranger.

Elle développe auprès des enseignants envoyés sur place un plan de formation continue et de soutien pédagogique à distance centré sur l'envoi de revues spécialisées, ainsi que sur l'organisation de stages pédagogiques en France et à l'étranger. De plus, elle organise des actions de formation culturelle et linguistique pour les expatriés avant leur départ.

● L'Association nationale des écoles françaises à l'étranger (A.N.E.F.E.)

146, boulevard Haussmann, 75008 Paris
Tél. : (1) 42.34.34.02.

Elle regroupe les associations gestionnaires des établissements d'enseignement à but non lucratif créés à l'étranger par les communautés françaises (166 écoles). Elle exerce une fonction générale d'information, d'aide et de conseil à ces associations; elle a pour but particulier d'accorder à ces écoles des prêts garantis par l'Etat, pour l'acquisition, la construction ou l'aménagement de leurs locaux scolaires.

● La Fédération des associations de parents d'élèves des établissements d'enseignement français à l'étranger (F.A.P.E.E.)

101, boulevard Raspail, 75006 Paris
Tél. : (1) 45.44.08.49.

Reconnue d'utilité publique, seule fédération spécifique de parents d'élèves des établissements à l'étranger, la F.A.P.E.E., indépendante de toute attache politique ou syndicale, regroupe les associations, gestionnaires ou non, et les parents isolés, notamment ceux dont les enfants suivent un enseignement à distance (C.N.E.D).

La F.A.P.E.E. participe aux instances de concertation pour définir une politique de scolarisation répondant aux besoins des Français à l'étranger (Conseil pour l'enseignement du français à l'étranger, C.E.F.E., et Commission nationale des bourses).

Son action consiste à informer ses membres sur les questions de la vie scolaire, à les aider, et à défendre dans les établissements français à l'étranger un enseignement de qualité accessible à toutes les familles.

● La Fédération des conseils de parents d'élèves des écoles publiques (F.C.P.E.)

108-110, avenue Ledru-Rollin, 75011 Paris
Tél. : (1) 43.57.16.16.

La F.C.P.E., organisation laïque, regroupe un million de familles en France et à l'étranger. Prenant en compte les difficultés des Français à l'étranger, elle revendique de meilleures conditions de scolarisation pour leurs enfants et l'amélioration du fonctionnement des établissements.

La F.C.P.E. siège au Conseil pour l'enseignement français à l'étranger.

Par ses deux revues : *Pour l'enfant... vers l'homme* (informations générales) et *La famille et l'école* (informations plus techniques), la F.C.P.E. permet aux parents de suivre les évolutions du système éducatif, de la maternelle à la terminale, et d'aider les familles et les jeunes gens dans leur choix d'orientation.

• L'Union fédérale des associations de parents d'élèves des établissements français à l'étranger (U.F.A.P.E.)

91, boulevard Berthier, 75017 Paris
Tél. : (1) 42.67.63.20.

Créée en 1971, l'U.F.A.P.E est l'une des composantes de la Fédération des parents d'élèves de l'enseignement public, la P.E.E.P, qui regroupe pour la France et l'étranger plus de 450.000 familles.

L'U.F.A.P.E, représentée auprès d'une soixantaine d'écoles, collèges, lycées de l'étranger, répartis dans 21 pays, a pour mission de défendre les intérêts des familles dont les enfants sont scolarisés dans les établissements d'enseignement français, et de faciliter leur réintégration scolaire ou universitaire en métropole. Elle informe les parents par ses publications, *La Voix des Parents* et *PEEP-Info* et propose des fiches techniques et des ouvrages de documentation pédagogique, administrative et juridique.

Indépendante et pluraliste, cette union fédérale entend également soutenir toute tentative tendant à promouvoir la culture française à l'étranger.

Les organisations professionnelles

• La Fédération des professeurs français résidant à l'étranger (F.P.F.R.E.)

7, rue Delaroche, 37100 Tours
Tél. : 47.54.27.42.

Elle rassemble les personnels enseignants, administratifs et culturels français en poste à l'étranger, indépendamment de leurs statuts et est représentée dans les pays étrangers par l'intermédiaire de ses associations. Elle siège dans plusieurs commissions paritaires ministérielles, pour l'affectation de ces personnels à l'étranger; son président fédéral est membre du Conseil supérieur des Français de l'étranger.

Elle réunit des adhérents syndiqués ou non syndiqués au nom du principe associatif, défend leurs intérêts matériels et moraux et la promotion de la langue et de la culture françaises à l'étranger au nom du pluralisme d'expression et de la concertation avec les administrations.

Les organisations syndicales

• La Fédération de l'Éducation nationale (F.E.N.)

48, rue La Bruyère, 75440 Paris Cedex 09
Tél. : (1) 42.85.71.01.

Elle comprend parmi les syndicats nationaux qu'elle fédère, 10 syndicats ayant des élus dans les C.C.P.M., en particulier :

Le Syndicat national de l'enseignement du second degré (SNES-FEN)

1, rue de Courty, 75341 Paris Cedex 07
Tél. : (1) 40.63.29.00

Le Syndicat national des instituteurs et des PEGC (SNI-PEGC-FEN)

209, boulevard Saint-Germain, 75007 Paris
Tél. : (1) 45.44.38.42.

Le Syndicat national de l'administration universitaire (SNAU-FEN)

13, rue de Monsigny, 75002 Paris
Tél. : (1) 47.42.06.51.

Le Syndicat national de l'enseignement supérieur (SNESUP-FEN)

78, rue du Faubourg-Saint-Denis, 75010 Paris
Tél. : (1) 47.70.90.35.

***

● **La Confédération syndicale de l'Éducation nationale (C.S.E.N.)**
comprend, entre autres syndicats :

**La Fédération nationale des syndicats autonomes
de l'enseignement supérieur et de la recherche (FNSAESR)**

7, rue Mirabeau, 75016 Paris
Tél. : (1) 40.50.68.11

Le Syndicat national des lycées et collèges (SNALC)

4, rue de Trévise, 75009 Paris
Tél. : (1) 45.23.05.14 (pour les agrégés, certifiés, A.E., PEGC, PLP, EPS)

Le Syndicat national des écoles (SNE)

31, rue Wurzt, 91260 Juvisy sur Orge
Tél. : (1) 69.45.38.38

**La Fédération nationale des personnels d'administration
et d'éducation du secondaire (FNPAES)**

13, boulevard Ney, 75018 Paris
Tél. : (1) 42.38.81.52

La C.S.E.N. a conclu avec la F.P.F.R.E. une liste d'union — L.U. — qui comprend
7 élus dans différentes CCPM, depuis 1989, en particulier : agrégés, certifiés,
A.E., encadrement, enseignement supérieur, technique, E.P.S.

Citons également :

● **Le Syndicat général de l'Éducation nationale
(SGEN-CFDT de l'étranger)**

5, rue Mayran, 75442 Paris cedex 09
Tél. : (1) 42.47.72.67

● **Le Syndicat national des collèges (SNC)**

13, avenue de Taillebourg, 75011 Paris
Tél. : (1) 43.73.21.36

● **Le Syndicat national des lycées et collèges (SNLC-FO)**

40, rue de Paradis, 75010 Paris
Tél. : (1) 48.24.20.44

(La liste complète des syndicats ayant des sections « étranger » peut être obtenue en France auprès de l'A.C.I.F.E, 34, rue La Pérouse 75116 Paris, et à l'étranger auprès des services culturels de l'Ambassade de France.)

Cultes

● **L'Aumônerie générale des Français hors de France**

9-11, rue Guyton-de-Morveau, 75013 Paris
Tél. : (1) 45.65.96.66

Fondée en 1955 pour le service de nos compatriotes hors de France, cette aumônerie, sous la responsabilité de la Conférence épiscopale française, comporte actuellement 234 implantations dans 77 pays, dont 37 aumôneries d'écoles françaises et 28 aumôneries de lycées.

181 prêtres sont au service de plus d'un million et demi de Français et de francophones, à temps complet ou à temps partiel.

L'objectif de cette aumônerie est de promouvoir une pastorale en harmonie avec celle du pays d'implantation et de garder les liens avec la pastorale de l'Église de France.

● **Le Comité catholique des amitiés françaises dans le monde**

9-11, rue Guyton-de-Morveau, 75013 Paris
Tél. : (1) 45.65.96.66
Télex : 206293F CoopCat - Télécopie : (1) 45.81.30.81

Il contribue à faire connaître dans le monde la vie catholique française, et à soutenir les aumôniers des Français à l'étranger; il offre des possibilités d'aumônerie et d'éducation à l'étranger.

Il soutient aussi l'envoi des volontaires en coopération de l'Eglise de France, par la Délégation catholique pour la coopération.

Le comité publie une revue trimestrielle *Amitiés catholiques françaises,* diffusée dans plus de 93 pays. Par ailleurs, il soutient des bourses d'étudiants étrangers venant faire des études de français dans notre pays.

● **Le Comité protestant des amitiés françaises à l'étranger et la Fédération protestante de France (C.E.E.E.P.E)**

9-11, rue Guyton-de-Morveau, 75013 Paris
Tél. : (1) 45.65.96.65

Ont pour mission d'assurer la liaison avec les milieux de descendants de huguenots du monde entier, notamment par l'organisation de réunions internationales de descendants de huguenots en France et l'échange de jeunes.

Formation professionnelle

• L'Association pour la formation professionnelle française à l'étranger (A.F.P.F.E.).

23, rue La Pérouse, 75116 Paris
Tél. : (1) 40.66.71.89

Elle peut vous conseiller sur la formation professionnelle et organise des formations. Elle publie bimestriellement *« La lettre de l'A.F.P.F.E. »* que vous trouverez notamment dans les consulats et édite un guide de la formation professionnelle pour les Français désirant partir pour l'étranger ou revenir en France.

Enfin, elle a trois documents en préparation qui ont pour thème : « Les mesures pour les jeunes de 16 à 25 ans relatives à la formation professionnelle »; « La protection sociale des Français travaillant dans les pays de la Communauté européenne »; « La formation professionnelle en Grande-Bretagne et les possibilités d'accès pour les Français souhaitant vivre et travailler dans ce pays ».

Vous pouvez vous adresser à cette association pour tout renseignement concernant la formation professionnelle.

Commerce et industrie

• Le Comité national des conseillers du commerce extérieur de la France

22, avenue Franklin-Roosevelt, 75008 Paris
Tél. : (1) 43.59.66.24

Association créée en 1898, cet établissement reconnu d'utilité publique regroupe 2.850 conseillers du commerce extérieur résidant en France et à l'étranger.

À l'étranger, les conseillers du commerce extérieur travaillent en étroite collaboration avec les conseillers commerciaux qu'ils ont pour mission de renseigner et d'aider dans leur tâche; ils reçoivent et aident également, dans leur première approche, les nouveaux exportateurs (PME/PMI) à travers le parrainage. Depuis la signature d'une convention avec les pouvoirs publics en 1987, le Comité prend une part active dans la procédure mise en place en faveur des V.S.N.E. parrainés à l'étranger par un C.C.E.

• L'Union des chambres de commerce et d'industrie françaises à l'étranger (U.C.C.I.F.E.)

2, rue de Viarmes, 75001 Paris
Tél. : (1) 45.08.39.10
Télex : 230823 F - Télécopie : (1) 45.08.39.38

Etablissement reconnu d'utilité publique, il regroupe et représente en France les 61 C.C.I.F.E. réparties sur les cinq continents. Il coordonne leur développement, et assure la promotion de leurs activités au profit de nos exportations (accueil, information, introduction dans les milieux d'affaires) en liaison avec les pouvoirs publics et les C.C.I. de France.

L'Union des chambres de commerce et d'industrie françaises à l'étranger propose une documentation sur les C.C.I.F.E. et les marchés étrangers.

2

L'EMPLOI
ET LES STAGES
PROFESSIONNELS
À L'ÉTRANGER

En France, certains services et organismes publics ou semi-publics, ainsi que des associations privées proposent des emplois à l'étranger.

Ces emplois exigent souvent un niveau de qualification élevé, et dans bien des cas une expérience professionnelle de plusieurs années.

Toutefois, si vous n'avez pas de qualification professionnelle mais possédez une vocation affirmée et un grand désintéressement, vous pouvez partir à l'étranger accomplir une activité bénévole ou semi-bénévole.

Vous trouverez dans ce chapitre des renseignements ou une orientation concernant les emplois offerts par :

- **les ministères;**
- **les agences et organismes publics ou semi-publics;**
- **les associations privées;**
- **les associations de coopération volontaire (O.N.G).**

A l'étranger, des comités consulaires pour l'emploi et la formation professionnelle sont présents dans de nombreux consulats ; ils ont pour mission d'apporter des solutions appropriées aux problèmes de formation ou de perfectionnement professionnel liés à l'emploi que peuvent rencontrer des Français résidant à l'étranger.

1. Les ministères

• Le Ministère des affaires étrangères

Les agents de catégorie A, B et C du Ministère des affaires étrangères sont recrutés par concours, dont l'accès est subordonné à certaines conditions d'âge, de diplômes ou d'ancienneté de service. Ils sont affectés soit à l'administration centrale du ministère (Paris ou Nantes), soit dans les postes diplomatiques et consulaires.

Les personnes intéressées peuvent s'adresser au **Bureau des concours et examens professionnels** du Ministère des affaires étrangères, 23, rue La Pérouse, 75116 Paris, qui tient à leur disposition des notices détaillées relatives à chacun des concours.

• Le Ministère de la coopération et du développement

Le recrutement des agents de ses services, affectés soit à l'administration centrale du ministère, soit dans les missions de coopération à l'étranger, se fait par concours de différents niveaux.

Adressez-vous au :

Ministère de la coopération et du développement - Sous-direction des personnels de l'administration centrale et des services à l'étranger,
57, boulevard des Invalides, 75007 Paris,
Tél. : (1) 47.83.10.10.

Visites : **Bureau de la formation professionnelle et des concours**
57, boulevard des Invalides, 75007 Paris.

• Le Ministère de l'économie, des finances et du budget

Il recrute en très petit nombre du personnel pour des emplois de responsabilité ou d'exécution dans les services commerciaux de nos ambassades à l'étranger. Toutefois, en l'absence de vacances d'emploi, aucun recrutement n'est envisagé à l'heure actuelle. S'adresser à la :

Direction des relations économiques extérieures (D.R.E.E)

Service de l'expansion économique à l'étranger 139, rue de Bercy, 75572 Paris, Cedex 12.

• Le Ministère de l'industrie et de l'aménagement du territoire (chargé du tourisme)

Il recrute en très petit nombre du personnel pour des emplois de responsabilité ou d'exécution dans les **services officiels français du tourisme à l'étranger.** Ces services sont installés dans 14 pays et emploient des agents de catégorie A, B et C. S'adresser à :

Maison de la France, Bureau de la gestion des représentations,
10, avenue de l'Opéra, 75001 Paris.

• Les Organisations internationales (intergouvernementales)

Les organisations internationales offrent un nombre limité de postes à des candidats hautement qualifiés dans leurs spécialités, ayant des connaissances solides et une bonne pratique des langues étrangères, et pouvant faire valoir plusieurs années d'expérience professionnelle. Il s'agit d'emplois :

— **de fonctionnaire international,** pour servir au siège ainsi que dans les bureaux régionaux ou locaux des organisations internationales ;

— **d'expert international,** pour les activités de coopération technique des organisations internationales (développement rural, coopération technique et financière, relations du travail, santé, etc.).

— **de jeune professionnel** (expert-associé, ou J.P.O., Junior Professionnal Officer) répondant aux conditions précitées, mais justifiant d'une expérience professionnelle comprise entre une et deux années. Adressez-vous au :

Service des fonctionnaires internationaux du Ministère des affaires étrangères

1 *bis*, avenue de Villars, 75007 Paris
Tél. : (1) 47.83.10.10
Télécopie : (1) 45.55.29.80

Emplois de coopération, de diffusion culturelle, du réseau scolaire français

A. Emplois de coopération

Le Ministère de la coopération et du développement pour les États d'Afrique noire francophone, d'Afrique lusophone, États de l'océan Indien, Haïti et les petites Caraïbes, le Ministère des affaires étrangères pour les autres zones géographiques, pourvoient aux emplois de coopération.

Les coopérants enseignants ou experts techniques sont mis à la disposition des pays en voie de développement en vue de servir dans les structures des pays précités.

B. Emplois de diffusion culturelle

La France a mis en place un dispositif assurant la diffusion de la langue et de la culture françaises dans l'ensemble des pays du monde par l'entremise des centres culturels, instituts français, alliances françaises, bureaux d'action linguistique, enfin des lectorats d'université.

C. Emplois relevant du réseau scolaire français à l'étranger

Un établissement public nouvellement créé, **l'agence pour l'enseignement français à l'étranger,** assure, sous la tutelle du Ministère des affaires étrangères et du Ministère de la coopération et du développement, la gestion des établissements scolaires français à l'étranger.

Le Bureau commun des candidatures situé 57, boulevard des Invalides, 75357 Paris, Cedex 7 (tél. : (1) 47.83.06.18 et 07.23) centralise et instruit les demandes d'emploi uniquement auprès de l'organisme précité, à la condition exclusive que les candidats détiennent la qualité de fonctionnaire titulaire du Ministère de l'éducation nationale.

Le service national dans la coopération

Vous avez la possibilité d'effectuer votre service national à l'étranger dans le cadre de la coopération.

En outre, diverses associations ou organismes sélectionnent directement de jeunes volontaires. Ce sont des organisations non gouvernementales dont les principales sont :

— la Délégation catholique pour le coopération (D.C.C.);

— le Département évangélique français d'action apostolique (D.E.F.A.P.);

— l'Association française des volontaires du progrès (A.F.V.P.) [voir p. 55].

La durée du service est de seize mois, mais les enseignants doivent s'engager à faire deux années scolaires.

Vous devez être volontaire et votre demande doit être agréée par le Bureau commun du service national de la coopération sous certaines conditions de qualification, d'âge et de report d'incorporation.

L'examen des candidatures nécessite de longs délais, et la demande d'agrément doit être adressée au Bureau commun du service national huit à dix mois avant la date d'incorporation souhaitée.

Pour des renseignements complémentaires s'adresser au :

Bureau commun du service national de la coopération

57, boulevard des Invalides, 75007 Paris.

ou consulter le minitel : 36.15, Code : COOP.

2. Les agences et organismes publics ou semi-publics

• L'Office des migrations internationales (O.M.I.)

44, rue Bargue, 75732 Paris Cedex 15
Tél. : (1) 45.66.26.00

L'O.M.I. est un établissement public chargé de la gestion des flux migratoires. A sa mission liée à l'immigration, s'ajoute la responsabilité de contribuer au développement de l'emploi de nos compatriotes à l'étranger. Implanté au siège de l'O.M.I., le SERVEX (Service de l'expatriation) est le relais entre l'entreprise et les Français qui souhaitent occuper un emploi à l'étranger. Il est compétent pour recueillir les offres d'emploi et de stages professionnels disponibles à l'étranger et assurer le placement des candidats au départ. Il dispense en outre dans ses « points rencontre » (structures d'accueil), les informations relatives aux conditions de travail dans les pays d'accueil et propose un conseil personnalisé aux entreprises ainsi qu'aux collaborateurs recrutés et à leur famille.

Le SERVEX met à la disposition de ses interlocuteurs des supports de diffusion des offres d'emploi :

— Presse : « Le Point » Edition internationale, « Le Moci », « Carrières et emplois », « Emploi sans frontières », etc.;

— Radio : R.F.I.;

— Télévision : Canal Plus, Antenne 2 (émissions sur l'emploi);

— Minitel.

L'O.M.I. dispose de délégations en France (Lyon, Marseille, Nancy, Paris-La Défense, Strasbourg, Toulouse, Tourcoing) *et à l'étranger* (Espagne, Mali, Maroc, Mauritanie, Portugal, Québec, Sénégal, Tunisie, Turquie, Yougoslavie).

Pour tout renseignement :

OMI-SERVEX

44, rue Bargue, 75732 Paris Cedex 15
Tél : (1) 45.66.27.30
Minitel : 36.16, Code : OMIX

Les services spécialisés de l'Agence nationale pour l'emploi (A.N.P.E.)

• L'Agence nationale pour l'emploi à l'étranger

3, rue Clairaut, 75017 Paris
Tél. : (1) 46.27.70.57

Ce service fournit des informations, des conseils et des offres d'emploi à l'étranger y compris la C.E.E.

• Le service spécialisé pour l'emploi dans la C.E.E.

SEDOC - Agence Euro-Monde
69, rue Pigalle, 75009 Paris. Tél. : (1) 48.78.37.82

Ce service fournit des informations, des conseils et des offres d'emploi au sein de la C.E.E. Il contribue à la réalisation des programmes d'échanges des jeunes travailleurs dans le cadre de la C.E.E.

Au niveau frontalier

Les agences locales proches de la frontière peuvent vous informer des offres d'emploi disponibles dans les pays voisins.

Pour connaître toutes les offres d'emploi existant à l'étranger, vous pouvez consulter :

— le journal des offres d'emploi à l'étranger, journal hebdomadaire disponible dans les 700 agences locales;

— le serveur télématique 36.15 Code : ULYSSE.

À noter que les journaux d'offres d'emploi de l'O.M.I. et de l'A.P.E.C. sont également disponibles à l'A.N.P.E.

• L'Association pour l'emploi des cadres, ingénieurs et techniciens (A.P.E.C.)

51, boulevard Brune, 75014 Paris
Tél. : (1) 40.52.20.00 (standard)
        (1) 40.52.23.58 (service international)

L'A.P.E.C. est un organisme paritaire créé par le Conseil national du patronat français et les organisations syndicales représentatives des cadres. Il est officiellement chargé du placement et du recrutement des cadres de l'industrie et du commerce. Il dispose d'un service international qui a un double rôle de conseil et de documentation auprès des cadres désirant exercer leur activité professionnelle à l'étranger.

L'A.P.E.C. édite un journal bi-hebdomadaire, Courrier-Cadres, envoyé au domicile des candidats inscrits auprès de ses services et qui rassemble chaque année environ 1.500 offres d'emploi pour l'étranger.

Peuvent s'inscrire à l'A.P.E.C., les personnes ayant cotisé à une caisse de retraite dépendant du système français de l'A.G.I.R.C. (Association générale des institutions de retraite des cadres) ou les débutants titulaires depuis moins d'un an (plus la durée du service national) d'un diplôme du niveau de la maîtrise ou d'un diplôme d'École reconnue par l'État français (Bac + 4).

• L'Union des chambres de commerce et d'industrie françaises à l'étranger (U.C.C.I.F.E.)

2, rue de Viarmes, 75001 Paris
Tél. : (1) 45.08.39.10
Télécopie : (1) 45.08.39.38

Etablissement reconnu d'utilité publique, regroupe les chambres de commerce et de l'industrie françaises à l'étranger qui ont été créées à l'initiative des entreprises françaises établies à l'étranger et qui souhaitent disposer d'une organisation commune de promotion de leurs activités et de relations avec les autorités et les milieux d'affaires locaux.

Aujourd'hui, les C.C.I.F.E. sont au nombre de 61, établies dans 50 pays, et regroupent quelque 22.000 membres français et étrangers.

● Le Centre d'information sur les chambres de commerce étrangères en France (C.I.C.C.E.F.)

147, rue Jules-Guesde, 92309 Paris Levallois
Tél. : (1) 47.37.50.32

Le C.I.C.C.E.F. renseigne gratuitement sur tous les diplômes et, en général, sur les préparations en langues.

● L'Association pour l'emploi des cadres, ingénieurs et techniciens de l'agriculture (A.P.E.C.I.T.A.)

1, rue du Cardinal Mercier, 75009 Paris
Tél. : (1) 48.74.93.25.

L'A.P.E.C.I.T.A est une association loi de 1901, reconnue d'utilité publique.

C'est une association à gestion paritaire qui regroupe les organisations professionnelles agricoles et les organisations syndicales de salariés. Elle est officiellement chargée du placement et du reclassement des cadres, ingénieurs et techniciens des secteurs agricole, para-agricole et agro-alimentaire.

L'activité de l'A.P.E.C.I.T.A s'exerce sur l'ensemble du territoire national par l'implantation de 22 délégations régionales, reliées par réseau informatique. Ses offres d'emploi sont diffusées dans un journal bi-hebdomadaire *Tribune verte*. Parmi les 11 à 12.000 offres recueillies annuellement par l'A.P.E.C.I.T.A., environ 350 concernent des postes à l'étranger.

Renseignez-vous à l'adresse ci-dessus; en fonction de votre lieu de résidence, les coordonnées de la délégation régionale vous seront transmises.

● Le Centre technique forestier tropical (C.T.F.T.-C.I.R.A.D.)

45 *bis*, avenue Belle-Gabrielle, 94736 Nogent-sur-Marne Cedex
Tél. : (1) 43.94.43.00
Télex : 211085 F - Télécopie : (1) 48.73.07.97.

Il assure le recrutement de technicien ou technicien supérieur (BTS ou IUT), d'ingénieur grandes écoles ou de chercheur niveau DEA pour des contrats de durée variable avec possibilité d'engagement définitif.

Spécialité : recherche et développement concernant les problèmes de bois et forêts en région chaude.

Zones d'affectation : Afrique, Asie, Océanie et Amérique latine.

● La Compagnie française pour le développement des fibres textiles (C.F.D.T.)

13, rue de Monceau, 75008 Paris
Tél. : (1) 43.59.53.95

Société d'économie mixte placée sous la tutelle du Ministère de la coopération et du développement qui recrute des ingénieurs agronomes ou du génie rural, des ingénieurs en mécanique, électricité et huileries, des techniciens agricoles ou industriels BTA ou BTS et des personnels administratif et comptable.

Zone d'affectation : Afrique noire.

• L'Institut français de recherche scientifique pour le développement en coopération (O.R.S.T.O.M.)

213, rue La Fayette, 75480 Paris Cedex 10
Tél. : (1) 48.03.77.77
Telex : ORSTOM 214 627 F - Télécopie : (1) 48.03.08.29

Il s'agit d'un établissement public national à caractère scientifique et technologique. Les personnels recrutés sont de tous niveaux : administratifs, techniques, ingénieurs, chercheurs.

Pays d'affectation : plus de 30 pays, Afrique francophone, Amérique latine et Caraïbes, océan Pacifique et Asie du Sud-Est, océan Indien.

• Le B.D.P.A. - S.C.E.T.A.G.R.I.

Immeuble « Le Béarn »
27, rue Louis-Vicat, 75738 Paris Cedex 15
Tél. : (1) 46.38.34.75 et 76

Société anonyme spécialisée dans l'ingénierie du développement rural : Géographie des ressources naturelles - Équipement rural - Pêche et aquaculture - Filières agro-alimentaires - Organisations agricoles et développement institutionnel - Politique de développement - Documentation agricole.

Personnel employé, 230 personnes dont : agronomes, ingénieurs G.R, T.R., génie civil, T.P., spécialistes de l'élevage, de la pêche, agro-économistes, économistes, informaticiens, formateurs, spécialistes de la gestion des ressources humaines.

• Société française d'ingénierie (B.C.E.O.M.)

15, square Max-Hymans, 75741 Paris Cedex 15
Tél. : (1) 42.79.48.00
Télécopie : (1) 43.35.03.22 - Telex : 250618 F

Société anonyme d'économie mixte placée sous la tutelle conjointe du Ministère de la coopération et du développement, et du Ministère de l'équipement et du logement.

Spécialité : ingénieurs et consultants dans le domaine du développement économique et social et des infrastructures.

Recrutement de personnels : ingénieurs, économistes, techniciens.

Zone d'affectation : tous pays.

3. Les associations privées

• L'Association française des experts de la coopération technique internationale (A.F.E.C.T.I.)

Bourse du Travail
Esplanade Benoît-Frachon, 93100 Montreuil
Tél. : (1) 48.70.12.80

L'A.F.E.C.T.I, association sans but lucratif, rassemble des experts de la coopération internationale et publie un *bulletin de liaison* mensuel où il est rendu compte des activités de l'association et où paraît la liste des postes à pourvoir dans les organismes internationaux.

Les permanences sont assurées tous les après-midi du lundi au vendredi inclus, sauf jours fériés. En cas d'absence, s'adresser au bureau du président :
Tél. : (1) 45.53.41.16

• L'Institut de recherches et d'applications des méthodes de développement (I.R.A.M.)

49, rue de la Glacière, 75013 Paris
Tél. : (1) 43.36.03.62
Télex : 205397F IRAMD

Association à but non lucratif, l'I.R.A.M. travaille dans le secteur du développement rural avec le double objectif d'aider à la définition des stratégies capables de promouvoir le secteur agricole et de donner un rôle majeur aux paysans. En ce sens, cet institut participe à de nombreuses actions de développement, formation, suivi - évaluation, planification - programmation impliquant les divers responsables du développement : paysans, groupements, coopératives, cadres, administrations, bailleurs de fonds, principalement dans les pays africains, latino-américains et caraïbéens.

• La Fédération des associations des ruraux migrant à l'étranger (F.A.R.M.E.)

92, rue du Dessous-des-Berges, 75013 Paris
Tél. : (1) 45.83.04.92

Association loi 1901, créée en 1977 par un groupe d'agriculteurs et le Centre de documentation et d'information rurales (C.D.I.R.). Cette association a pour but d'apporter aux migrants désirant s'installer à l'étranger en milieu rural, et plus particulièrement en agriculture, tous les éléments susceptibles de contribuer à la bonne réussite de cet établissement. Elle collabore avec l'ensemble des organismes de migration à travers le monde.

4. Les associations de coopération volontaire (O.N.G)

La coopération avec les pays en développement peut s'effectuer dans le cadre des actions menées par des *Organisations non gouvernementales (O.N.G)* jouissant généralement du statut d'associations de la loi de 1901. Ces O.N.G. envoient dans les pays en développement des techniciens qui peuvent être civils ou volontaires du service national de la coopération.

D'une manière générale, les postes offerts par ces organismes ne sont pas très nombreux. Ils correspondent à des spécialités très précises exigeant une compétence et une vocation affirmées, ainsi qu'un grand désintéressement.

L'âge minimum requis est de **18 ans** et l'expérience professionnelle d'environ une année. Les indemnités proposées sont souvent modestes.

• L'Association française de formation, coopération, promotion et animation d'entreprise (A.F.C.O.P.A.)

12, avenue Marceau, 75008 Paris
Tél. : (1) 47.20.70.40.

L'A.F.C.O.P.A. est une association sans but lucratif fondée pour permettre au secteur français des métiers de développer des actions de coopération dans les domaines de la formation professionnelle, de la gestion et du développement des petites et moyennes entreprises dans les pays du Tiers Monde. Elle favorise leur structuration par la création et l'animation d'associations et d'unions professionnelles. Elle participe aussi à la mise en place de compagnies consulaires (chambres de métiers). Elle emploie des techniciens (BTS ou brevet de maîtrise) dans tous les secteurs de métiers .

• L'Association française des volontaires du progrès (A.F.V.P.)

Le Bois du Faye, B.P 2, Linas, 91311 Montlhéry Cedex
Tél. : (1) 69.01.10.95.

Association déclarée loi 1901, l'A.F.V.P a été créée en 1963 à l'initiative du Ministère de la coopération pour répondre initialement à un objectif de « rapprochement des jeunesses ». Devenue progressivement une « association de participation au développement », elle a désormais pour objectif prioritaire d'organiser la participation de jeunes volontaires à des actions de développement dans le Tiers Monde.

Chaque année, elle recrute, sélectionne et prépare environ 300 volontaires, âgés de 21 à 30 ans, de formation agricole (BTS, ingénieurs), bâtiment-travaux publics (BT, BTS, Ingénieurs), médicale (infirmiers, médecins), comptable et mécanique. Ils partent pour une période d'au moins deux ans, à titre civil, ou dans le cadre du service national actif. Les volontaires du progrès travaillent sur une trentaine de pays, essentiellement en Afrique. Ils y mènent ou participent avec les populations concernées à près de 350 programmes de développement.

• Le Centre d'information et de documentation jeunesse (C.I.D.J.)

101, quai Branly, 75740 Paris Cedex 15
Tél. : (1) 45.67.35.85
Télex : CIDJ 250907F
Minitel : 36 15, Code : CIDJ

Des informateurs répondent aux questions des jeunes concernant notamment l'emploi temporaire à l'étranger, l'enseignement supérieur, les stages à l'étranger, les séjours au pair à l'étranger, etc. On peut acheter sur place ou par correspondance des fiches thématiques d'informations pratiques et d'adresses. Le C.I.D.J. diffuse également la totalité de ses fiches sous forme d'abonnement en France et à l'étranger.

• Le Centre national du volontariat (C.N.V.)

130, rue des Poissonniers, 75018 Paris
Tél. : (1) 42.64.97.34 (ouvert de 10 heures à 17 heures).

Organisme de promotion du volontariat, le C.N.V. informe le public sur les possibilités d'activités bénévoles en France et dans le Tiers Monde. Il coordonne l'action des 45 centres de volontariat locaux (liste à demander : 130, rue des Poissonniers).

Il est en mesure de fournir à toute personne intéressée une documentation sur la vie associative en France et à l'étranger. Il est en relation institutionnelle, sur un plan international, avec les différents centres de volontariat nationaux.

• Le Comité de coordination du service volontaire international de l'UNESCO

1, rue Miollis, 75015 Paris
Tél. : (1) 45.68.27.31 et 32.

Il réalise de nombreuses publications parmi lesquelles :

— une brochure contenant les adresses des organisations de service volontaire à court terme (chantiers de 2 à 4 semaines), dans plus de 80 pays;

— une notice « Organisations françaises de service volontaire à moyen et à long terme (de 6 mois à 2 ans) »;

— un répertoire des organisations de service volontaire à long terme (1985), 168 pages, en anglais, 127 pays et 972 organisations;

— le volontariat au service de l'alphabétisation (édition 1989), en anglais, français et espagnol;

— un manuel de l'animateur de chantier (1987), 50 pages, en anglais et en français.

• Le Comité de liaison des O.N.G de volontariat (C.L.O.N.G.)

49, rue de la Glacière, 75013 Paris
Tél. : (1) 43.36.61.18

Il assure la concertation et la représentation des O.N.G. de volontariat de longue durée. Il gère la subvention pour la protection sociale des volontaires, ainsi que celle pour la réinsertion des volontaires.

• La Commission nationale de la jeunesse pour le développement (C.N.J.D.)

5, place de Vénétie, 75013 Paris
Tél. : (1) 45.86.84.32.

Elle est une instance de concertation pour plusieurs associations de jeunesse qui informent les jeunes et assurent des formations transversales pour tout séjour dans le Tiers Monde.

• La Délégation catholique pour la coopération (D.C.C.)

9-11, rue Guyton-de-Morveau, 75013 Paris
Tél. : (1) 45.65.96.65
Télex : 206293F Coopcat

Service de l'Épiscopat français, la D.C.C. répond aux Églises qui désirent l'appui de volontaires, soit pour des actions de développement, soit pour de l'enseignement et un soutien culturel, soit pour des services de santé. La délégation est habilitée à envoyer des volontaires du service national et des volontaires civils. Elle assure l'information, la sélection, la formation et l'accompagnement sur le terrain de quelque 600 volontaires dans 42 pays.

• Le Département évangélique français d'action apostolique (D.E.F.A.P.)

102, boulevard Arago, 75014 Paris
Tél. : (1) 43.20.70.95.

Service protestant de mission et de relations internationales, le D.E.F.A.P coordonne et gère les relations internationales de la Fédération protestante de France, l'information et l'animation dans les communautés paroissiales locales. Il assure l'accueil et le suivi des boursiers étrangers en France et procède à l'envoi de volontaires coopérants ou civils pour une durée de 2 ou 3 ans, essentiellement en Afrique de l'Ouest, Afrique australe et dans le Pacifique ; les emplois proposés concernent : l'enseignement, la santé, le développement agricole et l'action pastorale.

• La KORA ou le Centre pour la rencontre et le développement

Ferme de la Balmette, 38510 Morestel
Tél. : (16) 74.80.27.46

La KORA assure la formation des volontaires dans les domaines de l'artisanat et des petites entreprises.

Peuvent être utilement consultées les deux brochures suivantes :

● *Petit guide du volontariat et du bénévolat* diffusé gratuitement par le **Département de la coopération non gouvernementale (D.E.V.N.O.G.)**, 1 *bis*, avenue de Villars, 75007 Paris - Tél. : (1) 45.55.95.44;

● *Associations de solidarité internationale*, en vente à la **Documentation française**, 29-31, quai Voltaire, 75340 Paris Cedex 07 (50 francs les 5 exemplaires). Également en vente à l'unité dans les centres **R.I.T.I.M.O.**, 20, rue de Rochechouart, 75009 Paris - Tél. : (1) 45.31.18.08.

5. Stages professionnels à l'étranger

1. Les accords bilatéraux de stages professionnels

Des jeunes professionnels français ont la possibilité de perfectionner leurs connaissances techniques et linguistiques en effectuant un stage professionnel dans l'un des pays avec lequel la France a conclu un accord bilatéral : Autriche, Canada, Espagne, États-Unis, Finlande, Suède, Suisse, Nouvelle-Zélande.

Conditions :

— les stagiaires hommes et femmes doivent être âgés de 18 à 30 ans (35 ans pour les États-Unis et le Canada),

— posséder une expérience professionnelle dans le domaine de l'activité du stage et une bonne maîtrise de la langue du pays d'accueil.

La durée du stage est fixée de 3 à 12 mois (6 mois pour les États-Unis) avec prolongation possible jusqu'à 18 mois. Ils sont employés en qualité de stagiaires salariés sur un contrat de travail à durée déterminée et bénéficient de la législation sociale du pays d'accueil.

Cette procédure permet aux stagiaires, dès lors que les conditions sont remplies, d'obtenir les titres de séjour et de travail prévus par la réglementation du pays d'accueil.

Des renseignements complémentaires peuvent être obtenus auprès du :

Ministère de la solidarité, de la santé, et de la protection sociale

Sous-Direction de la démographie, des mouvements de population et des questions internationales, bureau DM4
1, place Fontenoy, 75007 Paris
Tél. : (1) 40.56.60.00

Ministère des affaires étrangères

Direction des Français à l'étranger et des étrangers en France
Mission emploi-formation
23, rue La Pérouse, 75116 Paris
Tél. : (1) 40.66.65.22

Office des migrations internationales (O.M.I.)

Service de l'expatriation
44, rue Bargue, 75322 Paris Cedex 15
Tél. : (1) 45.66.27.30

2. **Les programmes de stages dans la C.E.E.**

En Europe, un certain nombre de programmes à financement communautaire permettent la réalisation de stages à l'étranger, visant à accroître la formation professionnelle et les connaissances culturelles des participants.

Le programme « Échanges jeunes travailleurs » concerne par exemple les jeunes de 18 à 28 ans, disposant d'une formation professionnelle, mais pouvant être demandeurs d'emploi pour des stages de 3 semaines à 3 mois. D'autres programmes (Erasmus, Delta, Comett, etc.) concernent d'autres catégories d'utilisateurs.

Pour tous renseignements, s'adresser au :

Ministère du travail, de l'emploi et de la formation professionnelle

Délégation à la Formation professionnelle
50-56, rue de la Procession, 75015 Paris
Tél. : (1) 48.56.48.56.

LA PRÉVENTION
MÉDICALE

Avant tout **départ** dans le cadre d'une expatriation ou d'un détachement, bien souvent avec votre famille, ou à l'ocasion d'un retour en France, il vous est recommandé de **consulter votre** médecin traitant ou **votre** médecin d'entreprise.

Ce dernier sera à même :

a. de pratiquer un examen très complet;
b. de vous expliquer la situation sanitaire du lieu de travail;
c. enfin, de vous renseigner sur les structures d'accueil et sur la médecine de soins pratiquée localement.

N.B. - La visite médicale est donc indispensable.

1. L'examen médical

Il comporte :

a. **Avant le départ**

— une **visite médicale** pour préciser l'aptitude du salarié à occuper son futur poste de travail.

Cet examen est non seulement clinique mais s'accompagne d'examens complémentaires (radios, laboratoires, etc.). Cette visite devra être faite suffisamment tôt pour effectuer les examens spécialisés qui pourraient être utiles.

— Les **vaccinations** : il faut s'en préoccuper suffisamment tôt afin d'obtenir un calendrier tenant compte du temps disponible avant le départ.

• La vaccination antiamarile (contre la fièvre jaune) est la seule vaccination obligatoire si l'on se rend dans une zone d'endémicité et parfois même si l'on y transite. Une seule injection faite dans un centre habilité est nécessaire et la validité est de 10 ans.

• La vaccination contre le choléra n'est plus obligatoire, mais certains pays exigent encore un certificat de la part des voyageurs en provenance d'une zone d'endémicité cholérique.

Mais parmi les vaccinations non obligatoires, cependant nécessaires, signalons :
• la vaccination antitétanique;
• la vaccination antipoliomyélitique;
• la vaccination contre la rougeole chez le jeune enfant.

Il conviendra parfois d'ajouter selon l'opportunité :
• la vaccination contre la typhoïde;
• la vaccination contre l'hépatite B;
• la vaccination contre la méningite (A + C).

Ces vaccins se font en plusieurs injections et nécessitent d'une manière générale un certain délai entre chaque piqûre.

— La prophylaxie anti-palustre

Après les vaccinations, elle constitue la principale prescription pour les personnes se rendant en zone impaludée. Le paludisme est en pleine recrudescence dans le monde et sa résistance croissante aux antipaludéens impose une stratégie diversifiée.

La chimioprophylaxie doit tenir compte de la résistance du « Plasmodium falciparum » (parasite le plus dangereux), à certains antipaludéens comme la Chloroquine (Nivaquine) dans des zones de plus en plus étendues. Dans certaines circonstances, où une assistance médicale risque d'être impossible, il peut être conseillé un auto-traitement présomptif.

— La trousse médicale à emporter

Outre les médicaments habituels qu'il conviendra d'emporter en quantité suffisante, il est recommandé d'avoir avec soi :
- un ou plusieurs antipaludéens si nécessaire;
- un antalgique;
- un désinfectant intestinal;
- un antiseptique cutané;
- des pansements, compresses, etc.

Il conviendra selon les besoins de compléter la trousse avec une ordonnance de son médecin pour les traitements en cours.

b. Au retour

— **Une visite médicale** s'impose, afin de contrôler l'état de santé des membres de la famille. Les examens complémentaires seront alors particulièrement utiles.

— Une mise au point des **vaccinations** avec injection de rappel, si nécessaire.

— Vérifier la date d'arrêt de la **chimioprophylaxie antipaludéenne** lorsqu'elle est en cours.

— **Une consultation** en cas d'anomalies auprès des centres spécialisés en maladies tropicales.

N.B. - Négliger l'examen médical au départ comme au retour peut exposer à des conséquences graves.

2. La situation sanitaire du lieu de travail et les moyens de prévention

S'il existe dans toutes les villes des centres spécialisés, le médecin traitant ou le médecin du travail doit néanmoins pouvoir répondre aux nombreuses questions qui se posent :

— sur **l'hygiène alimentaire et le traitement de l'eau**;

— sur **le climat et l'environnement** (soleil, chaleur, altitude, grand froid, morsures ou piqûres de serpents ou d'insectes, etc.);

— sur les **maladies infectieuses**;

— sur les **maladies spécifiques de certains pays**, comme le paludisme, la bilharziose, etc.;

— sur les **maladies sexuellement transmissibles** et sur le SIDA en particulier.

Il convient aussi de connaître les **loisirs** proposés et les **risques** qu'ils peuvent comporter.

N.B. - Il faut savoir que certains risques sont prévenus par des mesures de simple hygiène (ex. : usage des préservatifs pour éviter les maladies sexuellement transmissibles).

---

3. Les structures d'accueil et les possibilités médicales existantes à l'étranger

Comme partout, elles sont changeantes et les informations ne peuvent être fournies que par des personnes compétentes.

Seul, votre médecin traitant ou votre médecin d'entreprise a les possibilités de vous renseigner en demandant conseil, s'il le juge nécessaire, à des organismes spécialisés, tels le **Centre d'informations médicales (C.I.M.E.D.)**, 34, rue La Pérouse, 75116 Paris.

C'est ainsi que vous devriez connaître avant votre départ les noms et les adresses des médecins, dentistes, pharmaciens, hôpitaux, cliniques, laboratoires d'analyses, habituellement consultés par les Français. *Ne partez pas sans avoir ces renseignements.*

N.B. - Il convient de pouvoir compter sur une compagnie d'assistance, particulièrement en cas de rapatriement sanitaire.

4

LA PROTECTION SOCIALE

Protection sociale des Français Expatriés
Régimes de base

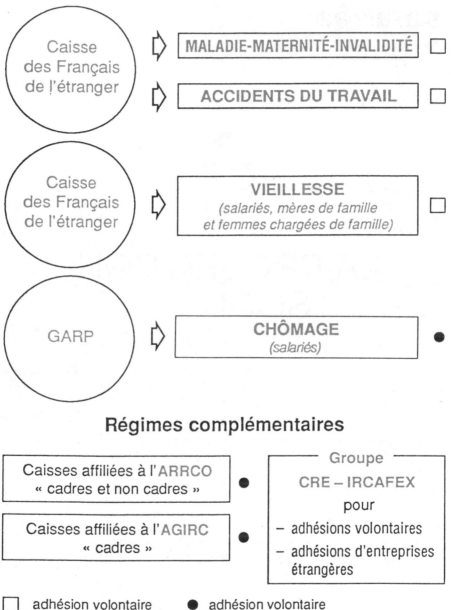

Caisse des Français de l'étranger ⟹ MALADIE-MATERNITÉ-INVALIDITÉ ☐

⟹ ACCIDENTS DU TRAVAIL ☐

Caisse des Français de l'étranger ⟹ VIEILLESSE
(salariés, mères de famille et femmes chargées de famille) ☐

GARP ⟹ CHÔMAGE
(salariés) ●

Régimes complémentaires

Caisses affiliées à l'ARRCO « cadres et non cadres » ●

Caisses affiliées à l'AGIRC « cadres » ●

Groupe CRE – IRCAFEX pour
– adhésions volontaires
– adhésions d'entreprises étrangères

☐ adhésion volontaire ● adhésion volontaire ou d'entreprise

1. Les travailleurs salariés

A. La sécurité sociale

Votre situation est différente selon que vous êtes **détaché ou expatrié.**

1. Les salariés détachés

Si vous êtes détaché temporairement par votre employeur pour exercer un travail déterminé à l'étranger : vous pouvez continuer à relever de la législation française de sécurité sociale.

● **Les conditions à remplir**

Votre employeur, qui a seul l'initiative des formalités à accomplir, doit s'engager à verser l'intégralité des cotisations dues en France.

● **La durée du maintien au régime français**

a) Si vous êtes **détaché dans un pays de la C.E.E. ou dans un pays ayant conclu une convention de sécurité sociale avec la France**, la durée est prévue dans l'accord.

Des conventions bilatérales de sécurité sociale ont été conclues avec les pays suivants (hors C.E.E.) : Algérie, Andorre, Autriche, Bénin, Canada-Québec, Cap-Vert, Congo, Côte-d'Ivoire, États-Unis, Gabon, Israël, Madagascar, Mali, Maroc, Mauritanie, Monaco, Niger, Norvège, Pologne, Roumanie, Saint-Marin, Sénégal, Suède, Suisse, Tchécoslovaquie, Togo, Tunisie, Turquie, Yougoslavie.

Vous pouvez vous renseigner sur les dispositions contenues dans ces conventions en vous adressant au :

Centre de sécurité sociale des travailleurs migrants
11, rue de la Tour-des-Dames, 75436 Paris Cedex 09
Tél. : (1) 45.26.33.41

Si l'accord prévoit une durée maximale de détachement inférieure à six ans, vous pouvez hors C.E.E., pour la période restant à couvrir dans la limite de cette durée, être détaché dans le cadre de la législation française.

Au-delà de la sixième année, si vous n'êtes pas maintenu à titre exceptionnel au régime français de sécurité sociale dans le cadre d'un accord de sécurité sociale, **vous pourrez relever du régime d'assurance volontaire des travailleurs salariés expatriés**. Toutefois, votre employeur peut, dès votre départ et hors C.E.E., opter pour ce dernier régime et ne pas vous détacher.

b) **Dans tous les autres cas,** c'est-à-dire si vous êtes détaché dans un pays n'ayant pas conclu de convention de sécurité sociale avec la France, la durée du maintien au régime français **est de 3 ans maximum, renouvelable une fois** (6 ans).

● **Maintien à l'ensemble du régime français de protection sociale**

Étant réputé résider et travailler en France, **vous êtes maintenu à l'ensemble de la protection sociale française** y compris donc la vieillesse, les retraites complémentaires et le chômage.

● **Double cotisation française et étrangère en cas de détachement dans le cadre de la législation française** (points *a*. et *b*. ci dessus).

Si vous êtes détaché dans un pays ayant conclu une convention de sécurité sociale avec la France, et si la durée maximale de détachement conventionnel est dépassée, votre affiliation à son régime de sécurité sociale est obligatoire. Elle peut également l'être si vous êtes détaché dans un pays non lié à la France par une convention de sécurité sociale. **Vous devez donc acquitter une double cotisation.**

● **Les prestations**

Elles sont servies dans les conditions suivantes :

— *prestations en nature (maladie, maternité, accidents du travail)* :

a. **dans la C.E.E** et dans certains pays ayant signé une convention de sécurité sociale avec la France, elles sont servies par la caisse compétente du lieu de séjour selon les dispositions de la législation qu'elle applique,

b. **dans les autres pays**, elles sont calculées sur les bases des tarifs-plafonds conventionnels pratiqués en France et versés par l'institution française compétente.

— *les indemnités journalières (maladie, maternité, accidents du travail)* vous sont versées par votre caisse française d'affiliation.

Prestations familiales françaises

— Vos enfants restent en France, les prestations familiales continuent à vous être versées comme si vous vous y trouviez.

— Vos enfants vous accompagnent :

a. dans un pays lié à la France par un accord de sécurité sociale, vous bénéficiez, dans la plupart des cas, des allocations familiales et de l'allocation « jeune enfant » pour la période pendant laquelle elle est versée sans condition de ressources ;

b. dans les pays de la C.E.E., vous bénéficiez des prestations familiales françaises à l'exception de l'allocation parentale d'éducation, de l'allocation de garde d'enfant à domicile et de l'allocation logement ;

c. dans un autre pays, le séjour de votre famille à l'étranger ne doit pas dépasser **trois mois** si vous voulez conserver le bénéfice de ces prestations.

Renseignez-vous avant de partir auprès de l'organisme qui verse ces prestations ou du Centre de sécurité sociale des travailleurs migrants.

2. Les salariés expatriés

Si vous ne remplissez pas (ou ne remplissez plus) les conditions pour bénéficier du régime français en tant que détaché, votre situation dépend du pays dans lequel vous exercerez votre activité salariale.

Ce pays peut être lié à la France par un instrument international de sécurité sociale (règlements C.E.E, conventions bilatérales signées avec les pays mentionnés à la page 69).

En principe, vous relevez du régime de sécurité sociale de ce pays et bénéficiez des dispositions prévues par l'instrument international de sécurité sociale que la France a conclu avec lui. Renseignez-vous auprès de l'ambassade ou du consulat de ce pays en France. Si vous le souhaitez, vous pouvez également adhérer au **régime des assurances volontaires des travailleurs salariés expatriés** (voir page 75 et suivantes), mais cette adhésion ne vous dispense pas de l'affiliation au régime local et ne vous empêche pas de bénéficier des dispositions conventionnelles.

Renseignez-vous auprès de **la** Caisse des Français de l'étranger :

B.P. 100 - Rubelles
77951 Maincy Cédex
Tél : 60.68.01.62

Les instruments internationaux de sécurité sociale signés par la France

En vertu des instruments internationaux de sécurité sociale signés par la France, vous bénéficierez d'une **égalité de traitement** avec les nationaux du pays où vous exercerez votre activité et il sera tenu compte de votre carrière d'assurance **(totalisation)** pour l'examen de vos droits éventuels aux différentes prestations, que ce soit par l'institution étrangère dans le nouveau pays d'emploi ou par la caisse française, lorsque vous rentrerez en France.

Vous serez donc affilié au **régime local** et pour pouvoir bénéficier, le cas échéant, le plus rapidement possible de prestations (maladie, maternité, prestations familiales), il vous faudra demander, avant de quitter la France, à la caisse compétente (maladie ou allocations familiales), le formulaire conventionnel d'attestation de périodes prévu à cet effet.

Renseignez-vous auprès de votre caisse d'assurance maladie, de votre caisse d'allocations familiales ou du Centre de sécurité des travailleurs migrants.

Vos droits dans le cadre des règlements C.E.E de sécurité sociale

— Pendant votre période de travail dans un autre Etat membre de la C.E.E

Vous aurez droit aux prestations d'assurance maladie-maternité du régime local immédiatement, sur présentation du formulaire E 104 d'attestation de périodes d'assurance française délivré par votre caisse primaire d'assurance maladie.

— Pendant un séjour temporaire en France

Pendant un séjour temporaire en France, quel qu'en soit le motif, vous aurez droit, en cas d'urgence, sur présentation du formulaire E 111 aux soins de santé dans les mêmes conditions que les assurés du régime français.

Vos **indemnités journalières** vous seront versées par votre caisse étrangère.

Si vous n'avez pas pu accomplir les **formalités auprès de la Caisse primaire** d'assurance maladie ou si vous n'étiez pas muni du formulaire E 111, vous pourrez vous faire rembourser **à posteriori** par votre caisse étrangère sur la base des tarifs français de responsabilité.

— Pendant un transfert de résidence en France

Si vous êtes en arrêt de travail pour maladie, maternité ou accident du travail, vous pouvez : soit avoir droit aux soins et aux indemnités journalières étrangères, soit revenir en France pour vous y faire soigner. Dans les deux cas, vous devez au préalable demander l'autorisation à votre caisse étrangère d'affiliation (formulaire E 112 ou E 123), qui appréciera, selon votre état de santé, quelle solution est la plus appropriée.

— Prestations familiales

En tant que travailleur salarié ou chômeur, vous ouvrirez droit, en principe, en faveur de vos enfants demeurés en France, aux **prestations familiales de votre pays d'emploi.** Toutefois, une allocation différentielle versée par la caisse française d'allocations familiales pourra venir compléter le montant de ces prestations pour les porter au niveau des prestations familiales du régime français.

Les **prestations familiales françaises sans équivalence** dans le régime de votre pays d'emploi vous seront versées en totalité par la caisse française si vous remplissez les conditions exigées pour y prétendre. Si toutefois vous êtes expatrié en Espagne ou au Portugal, vous êtes visé par les modalités particulières en cours d'élaboration.

Renseignez-vous auprès de votre **caisse d'assurance maladie**, de votre **caisse d'allocations familiales** ou du **Centre de sécurité sociale des travailleurs migrants**.

— Membres de la famille

Si les membres de votre famille vous accompagnent, ils auront droit aux soins de santé et aux prestations familiales locales. Ils pourront, comme vous, bénéficier des dispositions prévues en matière de séjour temporaire ou de transfert de résidence en France.

S'ils restent en France, ils auront droit aux soins de santé au titre de votre activité salariée, sous réserve de se faire inscrire auprès de la caisse primaire d'assurance maladie en présentant le formulaire E 109 qui vous aura été délivré par votre institution étrangère d'affiliation.

— Pension d'invalidité

Le mode de liquidation de votre éventuelle **pension d'invalidité** dépendra des législations auxquelles vous aurez été soumis :

• si vous avez été soumis exclusivement et successivement ou alternativement à des législations prévoyant que le montant des pensions d'invalidité est indépendant de la durée des périodes d'assurance, vous aurez droit, en principe, à une seule pension d'invalidité, liquidée conformément à la législation de l'Etat où sera survenue votre incapacité;

• si, par contre, vous avez été soumis soit exclusivement à des législations selon lesquelles le montant des pensions d'invalidité dépend de la durée des périodes d'assurance accomplies, soit à des législations des deux types, votre pension d'invalidité sera liquidée comme une pension de vieillesse.

— Pension de vieillesse

Vos droits à pension de vieillesse seront déterminés comme suit :

1. vos droits à pension sont ouverts **sans qu'il soit nécessaire de tenir compte des périodes d'assurance** que vous avez accomplies, par ailleurs, dans les autres États membres de la C.E.E. : chaque institution compétente en matière d'assurance vieillesse calculera le montant de la **pension nationale** dont vous pourriez bénéficier au titre des seules périodes accomplies dans l'État en cause. Elle calculera également le montant de la **pension théorique** à laquelle vous auriez pu prétendre si toutes les périodes d'assurance avaient été accomplies dans cet État. Cette pension théorique sera réduite au prorata des seules périodes d'assurance effectivement accomplies dans le pays, le montant ainsi déterminé s'appelant une pension proportionnelle. La plus élevée des deux pensions, pension nationale ou pension proportionnelle, vous sera alors attribuée. **Vous recevrez donc directement de chacun des États votre pension de vieillesse**;

2. vos droits ne sont ouverts **qu'en tenant compte des périodes d'assurance** accomplies dans les autres États membres : chaque institution compétente calculera le montant de la **pension théorique** et le montant de la **pension proportionnelle** obtenu par réduction du montant de la pension théorique au prorata des périodes accomplies sous la législation en cause par rapport à l'ensemble des périodes accomplies sous les législations des différents États membres et attribuera la **pension proportionnelle**. Vous recevrez donc directement de chacun des États où vous avez travaillé, une pension proportionnelle de vieillesse.

Vos droits dans le cadre des conventions bilatérales de sécurité sociale

— Pendant votre période d'emploi à l'étranger

Vous aurez droit aux prestations locales d'assurance maladie et maternité immédiatement, dans le cadre des conventions prévoyant une coordination en ce domaine, sur présentation du formulaire prévu par la convention attestant de vos périodes d'assurance française, sous réserve qu'il ne se soit pas écoulé un certain délai (variable selon les conventions) depuis la fin de votre période d'assurance française.

— Pendant un séjour temporaire en France

Pendant un séjour temporaire en France notamment à l'occasion de congés payés, vous aurez droit, en cas d'urgence et si la convention le prévoit, aux soins de santé comme si vous étiez assuré du régime français et aux indemnités journalières de votre caisse étrangère d'affiliation, sous réserve d'accomplir les formalités conventionnelles requises.

— Pendant un transfert de résidence en France

Si vous êtes en arrêt de travail par suite d'une maladie, d'une maternité ou d'un accident du travail, ou si vous souhaitez recevoir des soins en France, **vous pouvez bénéficier des prestations en nature** comme si vous étiez assuré du régime français. Vous devez cependant, avant votre départ, obtenir l'autorisation de votre caisse d'affiliation.

Vous continuerez à recevoir les prestations en espèces de votre caisse étrangère d'affiliation, sous réserve de lui en avoir également demandé l'autorisation avant votre départ.

— Prestations familiales

Vous ouvrirez droit, pour vos enfants restés en France, à une participation aux allocations familiales françaises ou à des indemnités pour charges de famille. Toutefois, votre famille recevra les mêmes prestations qu'elle aurait reçues si vous étiez demeuré en France, car **l'allocation différentielle** viendra éventuellement s'ajouter au montant de la participation ou des indemnités pour charges de famille.

— Membres de la famille

Si les membres de votre famille vous accompagnent, ils auront droit aux soins de santé et aux prestations familiales locales. Ils pourront, comme vous, bénéficier des dispositions prévues en matière de séjour temporaire à l'occasion des congés payés ou de transfert de résidence en France.

S'ils restent en France, ils auront droit, si la convention le prévoit, aux soins de santé, sous réserve de se faire inscrire auprès de la caisse primaire d'assurance maladie en présentant l'attestation conventionnelle prévue à cet effet.

Si la convention ne prévoit pas cette situation, ils pourront adhérer à l'assurance personnelle ou bénéficier, en tant qu'ayants droit du travailleur, de l'assurance volontaire maladie-maternité du régime des expatriés.

— Pension d'invalidité

Aux termes de la plupart des conventions comportant un chapitre invalidité, votre pension sera liquidée conformément à la législation dont vous relèverez au moment de l'interruption de travail suivie d'invalidité. Toutefois, dans le cadre des conventions conclues par la France avec l'Autriche, les États-Unis et la Suède, la pension sera liquidée conjointement par les institutions des deux pays.

— Pension de vieillesse

Le mode de liquidation de votre **pension vieillesse** se fera :

• par **totalisation** de vos périodes d'assurance et **proratisation** si vous avez travaillé en Israël, en Pologne ou en Tchécoslovaquie;

• **au choix, suivant ce premier système** ou **par liquidation séparée,** si vous avez exercé votre activité en Andorre, au Gabon, dans les îles Anglo-Normandes, au Mali, en Mauritanie, au Niger, à Saint-Marin, au Sénégal, au Togo, en Tunisie, en Turquie ou en Yougoslavie;

• selon **des dispositions identiques à celles figurant dans les règlements C.E.E.**, dans la plupart des autres pays liés à la France par convention. Cependant, les accords avec la Côte-d'Ivoire et le Mali prévoient la possibilité d'opérer le reversement des cotisations vieillesse déjà versées dans ces pays au régime français d'assurance vieillesse (dans un certain délai après le départ de l'intéressé du pays considéré).

La caisse des Français de l'étranger

La Caisse des Français de l'étranger (C.F.E.) propose à nos compatriotes expatriés un régime d'assurances volontaires : maladie, maternité, invalidité, décès, accidents du travail-maladies professionnelles.

La loi du 31 décembre 1976, dont les dispositions ont été modifiées par la loi du 13 juillet 1984, a donné aux Français de l'étranger la possibilité d'adhérer à ces assurances volontaires. Pour en bénéficier, vous devez savoir ce que prévoit le régime local, vous informer sur les dispositions conventionnelles et, ensuite :

— *posséder la nationalité française;*

— *ne pas (ou ne plus) pouvoir bénéficier du régime français obligatoire de sécurité sociale.* Toutefois, dans la C.E.E. et sauf en matière d'assurance vieillesse, invalidité, décès-survivants (article 15 du règlement C.E.E. 1408/71), il est interdit en principe de cumuler une assurance locale obligatoire et l'assurance volontaire du régime des expatriés : un Français en République fédérale d'Allemagne, couvert à titre obligatoire dans ce pays contre le risque « accident du travail », n'a pas le droit de se surprotéger contre ce risque auprès de la Caisse des Français de l'étranger (article 15.1 et 2 du règlement C.E.E. 1408/71). Il le peut, par contre, en matière d'assurance-maladie lorsque son salaire dépasse le plafond prévu pour les employés en République fédérale d'Allemagne ou aux Pays-Bas et qu'il ne peut plus être couvert, dans ces pays, à titre obligatoire.

● **Les prestations**

Maladie-maternité

— **Prestations en nature**

Les soins que vous recevez à l'étranger sont pris en charge sur la base des frais réels, dans la limite des tarifs français de remboursement (sauf pour l'hospitalisation où des tarifs spécifiques sont appliqués). Les soins que vous ou vos ayants droit recevrez en France lors de séjours inférieurs ou égaux à 3 mois, sont pris en charge comme pour les salariés métropolitains.

Vous pouvez également, sur option, moyennant une cotisation supplémentaire, bénéficier d'une prise en charge lors de vos séjours temporaires en France supérieurs à 3 mois et inférieurs à 6 mois.

— **Prestations en espèces**

Sur option, moyennant une cotisation supplémentaire.

Accidents du travail - maladies professionnelles :

— remboursement de vos dépenses de santé occasionnées par un accident du travail ou consécutives à une maladie professionnelle;

— indemnisation en cas d'interruption du travail;

— éventuellement, rente versée à vous-même ou, en cas d'accident mortel, à vos ayants droit;

— sur option, prise en charge des frais occasionnés lors d'un accident de trajet entre la France et le pays d'expatriation ainsi qu'au cours du retour (accidents liés au travail).

Invalidité

Une pension vous sera attribuée en cas d'invalidité réduisant au moins de 2/3 votre capacité de travail.

Décès

Sur option, moyennant une cotisation supplémentaire.

---

*N.B. - En fonction de votre situation sociale et financière, **la Caisse des Français de l'étranger** peut vous servir, sur votre demande, des prestations supplémentaires ou des secours sur son **fonds d'action sanitaire et sociale**.*

● Les formalités

À quel moment adhérer ?

Assurance maladie-maternité-invalidité, assurances complémentaires (indemnités journalières, décès) : la demande doit être faite dans le délai **d'un an** qui suit la date à laquelle votre situation vous permettait d'adhérer. Si ce délai est expiré, consultez toutefois la C.F.E.

Attention : votre adhésion prend effet au premier jour du mois suivant la réception par la caisse de votre demande. Cette date ne peut être antérieure au début de votre activité à l'étranger.

Assurance accidents du travail-maladies professionnelles : à tout moment, dès l'instant où votre situation vous permet d'y adhérer.

Où adresser votre demande d'adhésion et de prestations :

À la **Caisse des Français de l'étranger**
B.P. 100 - Rubelles, 77951 Maincy Cedex
Tél. : (1) 60.68.01.62

La déclaration d'un accident du travail doit, notamment, y être faite dans les *48 heures.*

N.B. - Un bureau d'accueil de la Caisse des Français de l'étranger est ouvert du mardi au vendredi, de 9 à 16 heures : 10, rue du Havre, 75009 Paris Tél. : (1) 40.16.17.36

● Les cotisations

— elles sont dues en totalité par vous-même. Toutefois, vous pouvez, au moment de l'établissement de votre contrat, en négocier la prise en charge totale ou partielle par votre employeur;

— elles sont payées trimestriellement, mais peuvent être réglées d'avance pour l'année civile entière.

Le droit aux prestations est subordonné au paiement des cotisations.

• **Le coût**

Assurance maladie-maternité-invalidité

— Adhésion individuelle : la cotisation (fixée par décret à 6,75 % depuis le 01-04-1989) est calculée, **en fonction de vos revenus**, soit sur le plafond annuel de la sécurité sociale (au 01-01-1991), soit sur les 2/3, soit sur la moitié de ce plafond.

Option indemnités journalières, maladie-maternité, capital-décès : 0,65 % sur la même base que ci-dessus.

Option soins dispensés en France, séjour de 3 à 6 mois : 2 % sur la même base que ci-dessus.

— « Contrats-Groupe » entreprise : pour les entreprises qui entreprennent les formalités d'adhésion pour leur personnel, la C.F.E. module le taux de cotisations en fonction du nombre d'adhérents expatriés :

   — taux : 6,75 % de 1 à 9 personnes;
   — taux : 6,25 % de 10 à 99 personnes;
   — taux : 5,75 % à partir de 100 personnes.

(taux appliqués sur le plafond annuel de sécurité sociale soit 11.340 F au 01-01-1991 et 11.620 F à compter du 01-07-1991).

Option indemnités journalières maladie-maternité : 0,65 % du plafond annuel de la sécurité sociale.

Assurance accidents du travail - maladies professionnelles

salaire de base, que vous avez choisi entre un salaire minimum (82.420 F au 01-01-1991) et un salaire maximum (329.680 F au 01-01-1991), multiplié par un taux fixé par décret (1,50 %).

Option accident du trajet : 0,20 % sur la même base.

L'assurance volontaire vieillesse-veuvage

Pour vous constituer **une pension complète de retraite,** vous pouvez adhérer, à titre individuel, à l'assurance volontaire vieillesse.

• **Les conditions**

   — exercer une activité professionnelle à l'étranger (y compris la C.E.E.);

   — être de nationalité française (ou, sous certaines conditions, être ressortissant de la C.E.E.);

   — adhérer dans un délai **de 2 ans**, à compter du jour de votre début d'activité à l'étranger.

• **Les cotisations**

Il existe quatre classes de cotisations, en fonction de votre âge et de vos ressources. Les cotisations sont calculées sur une base forfaitaire différente selon la classe. Le taux est de 15,90 %.

Les cotisations sont payables d'avance, dans les **15 premiers jours de chaque trimestre civil.**

● **Les prestations**

Les conditions à remplir pour bénéficier d'une pension de retraite sont celles du régime général de la sécurité sociale des salariés. La pension est fixée par référence à la somme annuelle qui a servi de base au calcul des cotisations effectivement versées. Vous pouvez adresser votre demande :

— si vous êtes nouvel adhérent ou si vous cotisez à l'assurance volontaire maladie-maternité-invalidité-décès, ou à l'assurance volontaire accidents du travail et maladies professionnelles, à la **Caisse des Français de l'étranger**;

— si vous avez déjà cotisé au régime général des travailleurs salariés, à la caisse à laquelle vous avez versé vos dernières cotisations vieillesse;

— si vous n'avez jamais cotisé à un régime français de sécurité sociale, à la Caisse des Français de l'étranger (voir ci-dessus).

N.B. - Le rachat des cotisations pour les périodes passées à l'étranger est à nouveau possible.

● **La liquidation de votre retraite**

Tous les renseignements concernant le calcul ou la liquidation de votre retraite acquise par versements de cotisations à titre obligatoire ou volontaire vous seront fournis par :

la Caisse nationale d'assurance vieillesse des travailleurs salariés

110-112, rue de Flandre, 75951 Paris Cedex 19
Tél. : (1) 40.05.51.10

N.B. - L'assurance veuvage qui est entrée en vigueur le 1ᵉʳ janvier 1981 concerne les conjoints survivants d'assurés relevant de l'assurance volontaire vieillesse des Français de l'étranger, sans condition de résidence.

B. Les retraites complémentaires

Vous en bénéficiez :

1. si votre entreprise adhère à un ou plusieurs régimes de retraite complémentaire;

2. si, à défaut, vous y adhérez **à titre individuel.**

Dans le premier cas, votre entreprise, soit a déjà obtenu, soit demande pour vous et ses autres salariés français, une extension territoriale des régimes en cause.

L'entreprise peut adhérer aux régimes :

— **ARRCO** (cadres et non-cadres)
Association des régimes de retraites complémentaires
44, boulevard de la Bastille, 75012 Paris - Tél. : (1) 43.46.13.20

— **AGIRC** (cadres sur la deuxième et la troisième tranche de salaire)
Association générale des institutions de retraite des cadres
4, rue Leroux, 75116 Paris - Tél. : (1) 45.01.53.20

Les entreprises sises à l'étranger doivent s'adresser au groupe :

CRE-IRCAFEX de la Caisse de retraite pour la France et l'extérieur
4, rue du Colonel-Driant, 75040 Paris Cedex 01
Tél. : (1) 42.33.21.63 - Télex : Paris 240285 Carexpa

Dans le deuxième cas, vous pouvez adhérer individuellement :

— au régime des cadres **(AGIRC) :** la possibilité d'adhérer à l'**IRCAFEX** (Institution de retraites des cadres et assimilés de France et de l'extérieur) est ouverte aux Français exerçant des fonctions salariées d'ingénieur, de cadre ou d'assimilé, dans les entreprises relevant du secteur industriel et commercial;

— au régime **ARRCO :** la possibilité d'adhérer à la **Caisse de retraite pour la France et l'extérieur** (C.R.E.) est ouverte aux Français, cadres ou non-cadres, exerçant des fonctions salariées dans des entreprises relevant du secteur industriel et commercial.

Cette adhésion suppose l'adhésion préalable à l'assurance vieillesse de la sécurité sociale et, pour les cadres, à l'**IRCAFEX.**

Dans tous les cas, vous pouvez obtenir les renseignements sur ces possibilités d'adhésion, ainsi que sur les rachats de points au régime de retraite des cadres, **en vous adressant au groupe CRE-IRCAFEX** cité plus haut.

C. **Les institutions de prévoyance**

Vous pouvez également vous constituer une retraite en cotisant :

soit **au Régime interprofessionnel de prévoyance (R.I.P.)**
45, rue des Acacias, 75855 Paris Cedex 17
Tél. : (1) 47.66.02.01

soit **à la Caisse nationale de prévoyance (C.N.P.)**
Délégation des DOM-TOM et étranger
67, rue de Lille, 75356 Paris Cedex
Tél. : (1) 42.34.69.70

soit **à l'Association internationale de prévoyance sociale (A.I.P.S.)**
11, rue Saint-Augustin, 75002 Paris Cedex
Tél : (1) 42.97.44.43

Une convention a été signée, en juillet 1989, entre cette association et la Caisse des Français de l'étranger.

Vous pouvez vous renseigner à la **Trésorerie générale pour l'étranger** :

Caisse nationale de prévoyance
30, rue de Malville, 9X, 44040 Nantes Cedex
Tél. : (16) 40.76.31.25

*N.B. - Toute personne salariée ou non salariée peut adhérer à ces institutions de prévoyance. **Renseignez-vous** aux adresses ci-dessus, pour connaître les conditions et cotisations.*

2. Les travailleurs non salariés

Si vous exercez une activité non salariée (artisanale, industrielle, commerciale, libérale ou agricole), vous pouvez être **détaché** (maintenu au régime français de sécurité sociale) **dans le cadre des règlements C.E.E. et de la convention franco-américaine.**

A. Les travailleurs non salariés détachés

Si vous partez temporairement à l'étranger, vous pouvez continuer à relever de la législation française de sécurité sociale.

● Les conditions à remplir

Vous devrez accomplir vous-même les formalités et vous engager à continuer à acquitter les cotisations de sécurité sociale dues en France.

● La durée du maintien au régime français de sécurité sociale

Dans le cadre des règlements C.E.E., vous pourrez, en principe, être maintenu au régime français de sécurité sociale pendant douze mois **(renouvelable une fois),** et dans le cadre de la convention franco-américaine pendant deux ans.

● Prestations

Dans les pays de la C.E.E., vous pourrez bénéficier des mêmes prestations familiales que les salariés.

Vous pouvez vous renseigner sur les dispositions prévues par **les règlements C.E.E.** ou la convention franco-américaine, en vous adressant au **Centre de sécurité sociale des travailleurs migrants.**

B. Les travailleurs non salariés expatriés

Si vous n'êtes pas maintenu au régime français de sécurité sociale dans le cadre des règlements C.E.E. ou de la convention franco-américaine, votre situation dépend du pays dans lequel vous exercez votre activité non salariée.

Ce pays peut être lié à la France par un instrument international de sécurité sociale visant les travailleurs non salariés (règlements C.E.E., conventions signées avec le Canada, les États-Unis, la Suède, la Suisse et accord signé avec les îles Anglo-Normandes).

Vous pouvez vous renseigner sur les dispositions contenues dans ces accords en vous adressant au **Centre de sécurité sociale des travailleurs migrants.**

Vous pouvez également adhérer à l'assurance volontaire maladie-maternité-invalidité des non-salariés expatriés.

Renseignez-vous auprès de la Caisse des Français de l'étranger :
B.P 100 - Rubelles, 77951 Maincy Cedex.

Instruments internationaux de sécurité sociale signés par la France

A l'exception des dispositions prévues en matière de chômage et qui ne concernent que les travailleurs salariés, les règlements C.E.E. vous sont, en principe, applicables dans les mêmes conditions qu'aux travailleurs salariés. Toutefois, le régime d'assurance invalidité des travailleurs non salariés non agricoles étant exclu du champ d'application des règlements C.E.E., vous ne pourrez pas obtenir de pension d'invalidité liquidée conjointement entre la France et tout autre Etat membre de la C.E.E.

Les travailleurs non salariés expatriés dans un pays lié à la France par une convention bilatérale de sécurité sociale les visant (Canada, Etats-Unis, Suède, Suisse, îles Anglo-Normandes) bénéficient eux aussi, sauf exception, des dispositions prévues en faveur des travailleurs salariés.

Assurance volontaire maladie-maternité du régime des expatriés

Conditions

Vous devez exercer une activité non salariée dans un pays étranger et posséder la nationalité française.

• Prestations

Vous bénéficierez des prestations en nature (remboursement des soins) de l'assurance maladie-maternité des travailleurs salariés. Les soins reçus à l'étranger sont remboursés sur la base des frais réels dans la limite des tarifs conventionnels français.

Les soins dispensés pendant vos séjours en France, inférieurs ou égaux à 3 mois, sont pris en charge.

Vous pouvez également, sur option, moyennant une cotisation supplémentaire, bénéficier d'une prise en charge lors de vos séjours temporaires en France supérieurs à 3 mois et inférieurs à 6 mois.

---

*N.B. - En fonction de votre situation sociale et financière, la **Caisse des Français de l'étranger** peut vous servir, sur votre demande, des prestations supplémentaires ou des secours sur son **fonds d'action sanitaire et sociale**.*

• À quel moment adhérer ?

Dans le délai d'un an qui suit le début de votre activité à l'étranger.

Toutefois, si ce délai est passé, consultez la Caisse des Français de l'étranger.

• **Le coût**

Plafond annuel de la sécurité sociale ou 2/3 du plafond, ou moitié du plafond, (plafond au 01-01-1991 égal à 11.340 F) en fonction de vos revenus, multiplié par un taux fixé par décret (6,00 %).

Adressez votre demande à la **Caisse des Français de l'étranger.**

Assurance volontaire vieillesse-veuvage

Selon votre activité professionnelle, vous devez vous adresser à la Caisse spécifique de cette profession.

Pour les professions industrielles et commerciales:

Caisse interprofessionnelle d'assurance vieillesse des industriels et commerçants d'outre-mer et Français de l'étranger (CAVICORG) qui dépend de l'ORGANIC
21, rue Boyer, 75960 Paris Cedex 20
Tél. : (1) 47.97.17.29

Pour les professions libérales :

Caisse nationale d'assurance vieillesse des professions libérales
102, rue de Miromesnil, 75008 Paris
Tél.: (1) 45.63.75.95

Pour les professions agricoles :

Caisse centrale de mutualité sociale agricole (CCMSA)
8, rue d'Astorg, 75380 Paris Cedex 08
Tél. : (1) 42.96.77.77

Pour les professions artisanales :

Caisse régionale artisans vieillesse de l'Ile-de-France ouest (qui dépend de la CANCAVA)
5, rue Paul-Demange, 78290 Croissy-sur-Seine
Tél. : (1) 49.76.53.17

Ces organismes vous indiqueront les conditions d'adhésion ainsi que le montant des cotisations.

L'assurance volontaire vieillesse des travailleurs non salariés donne droit, en général, aux mêmes prestations que l'assurance obligatoire qui comporte un régime d'assurance invalidité-décès et un régime complémentaire d'assurance vieillesse.

N.B. - Vous pouvez également vous constituer une retraite complémentaire en adhérant à une institution de prévoyance (voir page 79).

3. Les pensionnés des régimes français de retraite

Si vous bénéficiez d'une pension de retraite d'un régime français et si vous résidez à l'étranger, vous pouvez au titre de votre pension bénéficier des soins de santé **dans le cadre d'un instrument international de sécurité sociale.**

Renseignez-vous sur les dispositions prévues par ces accords (règlements C.E.E, Algérie, Andorre, Autriche, Monaco, Pologne, Québec, Suède, Tchécoslovaquie, Tunisie, Turquie, Yougoslavie) auprès du **Centre de sécurité sociale des travailleurs migrants.**

Vous pouvez également adhérer à **l'assurance volontaire maladie-maternité** des pensionnés expatriés. Renseignez-vous auprès de la Caisse des Français de l'Étranger : B.P. 100 - Rubelles, 77651 Maincy Cedex.

Instruments internationaux de sécurité sociale

Si vous êtes titulaire d'une pension locale ou d'une pension liquidée dans le cadre conventionnel, vous aurez droit dans le pays qui vous sert cette pension ou cette part de prestations, **aux soins de santé** en tant qu'assuré du régime local.

Si vous êtes titulaire d'une pension française de vieillesse et que vous résidez dans un pays lié à la France par un instrument international de sécurité sociale reconnaissant le droit aux soins de santé des pensionnés se trouvant dans le pays autre que l'État débiteur de la pension, **vous aurez droit aux soins de santé du régime local.** Vous devrez vous inscrire auprès de l'institution compétente du lieu de résidence en présentant le formulaire conventionnel prévu à cet effet et établi par la caisse française débitrice de la pension.

En tant que titulaire d'une pension, vous pouvez, **dans le cadre des règlements C.E.E.**, avoir droit aux **allocations familiales pour vos enfants à charge.**

Assurance volontaire maladie-maternité des pensionnés expatriés

● **Les conditions à remplir :**

— posséder la nationalité française;

— être titulaire d'une retraite allouée au titre d'un régime français obligatoire ou volontaire;

— justifier d'une durée d'assurance minimum de 20 trimestres (l'assurance minimum de 20 trimestres peut être obtenue en additionnant les périodes d'assurance réunies dans plusieurs régimes, à l'exclusion de celles qui se superposent);

— n'exercer aucune activité professionnelle.

● Les prestations

— Soins à l'étranger

Vous percevrez, vous et vos ayants droit, le remboursement des dépenses de santé occasionnées par la maladie et la maternité selon les mêmes modalités que celles prévues pour les salariés et les non-salariés.

— Soins en France

Vous pouvez également, sous certaines conditions, bénéficier d'une prise en charge lors de vos séjours temporaires en France.

Si vous avez des droits propres en France, les prestations seront servies par l'organisme compétent en France. Toutefois, la Caisse des Français de l'étranger peut servir ces prestations sous réserve d'un remboursement par l'organisme compétent.

N.B. - En fonction de votre situation sociale et financière, la Caisse des Français de l'étranger peut vous servir, sur votre demande, des prestations supplémentaires ou des secours sur son fonds d'action sanitaire et sociale.

● Les formalités

À quel moment adhérer : avant expiration d'un délai **d'un an,** à compter de la date à laquelle vous vous trouvez dans la situation vous permettant de bénéficier de cette assurance volontaire (toutefois si ce délai est dépassé, consultez la Caisse des Français de l'étranger).

Adresser votre demande à la **Caisse des Français de l'étranger**.

● Les cotisations

Elles sont prélevées à chaque échéance sur le montant brut de chacune des retraites dont vous êtes bénéficiaire, par l'organisme débiteur ou payeur de ces retraites.

● Le coût

Le taux de cotisation est fixé à 2,40 % sur chaque avantage.

4. Les autres catégories

La loi n° 84-604 du 13 juillet 1984 portant diverses mesures relatives à l'amélioration de la protection sociale des Français de l'étranger a étendu, depuis le 1er janvier 1985, le champ d'application du régime des expatriés aux **inactifs** résidant à l'étranger (y compris la C.E.E. pour les personnes non couvertes à titre obligatoire), qui ont désormais la possibilité de s'assurer volontairement contre les risques de maladie et les charges de la maternité ainsi qu'**aux personnes chargées de famille** qui peuvent adhérer volontairement aux **assurances vieillesse et veuvage.**

Renseignez-vous auprès de la Caisse des Français de l'étranger
B.P. 100 - Rubelles, 77951 Maincy Cedex
Tél. : (1) 60.68.01.62

A. **Catégories diverses d'assurés volontaires**

Les Français titulaires d'un avantage de cessation anticipée d'activité qui, n'exerçant aucune activité professionnelle, résident dans un pays étranger, ont la faculté de s'assurer volontairement contre les risques de maladie et les charges de la maternité.

Il en va de même :

• **des étudiants dont l'âge est inférieur à 26 ans;**

• **des chômeurs;**

• **des titulaires d'une rente d'accident du travail ou d'une pension d'invalidité, allouée au titre d'un régime français obligatoire;**

• **des conjoints survivants ou divorcés ou séparés d'un assuré;**

• **des conjoints, ou conjoints survivants ou divorcés ou séparés d'étrangers ou de Français non assurés.**

Tous les autres Français résidant à l'étranger peuvent s'assurer volontairement contre les risques de maladie et les charges de la maternité.

La demande d'adhésion doit être en principe présentée dans le délai d'un an auprès de la **Caisse des Français de l'étranger.**

Pour les Français titulaires d'un avantage de cessation anticipée d'activité, les cotisations (6,00 %), assises sur les revenus de remplacement ou les allocations perçues par les intéressés, sont précomptées par les organismes débiteurs de ces avantages. Elles comprennent le prélèvement de 5,50 % déjà effectué par ces organismes.

Celles à charge des étudiants, des chômeurs, des titulaires d'une rente d'accident du travail ou d'une pension d'invalidité, des conjoints survivants ou divorcés ou séparés d'un assuré, des conjoints ou conjoints survivants ou divorcés ou séparés d'étrangers ou de Français non assurés, sont calculées, en fonction de leurs ressources, sur la base d'une assiette égale soit au plafond, soit aux 2/3 de celui-ci ou à la moitié du plafond (Plafond égal à 11.340 F au 01-01-1991, taux : 6,00 %).

L'assuré et ses ayants droit ont droit aux prestations en nature de l'assurance maladie-maternité; ces prestations sont servies sur la base des dépenses réelles dans la limite des tarifs français de remboursement.

Elles sont également servies et prises en charge par la **Caisse des Français de l'étranger** lorsque les soins sont dispensés **lors des séjours supérieurs à 3 mois et inférieurs à 6 mois en France** des adhérents à l'assurance volontaire, à la condition que les intéressés n'aient pas droit, à un titre quelconque, à ces prestations sur le territoire français, moyennant le versement d'une cotisation supplémentaire de 2 %.

Pendant leurs séjours en France **inférieurs ou égaux à 3 mois,** les assurés volontaires ont droit aux prestations du régime des expatriés, sous réserve de s'acquitter du paiement des cotisations dues.

Les catégories diverses d'assurés volontaires conservent leur droit aux prestations de l'assurance volontaire pendant une durée de **trois mois** à compter du premier jour de résidence en France, sous réserve qu'ils aient tenu informée la Caisse des Français de l'étranger de **leur retour définitif en France.**

N.B. - En fonction de votre situation sociale ou financière, la Caisse des Français de l'étranger peut vous servir, sur votre demande, des prestations supplémentaires ou des secours sur son fonds d'action sanitaire et sociale.

B. **Personnes chargées de famille**

Les personnes chargées de famille, de nationalité française, résidant à l'étranger et ne relevant pas d'un régime de sécurité sociale peuvent s'assurer volontairement à **l'assurance vieillesse et à l'assurance veuvage,** à la condition qu'elles se consacrent à l'éducation d'au moins un enfant à la charge de leur foyer, âgé de moins de 20 ans.

L'immatriculation est effectuée à la demande des intéressés par la **Caisse des Français de l'étranger.**

Le montant de la cotisation vieillesse est fixé trimestriellement en fonction d'une assiette forfaitaire égale à 507 fois le montant du SMIC en vigueur au 1er janvier (taux horaire du SMIC au 1er janvier 1991 : 31,94 F). Son taux est de 15,90 %.

Le taux de cotisation d'assurance veuvage est fixé à 0,10 % et inclus dans les 15,90 %.

À compter du 1er juillet 1990, pour les étudiants de moins de 26 ans, le taux de la cotisation est fixé à 3 %. Cette cotisation est calculée sur la moitié du plafond de la sécurité sociale (11.340 F au 01-01-1991).

5. Les aides accordées aux personnes âgées ou handicapées, et aux rapatriés

Si vous êtes âgé(e) d'au moins 65 ans (ou 60 ans en cas d'inaptitude au travail) et ne disposez pas de ressources suffisantes, vous pouvez recevoir une **allocation de solidarité,** identique dans son principe au « minimum-vieillesse » métropolitain.

La demande sera adressée par l'intermédiaire du consulat de la circonscription de votre résidence. Elle sera examinée par le **comité consulaire pour la protection et l'action sociale** (CCPAS).

Si vous êtes handicapé(e) et si votre taux d'incapacité atteint 80 %, vous pouvez obtenir une *carte d'invalidité.* La demande sera adressée par l'intermédiaire du consulat de France, pour les adultes, à la **commission technique d'orientation et de reclassement professionnel** (COTOREP) et, pour les enfants, à la **commission départementale d'éducation spéciale** (CDES) compétente. Cette carte donne droit, sous certaines conditions de ressources, à une **allocation adulte handicapé.**

Les **enfants handicapés** peuvent également percevoir une allocation, si leur taux d'incapacité atteint au moins 50 %.

Il existe d'autre part :

Le Comité d'entraide aux Français rapatriés

27, rue Damesme, 75013 Paris
Tél. : (1) 45.89.89.69

Association de la loi de 1901 conventionnée par le Ministère des affaires étrangères et le Ministère de la solidarité, de la santé et de la protection sociale, il accueille, héberge et reclasse les Français rapatriés de leur pays de résidence. Cette association possède un centre d'accueil (à Vaujours, Seine-Saint-Denis) et des centres d'hébergement et de réinsertion sociale.

Il accueille les personnes âgées en établissements spécialisés : pour les valides, foyer-résidence d'Évry (Essonne) pourvue d'une section de cure médicale; pour les valides et semi-valides, maison de retraite des Brullys, Vulaines-sur-Seine (Seine-et-Marne) et pour les valides et non-valides, maison d'accueil pour personnes âgées dépendantes de Feyzin (Rhône).

Le Comité d'entraide peut attribuer aux Français rapatriés par notre représentation consulaire et aux Français rentrés en métropole par leurs propres moyens et en difficulté temporaire, des aides ponctuelles, dites en « milieu ouvert » adaptées à leur situation (secours, soins médicaux urgents et transports sanitaires, transports pour rejoindre les familles ou le lieu d'emploi, informations).

L'Association pour le mieux-être des retraités (APMER)

49, rue des Renaudes, 75017 Paris
Tél. : (1) 43.80.19.35

Créée en 1972, elle s'est donné pour but de participer avec d'autres associations à des actions visant à améliorer le sort des personnes âgées. Elle donne des conseils juridiques et sociaux aux retraités et pré-retraités. Elle leur propose des orientations vers des « activités bénévoles ».

L'action de l'APMER se poursuit en régions par des implantations à Bordeaux, Lyon, Marseille, Nantes, Nice, Toulouse et Strasbourg, ainsi que par une antenne en région parisienne, à Neuilly-sur-Seine.

6. La protection contre la perte d'emploi

Si vous êtes **fonctionnaire titulaire**, vous obtiendrez un poste à votre retour; par contre, si vous êtes **contractuel** au titre de la coopération, vous bénéficierez des mêmes allocations que les anciens salariés du secteur privé, ou de **l'allocation d'insertion** (aide financière sur fonds publics), suivant votre statut et sous réserve de remplir les conditions requises.

Les salariés détachés

Les salariés détachés au sens de la sécurité sociale ainsi que les cadres continuant à dépendre du régime de retraite des cadres, qui effectuent hors de France une mission confiée par une entreprise relevant du régime d'assurance chômage, restent soumis à ce régime à titre obligatoire. Votre employeur doit continuer à verser les cotisations, dans les mêmes conditions que pour tout le personnel, à **l'ASSEDIC** territorialement compétente. Les travailleurs détachés peuvent prétendre au bénéfice des prestations de chômage sous réserve d'être inscrits comme demandeurs d'emploi en France.

Les salariés non détachés (accords internationaux)

Certains accords ont été signés par la France en matière de chômage (règlements CEE, convention franco-suédoise, convention franco-suisse d'assurance chômage).

Les règlements communautaires permettent en particulier au **chômeur** de se rendre dans un ou plusieurs autres États membres de la C.E.E. pour y chercher un emploi, tout en conservant ses droits à prestations, sous réserve :

— avant le départ, d'avoir été inscrit comme demandeur d'emploi, d'être resté à la disposition des services de l'emploi de l'État compétent pendant au moins 4 semaines après le début du chômage et d'en avoir demandé l'autorisation à l'institution locale compétente (**formulaire E 303**);

— de s'inscrire comme demandeur d'emploi auprès des services de l'emploi de chacun des États membres où il se rend et de se soumettre au contrôle qui y est organisé.

Le droit aux prestations est maintenu pendant une période de **3 mois** au maximum à compter de la date à laquelle l'intéressé a cessé d'être à la disposition des services de l'emploi de l'État qu'il a quitté, sans que la durée totale de l'octroi des prestations puisse excéder la durée des prestations à laquelle il a droit en vertu de la législation dudit État.

Les salariés expatriés

Si vous ne vous trouvez pas dans un cadre conventionnel (voir ci-dessus), **vous pouvez bénéficier des prestations de chômage**, en cas de perte d'emploi, lors de votre retour en France :

— si votre employeur vous a affilié au **Groupement des ASSEDIC de la région parisienne (GARP) dit** « Caisse de chômage des expatriés », 126, rue Jules-Guesde, 92300 Levallois Perret, Tél. : (1) 40.87.21.10;

— ou si, à défaut, vous avez adhéré **individuellement** à ce régime.

1. Adhésion de l'entreprise au GARP

a. **Elle est obligatoire pour les salariés français expatriés ayant conclu un contrat de travail avec une entreprise située en France.**

— *Conditions à remplir*

Le droit aux allocations est réservé aux salariés justifiant du versement de contributions pour leur compte au titre d'au moins **182 jours ou 1 014 heures** de travail, pendant les **12 mois** précédant la fin du contrat de travail.

— *Délai de forclusion*

Les droits aux indemnités de chômage acquis au cours d'une période de travail ayant donné lieu au versement de contributions au régime d'assurance chômage sont préservés pendant **12 mois**.

— *Période de référence, salaire de référence et point de départ*

Des règles particulières sont suivies concernant :

— la période de référence prise en considération pour déterminer le salaire de référence;

— le point de départ du versement des allocations.

b. **Adhésion facultative pour les salariés expatriés employés par une entreprise de droit local.**

Les travailleurs employés hors de France par une entreprise de droit local ne participent pas de plein droit au régime d'assurance chômage. Toutefois, leurs employeurs ont la possibilité de demander à les faire bénéficier de ce régime s'il s'agit, bien entendu, de personnes qui ne sont pas employées dans un État membre de la C.E.E., en Suède ou en Suisse.

— *Entreprises susceptibles d'être admises au régime d'assurance chômage*

Il doit s'agir d'entreprises privées, d'entreprises assimilables à des sociétés d'économie mixte ou à des établissements publics à caractère industriel et commercial, d'entreprises ayant une personnalité juridique distincte d'une collectivité publique et exerçant une activité qui relèverait en France du régime d'assurance chômage.

— *Obligations des entreprises*

La demande doit concerner la totalité des salariés expatriés de l'entreprise, cadres et non-cadres, y compris les salariés français engagés localement n'ayant pas le statut d'expatriés.

— *Contributions*

Elles sont calculées soit sur les appointements réellement perçus convertis en francs français, soit, après accord de la majorité des salariés, sur les appointements qui seraient perçus en France pour des fonctions correspondantes; cette dernière option ne peut s'exercer qu'au moment de l'affiliation et à titre définitif. Le taux des contributions est de 6,90 % + 0,50 % sur la partie dépassant le plafond.

— *Conditions à remplir*

Le droit aux allocations est réservé aux salariés justifiant du versement de contributions pour leur compte au titre d'au moins **365 jours**. Cette condition est recherchée dans la période de 2 ans précédant la date à laquelle s'est produite la fin du contrat de travail.

En ce qui concerne **le délai de forclusion, le salaire de référence et la période de référence**, cf. *a*. Adhésion obligatoire.

2. Adhésion individuelle

Certains salariés non couverts contre le risque de perte d'emploi par leur employeur ont la possibilité de bénéficier des dispositions du régime d'assurance chômage, en adhérant à titre individuel :

— les travailleurs français employés par une entreprise située à l'étranger mais dont l'activité entre dans le champ d'application professionnelle du régime;

— les travailleurs français employés dans une ambassade, un consulat ou un organisme international situé en France;

— les travailleurs français employés dans une ambassade, un consulat ou un organisme international situé à l'étranger. En ce qui concerne le personnel de nationalité française employé à l'étranger par une ambassade, un consulat ou un organisme international, seule l'adhésion individuelle est possible.

— *Délai*

La demande d'adhésion doit être présentée auprès du GARP avant la date d'embauche ou dans les **6 mois** suivant celle-ci. Elle doit être formulée à une date où le contrat de travail avec l'employeur demeure en vigueur et où l'intéressé est toujours en fonction dans l'entreprise ou l'organisme.

Si, pour un motif valable, ce délai n'a pu être respecté, vous disposez d'un deuxième délai de **6 mois** pour formuler un recours auprès de la Commission paritaire du GARP — service des expatriés — en présentant les justificatifs nécessaires. Mais vous perdez définitivement votre droit à l'affiliation si vous attendez plus de **12 mois** après votre expatriation. **Vous avez donc intérêt à prendre contact avec le GARP avant votre départ.**

— *Contributions*

Les cotisations sont calculées en appliquant le taux fixé par le Conseil d'administration de l'UNEDIC (6,90 % + 0,50 % sur la partie dépassant le plafond) au salaire brut réel de l'intéressé.

— *Conditions d'attribution des allocations*

Le droit aux allocations est réservé aux salariés justifiant du versement de contributions pour leur compte au titre d'au moins **365 jours.** Cette condition est recherchée dans la période de **2 ans** précédant la date à laquelle s'est produite la fin du contrat de travail.

En ce qui concerne le **délai de forclusion, le salaire de référence et la période de référence** cf. *a.* Adhésion obligatoire.

N.B. - Dans tous les cas, il faut, pour pouvoir bénéficier des allocations de chômage, être inscrit comme demandeur d'emploi.

Prestations servies

Les travailleurs expatriés ayant adhéré au GARP à titre obligatoire ou facultatif peuvent bénéficier de l'allocation de base exceptionnelle, de l'allocation de fin de droits et de l'allocation de solidarité spécifique.

— *Allocation de base*

Accordée en cas de licenciement ordinaire, de fin de contrat à durée déterminée ou de démission pour motif légitime, l'allocation journalière de base comprend une partie fixe (47,71 F) plus une partie proportionnelle en pourcentage du salaire journalier moyen de référence (40 %). Son montant est compris entre un minimum de 111,51 F et de 57 % du salaire journalier de référence, et un maximum représentant 75 % du salaire journalier de référence. La durée d'attribution et de prolongation éventuelle varie selon l'âge et la durée de travail avant la fin du contrat.

— *Allocation de base exceptionnelle*

Elle est réservée aux salariés expatriés ayant conclu un contrat de travail avec une entreprise située en France et qui n'ont pas droit à l'allocation de base normale.

Elle est accordée en cas d'activité salariée de 3 à 6 mois accomplie au cours des 12 derniers mois. Elle est constituée d'une partie fixe de 35,78 F et d'une partie proportionnelle égale à 30 % du salaire journalier moyen de référence : le montant de l'allocation ne peut être inférieur à 86,27 F, ni supérieur à 56,25 % du salaire journalier de référence.

— *Allocation de fin de droits*

Elle est servie après la fin d'indemnisation au titre de l'allocation de base (ou de sa prolongation éventuelle). Son montant journalier s'élève à 70,18 F. La durée d'attribution et de prolongation varie en fonction de l'âge et de la durée de travail préalable à la fin du contrat.

— Allocation de solidarité spécifique

Elle peut être accordée, sous certaines conditions d'activité salariée et de ressources, aux travailleurs privés d'emploi ayant épuisé les durées d'indemnisation au titre de l'assurance chômage.

N.B. - Un chômeur régulièrement inscrit au chômage (ANPE) peut demander à bénéficier des stages rémunérés du Fonds national de l'emploi, même s'il n'est pas indemnisé par les ASSEDIC.

Enfin, **les travailleurs salariés expatriés** non couverts par le régime d'assurance chômage, sous réserve qu'ils justifient d'une durée de travail de 182 jours au cours des 12 mois précédant la fin de leur contrat de travail, peuvent obtenir l'allocation d'insertion (financée sur fonds publics) par périodes de 6 mois (pour un an maximum).

Les **rapatriés** ne pouvant bénéficier des allocations de base ainsi que les **femmes veuves, divorcées, séparées judiciairement ou célibataires ayant au moins un enfant à charge,** peuvent également obtenir, sous certaines conditions, l'allocation d'insertion.

Autres droits

— Soins de santé

Si vous étiez détaché au sens de la sécurité sociale, vous bénéficierez de l'assurance maladie-maternité-invalidité-décès pendant toute la durée de votre indemnisation par les ASSEDIC et d'une prolongation automatique et gratuite de vos droits pendant 12 mois à compter du jour où vous cesserez d'être indemnisé.

Si vous ne percevez aucune allocation de chômage :

a) **vous étiez détaché au sens de la sécurité sociale :** vos droits aux prestations de l'assurance maladie-maternité-invalidité-décès seront maintenus pendant 12 mois;

b) **vous aviez adhéré à l'assurance volontaire maladie-maternité-invalidité des expatriés :** vos droits seront maintenus pendant 3 mois seulement sauf en cas d'affection médicalement constatée vous interdisant une reprise d'activité;

c) **vous avez la qualité d'ayant droit d'un assuré :** vous bénéficierez des prestations en nature de l'assurance maladie-maternité du régime d'affiliation de cet assuré.

Dans tous les cas, renseignez-vous auprès de la Caisse d'assurance maladie dont vous relevez, dès votre retour en France.

Enfin, une cotisation de 1,4 % sur les allocations de chômage supérieures au SMIC est due.

— Vieillesse et retraite complémentaire

Les périodes d'assurance chômage peuvent être validées par la Caisse d'assurance vieillesse et non par l'organisme de retraite complémentaire des intéressés.

Renseignez-vous auprès de ces organismes.

Quelques adresses utiles :

● **Centre de sécurité sociale des travailleurs migrants**
11, rue de la Tour-des-dames, 75436 Paris cedex 09
Tél. : (1) 45.26.33.41.

● **Caisse des Français de l'étranger**
B.P 100 - Rubelles, 77951 Maincy Cedex
Tél. : (1) 60.68.01.62.
10, rue du Havre, 75009 Paris
Tél. : (1) 40.16.17.36

● **Caisse nationale d'assurance vieillesse des travailleurs salariés**
110-112, rue de Flandre 75951 Paris Cedex 19
Tél. : (1) 40.05.51.10

● **Caisse de retraite pour la France et l'extérieur**
4, rue du Colonel-Driant 75040 Paris Cedex 01
Tél. : (1) 42.33.21.63.

● **Groupement des Assedic de la région parisienne**
(Caisse de chômage des expatriés)
90, rue Baudin, 92537 Levallois Perret Cedex
Tél : (1) 47.31.11.32 et (1) 40.87.21.28

Réception du public au :
126, rue Jules-Guesde, 92300 Levallois Perret

5

LA FISCALITÉ

Votre situation au regard de l'impôt sur le revenu varie selon le pays étranger où vous résidez (1).

Si la France a conclu une convention fiscale avec ce pays, vous n'êtes imposable en France que si la **convention** attribue à la France le droit d'imposer certains de vos revenus (ou tous vos revenus). À défaut de convention, tous vos revenus sont imposables en France si vous y êtes fiscalement domicilié. Dans le cas contraire, vous n'êtes imposable en France que sur vos revenus de source française.

1. Il existe une convention fiscale

L'objet des **conventions fiscales** est d'éviter la double imposition des revenus qui ont leur source dans un État et qui sont perçus par une personne **fiscalement domiciliée** dans l'autre État (ou résidente de cet autre État).

Le domicile fiscal ou la résidence fiscale (les conventions utilisent l'une ou l'autre des deux expressions, qui sont synonymes) est défini par la convention. Celle-ci indique également, pour chaque catégorie de revenus, si le droit d'imposer est attribué :

— uniquement à l'État du domicile fiscal (ou de la résidence fiscale) du bénéficiaire;

— uniquement à l'État où les revenus ont leur source (si vous êtes résident de France et si vous avez des revenus de source étrangère dont une convention réserve l'imposition à l'État de la source, vous devez déclarer ces revenus en France, pour calculer selon la règle dite du taux effectif l'impôt correspondant à vos autres revenus imposables en France);

— aux deux États concernés; dans ce cas, l'État où est situé le domicile fiscal du bénéficiaire des revenus élimine la double imposition en se conformant aux dispositions qui sont prévues par la convention (application d'un crédit d'impôt).

(1) Les territoires d'Outre-Mer (Nouvelle-Calédonie, Polynésie française, Terres Australes Antarctiques françaises, Wallis et Futuna) et les collectivités territoriales à statut particulier (Mayotte, Saint-Pierre-et-Miquelon) sont dotés de régimes fiscaux distincts de ceux en vigueur dans les départements métropolitains et d'Outre-Mer de la République française. En matière d'impôt sur le revenu, ces territoires et collectivités territoriales sont donc en principe assimilables aux pays étrangers.

Liste des pays et territoires avec lesquels la France a passé une convention fiscale :

Algérie, Allemagne fédérale, Arabie Saoudite, Argentine, Australie, Autriche, Bangladesh, Belgique, Bénin, Brésil, Burkina Faso, Bulgarie, Cameroun, Canada, Centrafrique, Chine, Chypre, Comores, Congo, Corée du Sud, Côte d'Ivoire, Danemark, Égypte, Émirats Arabes Unis, Équateur*, Espagne, États-Unis, Finlande, Gabon, Grèce, Hongrie, Inde, Indonésie, Iran, Irlande, Israël, Italie, Japon, Jordanie, Koweit, Liban, Luxembourg, Madagascar, Malaisie, Malawi, Mali, Malte, Maroc, Ile Maurice, Mauritanie, Mayotte, Monaco (1), Niger, Norvège, Nouvelle-Calédonie, Nouvelle-Zélande, Oman, Pakistan, Pays-Bas, Philippines, Pologne, Polynésie française (2), Portugal, Québec, Roumanie, Royaume-Uni, Saint-Pierre-et-Miquelon, Sénégal, Singapour, Sri Lanka, Suède, Suisse, Tchécoslovaquie, Thaïlande, Togo, Trinité et Tobago, Tunisie, Turquie, U.R.S.S., Yougoslavie, Zambie.

* accord approuvé par la France mais pas encore par le pays contractant.

Accords signés et en cours d'approbation par le Parlement français : Nigeria, Italie (nouvelle convention qui se substituera à celle de 1958).

Vous pouvez prendre connaissance du texte de la convention qui vous intéresse auprès de l'**ambassade** ou du **consulat de France** dans le pays concerné; en France, ces conventions et ces traités, publiés par le *Journal officiel,* peuvent être obtenus à l'adresse suivante :

● **Journaux officiels**
26, rue Desaix, 75727 Paris Cedex 15
Tél. : (1) 40.58.75.00 ou (1) 45.78.61.44
Télex : DIRJO 201176F
Minitel : 36.16, Code JOEL

a. Vous êtes non-résident de France (au sens de la convention applicable), et vous disposez de revenus imposables en France en vertu d'une convention fiscale

Selon les cas, ces revenus sont en fait :

— soit exonérés d'impôts en France;

— soit soumis à une retenue ou à un prélèvement à la source;

— soit soumis à l'impôt sur le revenu.

Les dispositions applicables sont généralement celles qui sont indiquées p. 96 (3). Toutefois, les revenus des agents de l'État qui exercent leur activité à l'étranger sont toujours soumis à l'impôt sur le revenu en France (la retenue à la source n'est pas applicable lorsque l'activité n'est pas exercée en France).

En ce qui concerne les déclarations à souscrire et le paiement de l'impôt sur le revenu, voir pages suivantes.

(1) Les principes posés par cette convention ne sont pas classiques.
(2) Cette convention ne concerne que les revenus des capitaux mobiliers.
(3) L'imposition forfaitaire n'est, dans la réalité, jamais applicable.

---

b. **Vous êtes résident de France (au sens de la convention)**

Vous devez déclarer en France, dans les conditions de droit commun, tous vos revenus qui y sont imposables. Vous devez également indiquer dans votre déclaration, pour l'application du taux effectif, vos revenus de source étrangère dont une convention réserve l'imposition au pays de la source.

En ce qui concerne les lieux de déclaration des revenus et de paiement de l'impôt, voir pages suivantes.

2. Il n'existe pas de convention fiscale

A. Votre domicile fiscal est en France

Définition

Vous êtes considéré comme étant domicilié en France et imposable dans ce pays dans les cas suivants :

— *Si vous n'êtes pas agent de l'État,* lorsque vous remplissez l'une au moins des quatre conditions suivantes :

• vous y exercez, à titre principal, une activité professionnelle salariée ou non salariée ;

• vous y avez le centre de vos intérêts économiques : par exemple, le siège de vos affaires est en France, ou vous réalisez dans ce pays l'essentiel de vos investissements, ou bien vos revenus proviennent en majeure partie de ce pays;

• vous y avez votre foyer (au sens foyer familial);

• c'est en France que vous séjournez le plus longtemps (en général, plus de six mois au cours d'une année civile).

— Si vous êtes agent de l'État et lorsque vous exercez vos fonctions hors de France dans un pays où vous n'êtes pas soumis à un impôt personnel sur l'ensemble de vos revenus, même si vous n'avez pas conservé en France votre foyer.

Votre imposition en France

Elle est établie dans les conditions du droit commun sur l'ensemble de vos revenus de source française et étrangère qui ne bénéficient pas d'une exonération. Si vous acquittez un impôt à l'étranger sur certains de vos revenus, vous pouvez le déduire pour calculer le montant net imposable de ces revenus en France.

Les rémunérations exonérées

a. **Exonération totale**

— Vous êtes envoyé à l'étranger par un employeur établi en France et vous payez un impôt sur le revenu à l'étranger : votre rémunération est exonérée d'impôt en France si vous justifiez qu'elle a été soumise à l'étranger à un impôt égal au moins aux deux tiers de celui que vous auriez payé en France sur un revenu identique.

— Vous avez séjourné plus de 6 mois (183 jours) à l'étranger au cours d'une période de 12 mois consécutifs, et vous exercez l'une des activités suivantes :

• chantiers de construction ou de montage, installation ou mise en route et exploitation d'ensembles industriels, prospection et ingénierie s'y rapportant;

• prospection, recherche ou extraction de ressources naturelles.

Vous êtes exonéré d'impôt en France sur le montant de votre rémunération, sans avoir à justifier d'une imposition de ce revenu à l'étranger.

N.B. - Ces exonérations ne concernent que les rémunérations d'activités salariées à l'étranger. Les rémunérations exonérées doivent être déclarées pour appliquer le taux effectif.

b. **Exonération partielle**

Lorsque des exonérations totales indiquées ci-dessus ne sont pas applicables, les suppléments de rémunération liés à l'expatriation, qui n'auraient pas été perçus si vous étiez resté en France, sont exonérés d'impôt.

Le lieu de déclaration

Vous devez adresser votre déclaration annuelle de revenus **au Centre des impôts du lieu de votre domicile en France.**

Toutefois :

— si vous êtes un agent de l'État en service hors de France ou un fonctionnaire de la C.E.E., vous devez adresser la déclaration de vos revenus au :

Centre des impôts des fonctionnaires et agents de l'État en service hors de France
9, rue d'Uzès, 75094 Paris Cedex 02
Tél. : (1) 42.36.02.33;

— si vous exercez en France une activité non salariée, adressez, en outre, la déclaration des résultats de vos activités au Centre des impôts dont dépend le siège de votre entreprise, ou à défaut :

● le lieu du siège de votre profession;
● le lieu de votre principal établissement.

L'établissement de l'impôt

L'impôt est établi d'après votre déclaration, en appliquant le barème progressif et le quotient familial.

Si vous êtes exonéré d'impôt en France à raison du traitement ou du salaire que vous percevez, vous serez soumis, pour vos autres revenus imposables en France, à la règle du « **taux effectif** ». En effet, afin de maintenir la progressivité de l'impôt, les revenus exonérés (sauf les suppléments de rémunération liés à l'expatriation) sont pris en compte pour la détermination du taux applicable aux autres revenus.

Le paiement

Vous devez régler le montant de votre imposition à votre percepteur habituel.
Toutefois :

— les militaires servant dans les États africains et malgache, et les fonctionnaires de la C.E.E. doivent s'acquitter de leur imposition à la :

Trésorerie principale du 5ᵉ arrondissement — 2ᵉ division
31, rue Censier, 75005 Paris
Tél. : (1) 45.70.90.35

— les autres agents de l'État en service à l'étranger à la :

Trésorerie principale du 4ᵉ arrondissement
99, rue de la Verrerie, 75181 Paris Cedex 04
Tél. : (1) 42.72.86.31

B. **Votre domicile fiscal est à l'étranger**

Définition

Vous êtes considéré comme domicilié hors de France si vous ne remplissez aucune des conditions exposées précédemment. Toutefois, vous restez imposable en France dans certains cas.

Les cas d'imposition en France et l'établissement de l'impôt

a. Vous avez des revenus de source française et vous n'avez pas de logement à votre disposition

Les revenus de source française comprennent essentiellement :

● ceux qui proviennent d'une activité professionnelle (salariée ou non salariée) exercée en France ;

● ceux qui proviennent de la location de biens situés en France ;

● les pensions versées par les débiteurs domiciliés ou établis en France ;

● les revenus des valeurs mobilières françaises et des autres capitaux mobiliers placés en France.

Certains de ces revenus sont exonérés d'impôt en France

Il s'agit principalement :

● des pensions dont le montant annuel n'excède pas une limite qui est déterminée en tenant compte de l'ensemble des pensions de source française (pour 1991, cette limite s'élève à 79.000 F environ) ;

● des traitements et salaires qui n'excèdent pas la limite indiquée ci-dessus ;

● de certaines catégories d'intérêts, parmi lesquels les intérêts des obligations émises depuis le 1er janvier 1987 ;

● des plus-values boursières (sauf pour les participations supérieures à 25 %) et des plus-values immobilières dans certains cas (notamment pour les biens conservés plus de 22 ans).

● **d'autres sont soumis à une retenue à la source** (acquittée par le débiteur des revenus) ou **à un prélèvement à la source** (acquitté par le bénéficiaire des revenus).

La retenue à la source concerne :

● les revenus de capitaux mobiliers qui ne sont pas exonérés ;

● les traitements, salaires et pensions qui excèdent le seuil d'exonération indiqué ci-dessus ;

● les pensions de la Fonction publique lorsque les pensionnés résident à l'étranger ;

● les droits d'auteur, les redevances sur brevets, marques de fabrique, etc. et certaines rémunérations telles que celles relatives aux prestations de service fournies ou utilisées en France.

Le prélèvement à la source est dû sur les plus-values immobilières qui ne bénéficient pas d'une exonération ainsi que sur certaines plus-values mobilières (en cas de participations supérieures à 25 %); les rémunérations pour des prestations artistiques ou sportives fournies ou utilisées en France sont soumises à une retenue à la source de 15 %, quelle que soit leur qualification (salaires ou bénéfices non commerciaux).

Les autres revenus de source française sont soumis à l'impôt sur le revenu. Il s'agit principalement :

• des revenus tirés de la location de biens;

• des bénéfices des professions indépendantes;

• de la fraction des traitements, salaires et pensions qui excède une limite révisée chaque année (213.900 F pour 1990 approximativement). La retenue à la source qui correspond à ces revenus est déductible de l'impôt sur le revenu.

Calcul de l'impôt sur le revenu

Le taux est fixé à 25 %, sauf si l'application du barème de droit commun aux seuls revenus de source française aboutit à un taux moyen supérieur.

Mais vous pouvez demander la révision de l'impôt calculé au taux de 25 % si le taux d'imposition moyen qui aurait résulté de l'application du barème de droit commun à **l'ensemble de vos revenus** (de source française et étrangère) est inférieur à 25 %. dans ce cas, envoyez une demande de révision, contenant tous les renseignements nécessaires pour calculer le taux visé ci-dessus, au service auquel vous adressez vos déclarations annuelles de revenus.

b. Vous avez un (ou plusieurs) logement(s) à votre disposition en France

Vous êtes imposable d'après une base forfaitaire égale à **trois fois la valeur locative** de ce (ou ces) logement(s) :

• si vos revenus de source française sont inférieurs à cette base;

• et si vous ne payez pas, dans le pays de votre domicile fiscal, un impôt au moins égal aux 2/3 de celui dont vous seriez redevable en France si vous y étiez fiscalement domicilié.

Le lieu de déclaration

Vous devez adresser votre déclaration annuelle de revenus au :

Centre des impôts des non-résidents
9, rue d'Uzès, 75094 Paris Cedex 02
Tél. : (1) 42.36.02.33

Toutefois :

— *si vous êtes un agent de l'État en service hors de France ou un fonctionnaire de la C.E.E.,* vous devez adresser la déclaration de vos revenus au :

Centre des impôts des fonctionnaires et agents de l'État en service hors de France
9, rue d'Uzès, 75094 Paris Cedex 02
Tél. : (1) 42.36.02.33

— *si vous exercez en France une activité non salariée,* adressez, en outre, la déclaration des résultats de votre activité au centre des impôts du lieu d'exercice de l'activité.

Dans certains cas, le centre des impôts peut demander la désignation, dans les 90 jours, d'un représentant fiscal en France (désignation obligatoire, sauf exceptions, en cas de réalisation d'une plus-value immobilière en France).

Vous pouvez désigner, à votre choix, un parent, un ami, une banque, ou encore la Société accréditée de représentation fiscale, (108 rue de Rivoli, 75001 Paris) ou la Chambre syndicale des généalogistes de France, (18 rue du Cherche-Midi, 75006 Paris).

Les délais de déclaration

Lieu de domicile des contribuables	Date d'expiration du délai
Europe et pays du littoral de la Méditerranée	30 avril
Afrique (sauf pays du littoral de la Méditerranée) et Amérique du Nord	15 mai
Amérique centrale et Amérique du Nord	31 mai
Asie (sauf pays du littoral de la Méditerranée), Océanie et tous les autres pays	30 juin

Le paiement

Le percepteur auprès duquel vous devez régler le montant de votre imposition est la :

Trésorerie du 5ᵉ arrondissement — 1ʳᵉ division
21, rue Claude-Bernard, 75231 Paris Cedex 05
Tél. : (1) 43.36.37.19.

Toutefois :

— les militaires servant dans les Etats africains et malgache, et les fonctionnaires de la C.E.E. dépendent de la :

Trésorerie principale du 5ᵉ arrondissement — 2ᵉ division
31, rue Censier, 75005 Paris
Tél. : (1) 45.70.90.35.

— les autres agents de l'État en service à l'étranger dépendent de la :

Trésorerie principale du 4ᵉ arrondissement
99, rue de la Verrerie, 75181 Paris Cedex 04
Tél. : (1) 42.72.86.31.

Pour de plus amples informations, vous pouvez interroger, de 9 heures à 12 heures, le **Centre des impôts des non-résidents**, ou s'il y a lieu le **Centre des impôts des fonctionnaires et agents de l'État en service hors de France**.

Ces deux services sont situés :

9, rue d'Uzès, 75094 Paris Cedex 02
Tél. : (1) 42.36.02.33.

N.B. - Que vous soyez ou non domicilié en France, vous pouvez, dans certains cas, être soumis aux impôts locaux.

6

LA SCOLARISATION

Les conditions actuelles de scolarisation des enfants français vous offrent trois possibilités :

— emmener vos enfants à l'étranger et les inscrire dans un établissement d'enseignement français local;

— emmener vos enfants à l'étranger et les faire bénéficier des cours du centre national d'enseignement à distance (CNED);

— laisser vos enfants en France et leur faire poursuivre leurs études en internat.

1. À l'étranger

A. L'enseignement primaire et secondaire

Les établissements français primaire et secondaire

Il existe à travers le monde environ 430 établissements susceptibles de dispenser à vos enfants un enseignement conforme aux programmes français. La plupart de ces établissements sont privés mais ils reçoivent néanmoins une aide du Ministère des affaires étrangères. Ils sont placés sous le **contrôle administratif du Ministère des affaires étrangères et sous le contrôle pédagogique du Ministère de l'éducation nationale** qui homologue les périodes de scolarité accomplies par les élèves. La liste de ces établissements pourra être fournie soit :

— par l'**Agence pour l'enseignement français à l'étranger,**
64, avenue Kléber, 75116 Paris
Tél. : (1) 40.66.63.21

— le Centre d'accueil et d'information des Français à l'étranger (ACIFE),
34, rue La Pérouse, 75116 Paris
Tél. : (1) 40.66.60.70 et 79

soit :

— par le **Ministère de l'éducation nationale**,
Direction des affaires générales, internationales et de la coopération (DAGIC) :
Bureau du développement de l'enseignement français à l'étranger,
1, rue d'Ulm, 75005 Paris - Tél. : 43.29.21.19;

— par les **délégations régionales de l'ONISEP** qui existent au niveau de chaque académie.

Les périodes de scolarité effectuées par les élèves de ces établissemnts sont assimilées à celles accomplies en France, dans les établissements publics. Les décisions d'orientation prises par ces établissements en fin d'année scolaire sont donc valables de plein droit pour l'admission dans un établissement public français ou dans un autre établissement français de l'étranger.

Aucun problème de réinsertion ne se posera donc à vos enfants à leur retour en métropole.

Les cours par correspondance

Si vous résidez dans un endroit isolé, vous pourrez faire suivre à votre enfant des cours par correspondance auprès d'un des centres nationaux d'enseignement à distance (CNED).

Le CNED est un organisme officiel du Ministère de l'éducation nationale qui dispense un enseignement par correspondance identique à celui qui est proposé en France. Les passages de classes sont décidés par les professeurs du CNED et permettent l'admission des élèves concernés **dans n'importe quel établissement français, en France ou à l'étranger.**

Si votre enfant ne suit pas l'enseignement de l'un des établissements agréés par le Ministère de l'éducation nationale, vous pouvez donc l'inscrire **individuellement** au CNED. Certaines écoles inscrivent **collectivement** leurs élèves au cours du CNED, des répétiteurs s'occupant alors de les faire travailler.

Adressez-vous :

Pour l'enseignement du premier degré (CP à CM2) :

● **Centre national d'enseignement à distance (CNED)**
31051 Toulouse Cedex - Tél. : (16) 61.41.11.71

Pour l'enseignement secondaire du premier cycle du second degré (classes de 6ᵉ à 3ᵉ) :

● **Centre national d'enseignement à distance (CNED)**
3022 X, 76041 Rouen Cedex - Tél. : (16) 35.74.56.40

Pour l'enseignement secondaire du second cycle du second degré (seconde à la terminale) :

● **Centre national d'enseignement à distance (CNED)**
7, rue du Clos-Courcel, 35050 Rennes Cedex - Tél. : (16) 99.63.11.88

Pour les enseignements techniques longs (bacs F1, F2, F3) :

● **Centre national d'enseignement à distance (CNED)**
60, boulevard du Lycée, 92171 Vanves Cedex - Tél. : (1) 45.54.95.12

Pour les enseignements techniques courts, et certains baccalauréats professionnels et technologiques :

● **Centre national d'enseignement à distance (CNED)**
B.P. 3, 38040 Grenoble Cedex - Tél. : (16) 76.51.27.27

En outre, au moment de votre départ ou de votre retour, vous pouvez obtenir des renseignements complémentaires sur les services qu'offre le CNED en téléphonant pour :

● Toulouse, au (16) 61.41.11.71; Rouen, au (16) 35.75.58.12; Rennes, au (16) 99.63.40.83.

N.B. - Vous pouvez prendre connaissance des formations du CNED sur minitel : 36.14, code CNED.

Vous pouvez également obtenir des informations téléphonées en composant le (1) 43.42.07.07.

Le coût de la scolarité

La scolarité demeure payante. Des subventions de fonctionnement et d'équipement sont accordées aux établissements français à l'étranger par les Ministères des affaires étrangères et de l'éducation nationale.

Les aides financières ne couvrent cependant pas la totalité des frais.

Vous pouvez obtenir des bourses d'études qui assurent la prise en charge partielle ou totale des frais de scolarité, si vous êtes immatriculé au consulat, si vos ressources sont reconnues insuffisantes, et si vos enfants sont inscrits dans un établissement reconnu par le Ministère de l'éducation nationale. Les demandes de bourses doivent être déposées au consulat.

Adressez-vous pour tout renseignement à :

l'**Agence pour l'enseignement français à l'étranger**
Secteur des Bourses
23, rue La Pérouse, 75116 Paris
Tél. : (1) 40.66.64.48 ou (1) 40.66.73.14.

N.B. - N'oubliez pas, lorsque vous aurez fixé la date de votre départ à l'étranger ou de votre retour en France, qu'il vous appartiendra d'accomplir, si possible plusieurs mois avant la date de la rentrée scolaire, les formalités d'inscription de vos enfants dans les établissements de votre choix.

L'organisation des épreuves du baccalauréat à l'étranger

Il est possible de se présenter aux épreuves du baccalauréat lorsque l'on réside à l'étranger. 58 centres d'examen fonctionnent à travers le monde tout en étant rattachés à une académie de France. Un ou plusieurs jurys sont constitués localement conformément à la réglementation française et les diplômes sont délivrés par le recteur de l'académie de rattachement.

La liste des centres d'examens figure en fin de chapitre (page 109).

B. **L'enseignement supérieur**

Le Centre national d'enseignement à distance (CNED) et le Centre de télé-enseignement universitaire (TEU) permettent de suivre certaines formations universitaires par correspondance. Pour préparer un diplôme par la voie du TEU, les étudiants doivent justifier des titres requis pour accéder à l'enseignement supérieur, et s'inscrire auprès des services de scolarité de leur université.

L'inscription au TEU ne dispense pas de l'inscription universitaire. Périodiquement, les étudiants inscrits au TEU peuvent être regroupés pour participer, en France, à des réunions avec les enseignants, ou à des travaux pratiques.

Renseignez-vous soit au :

Centre national de l'enseignement à distance (CNED)
Tour Paris-Lyon, 209-211, rue de Bercy, 75585 Paris Cedex 12
Tél. : (1) 40.02.76.00

ou au :

Ministère de l'éducation nationale
Bureau de l'information, accueil, orientation et insertion professionnelle
61, rue Dutot, 75015 Paris
Tél. : (1) 40.65.63.96

Baccalauréat français à l'étranger : centres d'examens rattachés à des académies métropolitaines.

Tableau de rattachement des centres de baccalauréat de l'enseignement du second degré ouverts à l'étranger

Groupes	Académies	Pays
I	Aix-Marseille	Ile Maurice - Algérie - Madagascar Johannesburg (1) - Kenya (1)
	Bordeaux	Sénégal - Maroc - Gabon (1) - Guinée (1) Tchad (1)
	Grenoble	Italie - Turquie - Koweit - Bagdad (1) Abou-Dhabi
	Lyon	Israël - Éthiopie - Egypte - Liban - Syrie Arabie Saoudite (1) - Jordanie (1)
	Nantes	Burundi - Mauritanie - Cameroun - Zaïre République Centrafricaine - Togo
	Nice	Burkina Faso - Congo - Niger - Côte-d'Ivoire
	Paris	Tunisie - Grèce
	Toulouse	Espagne - Portugal
II	Lille	Belgique - Grande-Bretagne - Pays-Bas
	Nancy-Metz	Trèves (Allemagne fédérale)
	Strasbourg	Allemagne fédérale (à l'exception de Trèves) Suède (1) - Danemark - Varsovie (1) Vienne - URSS
III	Antilles-Guyane	Mexique - Haïti - Vénézuela - Équateur Colombie - Brasilia (1) - Paraguay (1) Honduras (1) - Salvador (1) - Guatemala (1)
	Caen	Canada - U.S.A.
	Montpellier	Japon - Hong Kong - Singapour - Australie (1)
	Poitiers	Argentine - Brésil (sauf Brasilia) - Chili - Pérou Uruguay - Bolivie (1) Costa-Rica (1)
	Rennes	Inde

(1) Uniquement les épreuves anticipées de français.

2. En France

Les établissements scolaires publics pourvus d'un internat

Deux établissements scolaires publics, pourvus d'un internat ouvert tout au long de l'année scolaire, sont actuellement susceptibles d'accueillir les enfants dont les familles devant séjourner à l'étranger souhaiteraient qu'ils poursuivent leurs études en France. Ces trois établissements sont :

● **Le lycée polyvalent régional Bernard-Palissy**
164, boulevard de la Liberté, 47000 Agen
Tél.: (16) 53.66.58.18. (à partir de la classe de 3e seulement);

● **Le lycée Jacques-Monod**
9, rue Léon-Blum - B.P. 159
45803 Saint-Jean-de-Braye (à 5 km d'Orléans)
Tél. : (16) 38.84.68.69.

En ce qui concerne les élèves français de l'étranger inscrits dans les classes préparatoires, des facilités leur sont offertes à l'internat du lycée Henri-IV à Paris (garçons) et au foyer des lycéennes (filles).

● **Lycée Henri-IV**
23, rue Clovis, 75231 Paris Cedex 05
Tél. : (1) 46.34.02.20.

● **Foyer des lycéennes**
10, rue du Docteur-Blanche, 75016 Paris
Tél. : (1) 42.88.81.95.

● **Centre international de Valbonne Sophia Antipolis**
06565 Valbonne Cedex
Tél. : (16) 93.65.33.34. Télex : 970.849 F. Télécopie : (16) 93.65.33.56

La liste des établissements scolaires possédant des classes préparatoires paraît chaque année au *Bulletin officiel de l'Éducation nationale.* Les services culturels français à l'étranger pourront vous la communiquer.

D'une manière générale, pour l'inscription dans une classe préparatoire, il convient de s'adresser au proviseur de l'établissement choisi : celui-ci examine les dossiers de candidature sur la base de critères pédagogiques. Les formulaires de demande d'admission en classe de 1re année préparatoire aux grandes écoles sont à demander auprès des services culturels.

Les établissements scolaires privés pourvus d'un internat

Ces établissements prévoient des internats permanents et certains assurent la garde des enfants en dehors des périodes scolaires.

Pour obtenir la liste de ces établissements, *adressez-vous au :*

Centre national de documentation sur l'enseignement privé (CNDEP)
20, rue Fabert, 75007 Paris
Tél. : (1) 47.05.32.68

Cette liste existe également dans le *Guide national de l'enseignement privé.*

N.B. - Les études de médecine, pharmacie et chirurgie dentaire doivent obligatoirement être commencées en France, car l'examen de fin de première année est un concours. Le succès à ce concours est nécessaire à la poursuite des études; aucune équivalence n'existe donc qui permette de commencer ces études à l'étranger et de les poursuivre ultérieurement en France.

La couverture du risque maladie des enfants scolarisés en France

Les enfants scolarisés continuent de bénéficier de la couverture de la sécurité sociale pour le risque maladie, dans les conditions suivantes :

a. **le chef de famille** est détaché ou salarié dans un des pays ayant conclu avec la France une convention de sécurité sociale prévoyant la couverture maladie des ayants droit en France (voir page 69) ou il a adhéré à l'assurance volontaire maladie de la sécurité sociale (voir page 75).

b. **le chef de famille ne remplit pas l'une de ces conditions :**

— la mère restée en France est **salariée**;

— la mère n'étant pas salariée, a adhéré à **l'assurance volontaire maladie** de la sécurité sociale;

— chaque enfant a adhéré à **l'assurance volontaire maladie** de la sécurité sociale (sauf s'il est inscrit dans une faculté ou un établissemnt d'enseignement supérieur, car il est alors couvert par le régime de sécurité sociale des étudiants).

3. Fin de scolarisation et rapatriement au titre de la formation professionnelle

L'instruction du Ministère des affaires étrangères 4/68 du 13 juin 1968 prévoit que les candidats à une formation professionnelle puissent, sous certaines conditions, être rapatriés. La prise en charge de ces rapatriements n'est accordée qu'après enquête et avis du chef de poste concernant les ressources réelles des familles et sous réserve que l'intéressé ne veuille plus retourner dans le pays d'accueil.

Si les candidats bénéficiant d'un rapatriement à ce titre n'ont pas d'attache familiale en France, ils pourront être admis à leur demande, dans un centre d'accueil du Comité d'entraide aux Français rapatriés (C.E.F.R.) à leur arrivée en France. De même, à leur sortie du centre, en fin de formation, s'ils ne sont pas pourvus d'un contrat de travail, les intéressés peuvent être repris, sur leur demande, dans un des centres du Comité d'entraide pour poursuivre leur réinsertion en métropole.

Tout Français, résidant à l'étranger et âgé au moins de 17 ans, peut demander à bénéficier d'un **stage de formation professionnelle.**

Afin de faciliter la procédure d'admission, l'Association nationale pour la formation professionnelle des adultes (A.F.P.A.) peut procéder :

● à une admission directe dans l'un de ses stages au vu des références scolaires et professionnelles que le candidat aura notifiées dans un questionnaire approprié;

● à une admission différée après des examens complémentaires à l'étranger ou en France.

En effet, le Ministère des affaires étrangères peut demander à l'A.F.P.A. d'organiser sur place une mission de sélection psychotechnique.

Pendant la durée de son stage, le stagiaire de formation professionnelle est logé dans un centre de formation professionnelle de l'A.F.P.A., et reçoit une rémunération qui varie selon qu'il justifie ou non de références de travail antérieures.

4. Fin de scolarisation et droit à la formation professionnelle pour des jeunes demandeurs d'emploi âgés de 16 à 25 ans

Les jeunes demandeurs d'emploi âgés de 16 à 25 ans, se déclarant à l'Agence nationale pour l'emploi la plus proche de leur domicile en France, peuvent bénéficier de différentes formations intégrées dans un dispositif leur permettant d'acquérir des connaissances théoriques dans un organisme de formation et des connaissances pratiques dans une entreprise ou tout autre organisme employeur.

Ces mesures de formation en alternance permettent de compléter la formation scolaire et se présentent sous forme de :

— stages (stage d'initiation à la vie professionnelle, travaux d'utilité collective);

— contrats de travail (apprentissage, qualification...).

Pour les stages, les frais de formation sont pris en charge par l'État. Pour les contrats de travail, l'employeur prend en charge les rémunérations et les frais de formation à l'exception du contrat d'apprentissage pour lequel les frais de formation sont financés par l'État ou la Région.

(Se reporter au chapitre III. Emploi).

7

LE RETOUR

1. Les formalités avant le départ de l'étranger

De la même façon que vous avez dû, à votre arrivée dans votre nouveau pays de résidence, accomplir certaines démarches auprès des administrations locales et du consulat, **vous devez avant votre départ régulariser votre situation au regard des réglementations locale et française.** N'omettez pas de rendre votre carte d'immatriculation consulaire en demandant au consulat qui vous l'a délivrée votre radiation de l'immatriculation.

Le déménagement

Le déménageur ou le transitaire local que vous aurez chargé, après examen d'un devis estimatif, du transport de votre mobilier, vous demandera d'établir **un inventaire détaillé** de votre mobilier et de vos effets personnels. Une **attestation de changement de résidence** est souvent réclamée pour autoriser le transit en douane au départ. Si les autorités locales ne peuvent vous délivrer ce document, adressez-vous au consulat de France.

N.B. - N'oubliez pas que la production d'un quitus fiscal ou bordereau de situation peut être exigée par les autorités administratives locales.

Entrée en France

Vous pouvez importer **en franchise de droits et taxes**, le mobilier, les objets et les effets personnels en cours d'usage qui sont votre propriété.

Ces biens doivent avoir été acquis aux conditions générales d'imposition du marché intérieur, c'est à dire avoir supporté les charges fiscales et/ou douanières.

Les conditions sont différentes selon que votre résidence antérieure était située dans un pays membre de la C.E.E. ou dans un pays tiers :

1. *Vous venez d'un pays membre de la C.E.E.* Vous devez avoir utilisé ces biens à titre privé depuis au moins trois mois (six mois pour les moyens de transport). Vous pouvez en outre importer en franchise une habitation transportable.

2. *Vous venez d'un pays n'appartenant pas à la C.E.E.* Vous devez avoir utilisé ces biens à titre privé depuis au moins six mois. Vous devez avoir séjourné douze mois au moins à l'étranger.

Vous devez remettre au service des douanes :

— un certificat de changement de résidence ou tout autre document probant;

— un inventaire détaillé et estimatif (en deux exemplaires);

— une justification d'achat toutes taxes comprises des moyens de transport;

— dans le cas où vous possédez des biens de valeur ou des véhicules, un formulaire que vous remettra le service des douanes.

Les biens admis en franchise ne peuvent être cédés, loués ou prêtés pendant les douze mois suivant leur importation en franchise.

Vous devez savoir que des règles particulières s'appliquent :

— à l'importation d'or monétaire;

— aux articles contenant de l'or;

— à l'introduction d'armes;

— aux animaux familiers.

N.B. - Si vous n'avez effectué à l'étranger qu'un séjour temporaire à durée déterminée, d'une durée inférieure à 12 mois, en tant, par exemple, que stagiaire civil ou militaire, **vous ne bénéficierez que des franchises octroyées aux voyageurs.**

Le contrôle des changes

Quelle qu'ait été la durée de votre séjour à l'étranger, au moment de redevenir résident en France, **vous devez régler votre situation au regard de la réglementation sur les comptes bancaires** en clôturant dans un délai de 6 mois, si vous en êtes titulaire, votre compte en francs convertibles ou étranger en francs, ouvert dans une banque française.

Tout renseignement à ce sujet, ainsi que sur les comptes ouverts à l'étranger et les fonds qui y sont déposés, peut être obtenu auprès de la :

Direction générale des douanes et droits indirects,
Bureau de l'information et de la communication,
139, rue de Bercy, 75012 Paris
Tél. : (1) 42.60.35.90 ou auprès de **votre banque française.**

La scolarisation

Il convient de vous préoccuper en temps utile de l'inscription de vos enfants dans les établissements scolaires en France.

Enseignement primaire : vous devez vous adresser à la mairie de la commune dans laquelle vous allez résider.

Enseignement secondaire : l'inscription dans un établissement secondaire pose davantage de problèmes compte tenu de l'éventail des formations offertes, de l'orientation proposée à la famille et de la scolarisation imposée par la carte scolaire.

Ces difficultés sont accrues dans le cas des familles françaises qui résident à l'étranger puisque celles-ci, bien souvent, ne connaissent pas toutes les possibilités d'accueil existantes.

Il est recommandé avant votre retour en France, dans le second trimestre de l'année scolaire, de prendre contact avec le **chef du service académique d'information et d'orientation (CSAIO)** de l'académie dans laquelle vous devez résider.

2. Les formalités à l'arrivée en France

En arrivant en France, préoccupez-vous de vous mettre en règle pour :

Le changement d'adresse

Vous pouvez vous adresser au commissariat de police de votre domicile, ou à la mairie de votre arrondissement ou de la commune dans laquelle vous êtes domicilié, pour faire porter votre nouvelle adresse sur votre carte nationale d'identité.

La carte d'électeur

Faites-vous inscrire sur les listes électorales de votre nouvelle commune.

Le livret militaire

Si vous avez moins de 50 ans, vous devez signaler votre retour en France à la gendarmerie de votre domicile et présenter votre livret militaire.

Le permis de conduire

Si vous avez obtenu votre permis de conduire à l'étranger, vous devez en solliciter l'échange éventuel auprès de la préfecture du lieu de votre domicile, dans un délai d'un an à compter de votre établissement en France, à condition toutefois :

— d'avoir obtenu ce permis au cours d'un séjour de **6 mois** au moins dans le pays étranger : il conviendrait de prouver ce séjour en fournissant à la préfecture un certificat d'immatriculation ou une attestation de résidence ou de changement de résidence du consulat dont vous dépendiez à l'étranger (sur le dossier à constituer pour la formalité d'échange, se renseigner auprès de la préfecture).

— **de détenir le permis de conduire** d'un État pratiquant, à titre de réciprocité, l'échange du permis français.

Pour mémoire les pays suivants se refusent à échanger le permis français :

Albanie, Argentine, Australie (sauf territoire du Nord et district fédéral), Bermudes, Canada (sauf Québec et Saskatchewan, pour la catégorie B seulement), Chili, Chine, États-Unis (sauf New-Hampshire et Caroline du Sud), Indonésie, Mexique, Nouvelle-Zélande, Ouganda, Pérou, Qatar, Roumanie, République dominicaine, Tanzanie, Thaïlande, Trinité-Tobago, Uruguay, Yémen, Zambie, Zimbabwé.

Il s'en suit que si vous détenez le permis de conduire de l'un de ces États :

— vous n'êtes pas habilité à conduire en France;

— vous devez vous présenter aux épreuves du permis de conduire français (les leçons ne sont pas obligatoires; toutefois, il vous est recommandé de prendre au moins quelques leçons sur le code de la route).

L'imposition

Les modalités de l'imposition à laquelle vous serez soumis varieront en fonction de votre précédent régime fiscal, c'est-à-dire selon que vous étiez imposable en France ou à l'étranger.

Vous devez notamment :

— remplir, dans les délais habituels, la déclaration de votre revenu global et, le cas échéant, les déclarations de vos bénéfices professionnels;

— signaler votre nouvelle adresse à la perception avec laquelle vous étiez en rapport pendant votre séjour à l'étranger;

— acheter votre vignette automobile, dans le mois qui suit votre retour en apportant la preuve de la date exacte de l'entrée de votre véhicule en France.

La scolarisation

Le service académique d'information et d'orientation (C.S.A.I.O.) pourra vous fournir les renseignements dont vous avez besoin, examiner les dossiers que vous lui soumettrez et facilitera vos démarches d'inscription auprès des différents établissements susceptibles d'accueillir vos enfants.

Il est recommandé de prendre rapidement l'attache des services chargés de l'affectation des élèves dans les établissements scolaires, soit à l'inspection académique du lieu de résidence (collèges), soit au rectorat (lycées).

L'enseignement universitaire

● Si vos enfants préparent ou ont obtenu antérieurement le baccalauréat français, leur admission en premier cycle dans une université française s'effectue selon la procédure en vigueur pour les candidats métropolitains.

Toutefois, afin de faciliter vos démarches et de raccourcir les délais, un formulaire de demande de première admission en premier cycle universitaire et un formulaire de demande d'admission en institut universitaire de technologie pourront vous être fournis, soit par les services culturels français à l'étranger, soit par l'établissement scolaire que fréquentent vos enfants.

● Si vos enfants préparent le baccalauréat européen, ou le baccalauréat franco-allemand, leur admission en premier cycle universitaire s'effectuera dans les mêmes conditions que précédemment. Ces baccalauréats sont en effet valables de plein droit sur le territoire français et sont assimilés, quant aux effets, au baccalauréat français. Il en va de même pour les baccalauréats burkinabé, gabonais, ivoirien, malien et djiboutien.

● Si vos enfants sont scolarisés dans le système éducatif du pays où vous résidez, ils peuvent s'inscrire en premier cycle dans une université française à condition que le diplôme qu'ils préparent confère la qualification requise pour être admis dans les établissements analogues à ceux du pays où le diplôme est délivré.

Ce principe général se substitue au système antérieur des équivalences. Chaque université désormais examine les dossiers individuels des candidats et se prononce sur les candidatures en appliquant la règle ci-dessus énoncée.

Centres de renseignements téléphoniques

Centres interministériels de renseignements administratifs (CIRA)

Les CIRA, spécialisés dans l'information du public par téléphone, ont pour mission de répondre aux demandes de renseignements concernant la réglementation et la législation relevant de l'ensemble des ministères et organismes publics (administration régionale et locale, aide sociale, consommation, éducation, équipement, fiscalité, justice, santé, sécurité sociale, travail, etc.).

Centre de Bordeaux : (16) 56.29.18.18

Centre de Lille : (16) 20.49.49.49

Centre de Lyon : (16) 78.63.10.10

Centre de Marseille : (16) 91.26.25.25

Centre de Metz : (16) 87.31.91.91

Centre de Paris : (1) 43.46.13.46

Centre de Rennes :
(16) 99.30.15.15

Douanes

Le Centre de renseignements des douanes : (1) 42.60.35.90

Logement

L'Association nationale pour l'information sur le logement (ANIL) : (1) 42.02.05.50

Scolarisation

Le Centre d'information et d'orientation inter-jeunes du Ministère de l'éducation nationale : (1) 42.30.15.15

Sécurité sociale

Le Centre d'information et de renseignements de sécurité sociale : (1) 42.80.63.67

N.B. - Vous pouvez vous procurer auprès de la Fédération des accueils français, 2, rue du Colonel-Moll, 75017 Paris - Tél. : (1) 42.67.64.87, une brochure intitulée « Le retour, une nouvelle aventure », qui contient de nombreux renseignements pratiques.

3. La réinsertion professionnelle

Selon votre contrat, votre séjour à l'étranger sera plus ou moins long mais il est peu probable que votre établissement y soit définitif. Vous devez donc songer à votre **réinsertion professionnelle** à votre retour en France.

● **Il est souhaitable que vous conserviez le maximum de contacts en France avec votre milieu professionnel,** au travers des groupements professionnels (fédération, chambre syndicale, association, etc.) et au travers des bulletins, revues et supports spécialisés dans votre branche d'activité.

● **Consultez au consulat** le plus proche la documentation sur l'emploi et la formation professionnelle. Vous y trouverez des renseignements utiles sur les principaux organismes qui pourront faciliter en France votre réinsertion. Dans plusieurs pays, **les comités consulaires pour l'emploi et la formation professionnelle** pourront vous aider dans vos démarches.

● **Prenez contact avec les** services de placement **qui vous accompagneront dans votre recherche d'emploi ou de formation professionnelle.** Vous pourrez éventuellement bénéficier d'une allocation de base ou d'une allocation d'insertion en tant que demandeur d'emploi et avoir accès à des stages de mise à niveau, de qualification, d'orientation approfondie...

Administrativement, c'est l'agence locale de l'emploi la plus proche de votre domicile qui sera votre interlocuteur, ainsi que le bureau local des ASSEDIC. Ce dernier peut vous accorder des aides financières particulières au titre du fonds social. La couverture sociale peut vous être maintenue dans certaines conditions.

● **N'oubliez pas** de vous munir avant votre départ de l'étranger de tous les documents justifiant votre activité professionnelle (bulletins de paye, certificats de travail, attestations professionnelles, diplômes, etc.). Ils seront nécessaires à l'instruction de vos différents dossiers.

● **Si vous envisagez de créer votre entreprise**, renseignez-vous auprès des services de l'**Agence nationale pour la création d'entreprise**. Vous y trouverez des possibilités de parrainage, d'assistance, d'appui technique et de formation.

● **Si vous vous trouvez dans une situation sociale grave, prenez contact avec le bureau d'aide sociale de la mairie** qui a la charge de votre quartier ou de votre commune. Des assistantes sociales pourront vous conseiller et vous aider.

● **Enfin sachez que dans le cadre du dispositif global de lutte contre la pauvreté, la loi n° 88-1088 du 1er décembre 1988 a institué en France un** Revenu minimum d'insertion (R.M.I) destiné aux personnes âgées de plus de 25 ans, ou assurant la charge d'un ou plusieurs enfants, et qui s'engagent à participer à des activités de réinsertion sociale et professionnelle. La documentation concernant le R.M.I est disponible dans les consulats. En France les demandes peuvent être déposées auprès des services communaux ou départementaux d'action sociale, ou d'associations agréées par le préfet.

4. La formation professionnelle

L'Association pour la formation professionnelle française à l'étranger (AFPFE)

23, rue La Pérouse, 75116 Paris
Tél. : (1) 40.66.74.27 et 40.66.71.89

Cette association a pour but d'**informer** sur le dispositif de la formation professionnelle continue française, d'**améliorer** les conditions de départ, de séjour et de retour des Français de l'étranger en développant les possibilités de formation et de recyclage qui leur sont offertes, et de **promouvoir** des actions spécifiques de formation professionnelle à l'étranger, dans un cadre de coopération avec les États étrangers.

Cette association regroupe les Ministères des affaires étrangères, de la coopération, du travail, de l'emploi et de la formation professionnelle, de l'éducation nationale ainsi que des organismes tels que l'Union des chambres de commerce et d'industrie françaises à l'étranger, l'Association nationale pour la formation professionnelle des adultes, le Comité d'entraide aux Français rapatriés et les associations de Français de l'étranger.

Elle publie bimestriellement *« La lettre de l'A.F.P.F.E. »* et a réalisé **un guide de la formation professionnelle à l'usage des Français de l'étranger** que vous pouvez vous procurer. Elle a conçu, en outre, pour les Français souhaitant s'installer à nouveau en France, une formation à la réinsertion comprenant trois modules : une formation à distance, un bilan personnel et professionnel, une formation au partenariat export. Le premier et le deuxième module peuvent être suivis individuellement, le troisième module s'effectue sous forme de stage et permet de reclasser des Français expatriés dans les entreprises ayant une vocation à l'export.

Trois documents sont à l'étude : le premier sur les mesures pour les jeunes de 16 à 25 ans, relatives à la formation professionnelle; le deuxième sur la protection sociale des Français travaillant dans les pays de la Communauté européenne; le troisième sur la formation professionnelle en Grande-Bretagne et les possibilités d'accès pour les Français souhaitant vivre et travailler dans ce pays.

Rapatriements au titre de la formation professionnelle

Ces rapatriements s'adressent aux jeunes et aux adultes ne disposant pas de ressources suffisantes et souhaitant être rapatriés en vue d'une formation professionnelle A.F.P.A. en France (instruction de janvier 1988 relative au rapatriement).

Outre les conditions de situation matérielle, les candidats doivent pour être admis, répondre à un questionnaire disponible dans les consulats (circulaire du 30 avril 1987 n° 5147) et le cas échéant, se présenter dans ce même consulat à l'examen psychotechnique contrôlé par l'A.F.P.A. Les stagiaires peuvent bénéficier d'un hébergement; ils sont rémunérés pendant leur formation, généralement entre 1.200 et 3.200 francs par mois.

5. Adresses utiles

Emploi et formation

L'Agence nationale pour l'emploi (ANPE)
Service spécial CEE
SEDOC - Agence Euro-Monde
69, rue Pigalle, 75009 Paris. Tél. : (1) 48.78.37.82

L'Association pour l'emploi des cadres, ingénieurs, et techniciens (APEC) (voir page 51)
51, boulevard Brune, 75014 Paris
Tél. : (1) 40.52.20.00 et (1) 40.52.23.58 (Service international)

L'Association pour l'emploi des cadres, ingénieurs et techniciens de l'agriculture (APECITA) (voir page 52)
1, rue du Cardinal-Mercier, 75009 Paris
Tél. : (1) 48.74.93.25

L'Association nationale pour la formation professionnelle des adultes (AFPA) (voir page 112)
13, place de Villiers, 93108 Montreuil Cedex
Tél. : (1) 48.58.90.40

L'Association nationale pour la formation professionnelle française à l'étranger (AFPFE) (voir page 121)
23, rue La Pérouse, 75116 Paris
Tél. : (1) 40.66.74.27 et 40.66.71.89

Création d'entreprise

L'Agence nationale pour la création d'entreprise (ANCE)
142, rue du Bac, 75007 Paris
Tél. : (1) 45.44.38.25

Accueil

L'Union des accueils des villes françaises (UNAVF) (voir page 38)
Secrétariat national
20, rue du Quatre-Septembre, 75002 Paris

Aide sociale

**Le Ministère des affaires sociales et de l'emploi
Direction de l'action sociale**
124, rue Sadi-Carnot, 92170 Vanves
Tél. : (1) 47.65.25.00

Le Bureau d'aide sociale de la ville de Paris
2-4, rue Saint-Martin, 75100 Paris
Tél. : (1) 40.27.30.00

Le Comité d'entraide aux Français rapatriés (CEFR) (voir page 87)
27, rue Damesme, 75013 Paris
Tél. : (1) 45.89.89.69

Allocations aux travailleurs privés d'emploi (voir chapitre IV)

L'Union nationale interprofessionnelle pour l'emploi dans l'industrie et le commerce (UNEDIC)
77, rue de Miromesnil, 75008 Paris
Tél. : (1) 42.94.43.00
Telex : UNEDIC 640883F

Le Groupement des ASSEDIC de la région parisienne (GARP)
126, rue Jules-Guesde, 92300 Levallois Perret
Tél. : (1) 40.87.21.10 - Télex : EXPA 614978F

index

Contents

How unusual!

Have you ever seen something drive past that you couldn't believe? Maybe it was a car shaped like a sausage. Maybe it was a truck that went underwater. Some of these weird machines do a special job. Others were just made for fun!

Why do you think these machines were built?

5

Pedalling across the sky

Want to fly and get some exercise at the same time? Try a **blimp** powered by pedalling. Hot air inside the blimp makes it float. The pedals turn a **propeller** that can make it go up to 20 kph (12 mph).

EXTREME FACT

The driver of this blimp tried to pedal across the English Channel. But the wind blew him back!

Tomorrow's unicycle

This small machine is a **unicycle** with a motor. The Honda U3X can move in any direction. You just lean your body. This is a good machine for moving inside. Just don't try to go down the stairs!

9

The monowheel

Ever wondered what driving is like from a wheel's point of view? You can find out by riding a **monowheel**, which means "one wheel." Drivers sit inside the wheel. It can move at more than 80 kph (50 mph)!

EXTREME FACT
People thought of ideas for monowheels back in the 1800s.

...any different types
...heel. The one below is
...by a motor. Others are
...d like bikes. You turn them
...ning in different directions.

↓ This monowheel is called the "Wheelsurf," because riding it feels like surfing on land!

13

By land or by sea

Some machines can go almost anywhere. **Amphibious** trucks can go on land or on water. Some are used by the military. They can take people and equipment from a ship to the land. Or they can attack a beach from the water. Then they drive on to the beach.

EXTREME FACT
Amphibious machines can drive straight on to a ship!

항로봉

15

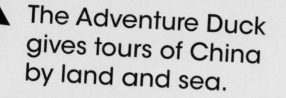

↑ The Adventure Duck gives tours of China by land and sea.

Amphibious cars and trucks can be used for many things. Some give tours on land and water. Others are just driven for fun. Some cars and trucks can be **adapted** to use in water. But they need to be waterproof, and they need to float!

This machine is called the Surface **Orbiter**. A man called Rick Dobbertin built it to drive over land and sea. He spent more than two years going halfway around the world!

⬆ The Surface Orbiter was built from a tank used to carry milk!

EXTREME FACT

You need **scuba gear** to drive this car. It can go as deep as 9 metres under the water! It was built without a roof so people could get out in an emergency.

Blowing by

A **hovercraft** drives on land or water. But it has no wheels, and it hardly even touches the ground! It uses fans to move around. A fan at the bottom blows into the ground. This keeps it "floating." Another fan at the back pushes it forward.

These drivers are racing in the Hovercraft Championship.

Art on wheels

Some unusual cars are made just to turn heads. They might be made to look like an object, such as a shoe or a dinosaur. Or they might be covered with something strange, such as grass.

↑ This scary car was created by the artist William Burge. He called it "Phantoms."

This car is shaped like a dolphin!

23

Low rider

Big cars use a lot of energy. But not this car! The Oxyride Racer is so small, you could walk over it. It is so low that the wind doesn't slow it down. It doesn't need much energy. It runs on batteries you could buy in a shop!

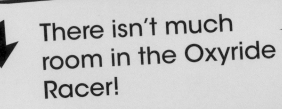

There isn't much room in the Oxyride Racer!

Panasonic

Rocket man

Yves Rossy wanted to fly without using an aeroplane. So he built a wing with a jet pack on it. He strapped it to his back and took off. Yves flew 35 kilometres across the English Channel. It took him less than 10 minutes!

EXTREME FACT

With wings on his back, Yves Rossy can fly at speeds of up to 300 kph (186 mph)!

Test yourself!

Try to match each question to the correct answer.

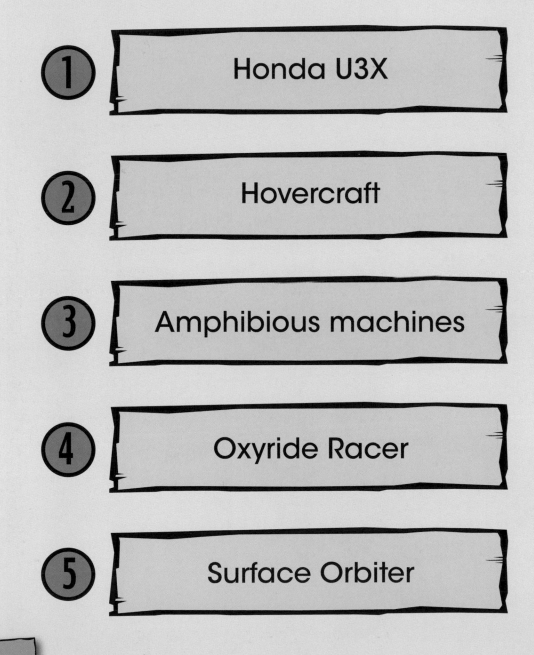

① Honda U3X

② Hovercraft

③ Amphibious machines

④ Oxyride Racer

⑤ Surface Orbiter

a Which machine is powered by batteries?

 b Which machine is powered by fans?

 c What military vehicles can go on land or water?

 d Which machine moves when you lean forward?

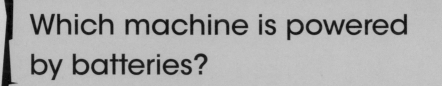 **e** What was built from a tank used to carry milk?

Glossary

adapted changed to use in another way

amphibious able to drive on land or in water

blimp vehicle that floats through the air

hovercraft machine that is powered by fans

monowheel machine with one wheel a that driver sits inside

orbiter a machine that goes around something, such as the Earth

propeller spinning blade that pushes through air or water

scuba gear equipment that allows breathing underwater

unicycle cycle with only one wheel

Find out more

Books

Go!, Samone Bos, Phil Hunt, Andrea Mills (Dorling Kindersley, 2006)

Hovercraft, Aaron Sautter (Capstone Press, 2007)

Concept Cars, Jeffrey Zuehlke (Lerner Publishing, 2007)

Websites

Nissan Pivo 2
http://www.nissan-global.com/EN/PIVO2/
Learn all about the Nissan Pivo 2.

More on hovercraft
http://www.hovercraft-museum.org
Visit the hovercraft museum website to find out about different types of hovercraft and watch a video of the Hovershow.

Amphibious machines and hovercrafts
http://library.thinkquest.org/04oct/00450/index1.htm
Learn more about these machines on this website built by school children.

Find out

How fast can a hovercraft go?

Index

IMPRIMERIE NATIONALE - 0 019020 T 51

www.raintreepublishers.co.uk
Visit our website to find out
more information about
Raintree books.

To order:
☎ Phone 0845 6044371
▤ Fax +44 (0) 1865 312263
▨ Email myorders@raintreepublishers.co.uk

Customers from outside the UK please telephone +44 1865 312262

Raintree is an imprint of Capstone Global Library Limited,
a company incorporated in England and Wales having its
registered office at 7 Pilgrim Street, London, EC4V 6LB
– Registered company number: 6695582

Text © Capstone Global Library Limited 2011
First published in hardback in 2011
The moral rights of the proprietor have been asserted.

All rights reserved. No part of this publication may be
reproduced in any form or by any means (including
photocopying or storing it in any medium by electronic
means and whether or not transiently or incidentally to
some other use of this publication) without the written
permission of the copyright owner, except in accordance
with the provisions of the Copyright, Designs and Patents
Act 1988 or under the terms of a licence issued by the
Copyright Licensing Agency, Saffron House, 6¬–10 Kirby
Street, London EC1N 8TS (www.cla.co.uk). Applications
for the copyright owner's written permission should be
addressed to the publisher.

Edited by Nancy Dickmann and Megan Cotugno
Designed by Jo Hinton-Malivoire
Picture research by Tracy Cummins
Originated by Capstone Global Library
Printed and bound in China by CTPS

ISBN 978 1 406216 91 2 (hardback)
15 14 13 12 11
10 9 8 7 6 5 4 3 2 1

ISBN 978 1 406219 73 9 (paperback)
16 15 14 13 12
10 9 8 7 6 5 4 3 2 1

British Library Cataloguing in Publication Data
Jae, Paloma.
The world's most unusual machines. -- (Extreme
machines)
629'.046-dc22
A full catalogue record for this book is available from the
British Library.

Acknowledgments
We would like to thank the following for permission to
reproduce photographs: Alamy p. **23** (© Phil Taplin); AP
Photo pp. **6** (Gareth Fuller/PA Wire), **7** (Gareth Fuller/PA
Wire), **18** (HEINZ DUCKLAU), **24** (Shuji Kajiyama), **26**
(Anja Niedringhaus); Corbis pp. **4** (© Roland Weihrauch/
dpa), **10** (© Transtock), **11** (© Bettmann), **13** (© Reuters),
22 (© Rainer Schimm/Messe Essen/epa); Getty Images
pp. **15** (STR/AFP), **16** (ChinaFotoPress/), **25** (YOSHIKAZU
TSUNO/AFP), **27** (FABRICE COFFRNI/AFP); Honda pp.
8, 9; Rinspeed Inc. pp. **17, 19** (Dingo/H. Streit/Jeebee);
U.S. Navy p. **14** (Chief Petty Officer Alan Barlbeau); p. **12**
wheelsurf (www.wheelsurf.nl); Zuma Press pp. **5** (© Jose
M. Osorio/Sacramento Bee), **20** (© Bandphoto/UPPA), **21**
(© Bartlomiej Zborowski).

Cover photograph of the World Hovercraft
Championships reproduced with permission of Getty
Images (Stu Forster).

Every effort has been made to contact copyright holders
of any material reproduced in this book. Any omissions
will be rectified in subsequent printings if notice is given
to the publisher.

Disclaimer
All the Internet addresses (URLs) given in this book were
valid at the time of going to press. However, due to the
dynamic nature of the Internet, some addresses may
have changed, or sites may have changed or ceased to
exist since publication. While the author and Publishers
regret any inconvenience this may cause readers, no
responsibility for any such changes can be accepted by
either the author or the Publishers.

Some words are shown in bold, **like this**. You can find
out what they mean by looking in the glossary.

JAN 2018

3 1 JA

6 NOV 2018

TYE
GREEN

4(22

Please return this book on or before the date shown above. To
renew go to www.essex.gov.uk/libraries, ring 0345 603 7628 or
go to any Essex library.

Essex C

D0785210

Essex County Council

3013021206097 3

EXTREME MACHINE

THE W
UN
MA

Fill in more leaves, so each pot has 6 leaves filled in.

5 seeds were planted in each box. How many more still need to grow? Draw the flowers and write in the number.

How many more red peppers are there than green peppers?

How many more yellow flowers are there than purple flowers?

How many fewer red tomatoes are there than yellow tomatoes?

9

Number lines

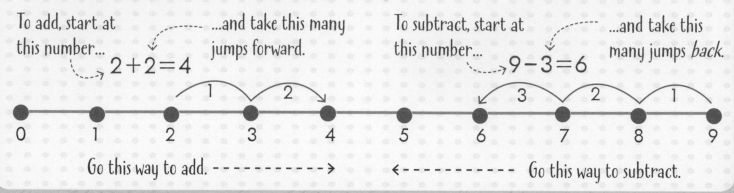

A number line helps you to add and subtract by counting.

To add, start at this number... ...and take this many jumps forward.

$2+2=4$

To subtract, start at this number... ...and take this many jumps *back*.

$9-3=6$

Go this way to add. - - - - - - - - - - - - - →   ← - - - - - - - - - - - Go this way to subtract.

Use the number lines to solve these problems. Draw on the jumps, then shade the lily pad where the frog finishes and write the answer in the box.

$4+2=$ 6
0 1 2 3 4 5 6 7 8 9

$6-3=$
0 1 2 3 4 5 6 7 8 9

$3+5=$
0 1 2 3 4 5 6 7 8 9

$7-6=$
0 1 2 3 4 5 6 7 8 9

Draw on the jumps to see where these animals end up. Then fill in the answers below.

$2 + 3 =$ ☐

$14 + 3 =$ ☐

$9 + 3 =$ ☐

$11 - 4 =$ ☐

$8 - 5 =$ ☐

$20 - 1 =$ ☐

11

Which order?

When adding, you can put the numbers in any order...

2+3 is the same as 3+2

+   +

They both equal 5.
It doesn't matter which
way you write it.

...but when subtracting, the order DOES matter.

6−3 is NOT the same as 3−6

—   —

The number you *start*
with always comes first.
The amount you're
taking away always
comes second.

What number will come out of each number machine? Write your answers in the circles.

5   +3   ◯

12   −4   ◯

7   +7   ◯

9   −6   ◯

These number machines have joined together. Fill in the answers, following from left to right.

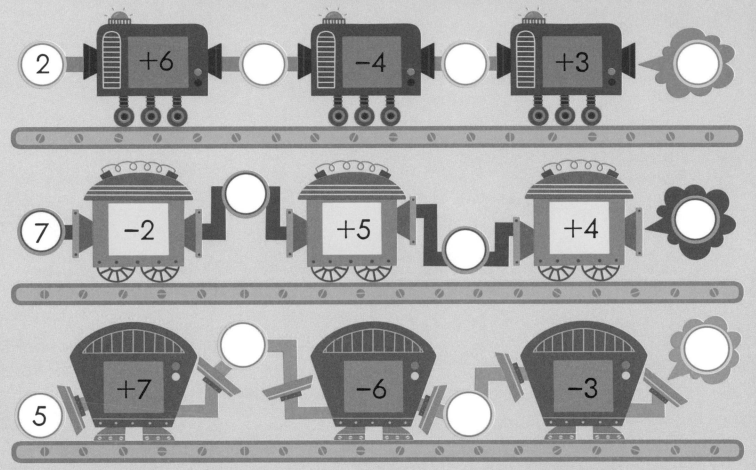

Can you work out what goes into each number machine, and what comes out? Circle the correct numbers. (There's only one correct answer for each side.)

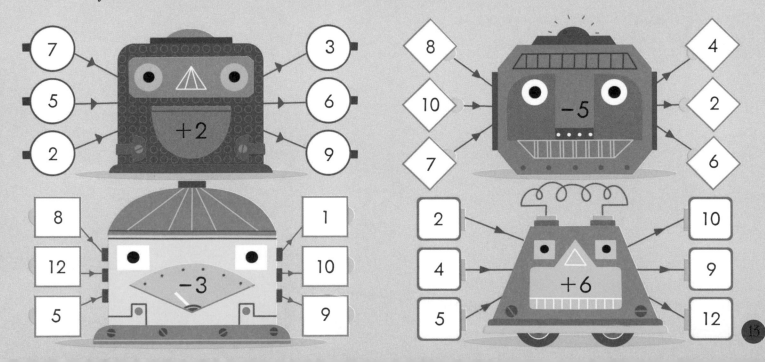

Fact families

When adding and subtracting, you can group related statements, or *facts*, into fact *families*.

For example, here's an addition fact.

4 + 3 = 7

The three numbers in this fact family are 3, 4 and 7.

You can write out the fact family like this. The two numbers on the bottom add up to the number on top.

7

3   4

These three numbers combine to make four facts: two addition facts, and two subtraction facts.

3+4=7   7−3=4

4+3=7   7−4=3

For addition facts, you can put the two smaller numbers in either order.

For subtraction facts, you always start with the *biggest* number.

Fill in the missing numbers for these fact families.

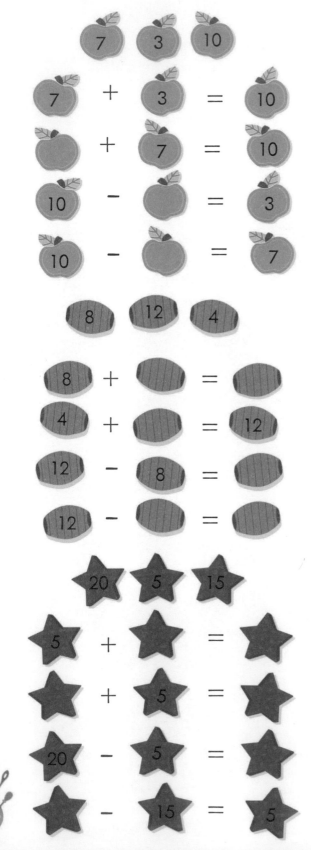

7   3   10

7 + 3 = 10

+ 7 = 10

10 − = 3

10 − = 7

8   12   4

8 + =

4 + = 12

12 − 8 =

12 − =

20   5   15

5 + =

+ 5 =

20 − 5 =

− 15 = 5

Here are four fact families. Fill in the blanks below each one.

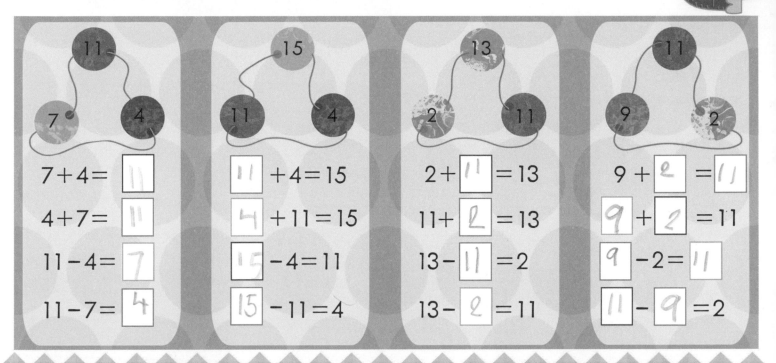

$7+4= \boxed{11}$

$4+7= \boxed{11}$

$11-4= \boxed{7}$

$11-7= \boxed{4}$

$\boxed{11} +4=15$

$\boxed{4} +11=15$

$\boxed{15} -4=11$

$\boxed{15} -11=4$

$2+ \boxed{11} =13$

$11+ \boxed{2} =13$

$13- \boxed{11} =2$

$13- \boxed{2} =11$

$9 + \boxed{2} = \boxed{11}$

$\boxed{9} + \boxed{2} =11$

$\boxed{9} -2= \boxed{11}$

$\boxed{11} - \boxed{9} =2$

Use the fact families above to answer these puzzles.

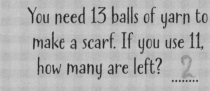

You need 13 balls of yarn to make a scarf. If you use 11, how many are left? 2

There are 2 spools of red thread, and 9 spools of yellow thread. How many are there altogether? 11

This ribbon should have 11 buttons, but it only has 7. How many are missing? 4

To make a cushion, you need 15 squares. You have 4 so far, how many more do you need? 11

There are 11 pins on the pin cushion. If you use 4, how many are left? 6

Missing number sums

Fill in the missing numbers in the sums on the picnic blanket. Then, fill in all the *even* numbers with red to complete the pattern.

$12 + 3 = 15$ $6 + 13 = 19$

$3 + 15 = 18$ $7 + 7 = 14$

$10 + 3 = 13$

$6 + 5 = 11$ $9 + ... = 21$

$5 + 7 = 12$

What number replaces the question mark?
Write your answers on the labels.

6 $19 + ? = 25$

15 $? - 17 = 2$

12 $23 - ? = 15$

5 $2 + ? = 7$

2 $? - 10 = 8$

7 $? + 7 = 14$

Fill in the missing numbers on the ice creams. The two numbers on the bottom add up to the number on top.

13 6 7

20 8 17

22 15 7

16 8 8

19 9 10

16 7

Solve the clues to see which sandwiches get eaten first. Circle the one that's left.

Cross out the number you'd...
- add to 20 to make 25.
- add to 19 to make 27.
- take away from 25 to make 18.
- add to 16 to make 20.
- take away from 10 to make 1.
- add to 5 to make 11.
- take away from 12 to make 2.

The number on each cupcake is the sum of the two cookies on either side of it. Can you fill in the missing numbers?

Adding three or more numbers

Once you can add two numbers, you can keep going to solve longer sums.
What's the total of each set of 3 bugs? Write out the sum below.

$4 + 7 + \_ = \boxed{}$

$\_ + \_ + \_ = \boxed{}$

$\_ + \_ + \_ = \boxed{}$

In this picture code, each bug stands for a number. Can you work out what the numbers are?

$= 6$

$= 13$

$= 15$

$= \boxed{}$

$= \boxed{}$

$= \boxed{}$

Can you find the three numbers on each caterpillar that add up to the number on the leaf it's munching? Shade them in once you've found them.

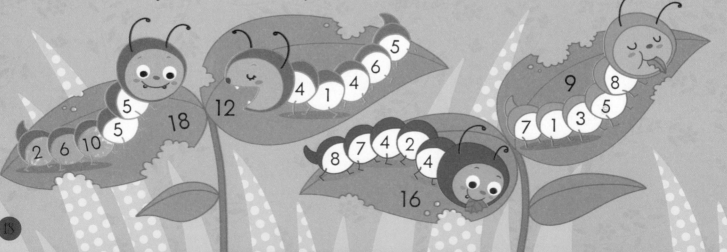

Fill in the missing numbers on the cobweb, so each segment adds up to the number in the middle. The first one has been done for you.

The bees want to visit the two flowers with matching answers. Can you find them?

4 7
4   1
4   7
6
20   3   10
11 5
4   8   5
8   5
6

8

2+3+5

7+2+4

8+2+6

4+4+3

4+4+8

Cauliflowers

Draw a trail from each slug to the cauliflower with the matching answer.

2+2+5+3

6+4+5+1

8+2+6+3

8+1+2+7

19   18

16

12

Add moons to each empty ring so that the total number of moons equals the number on the planet. Then, fill in the missing numbers in the number sums.

Inner ring		Outer ring		
4	+		= 10
5	+		= 7
	+	7	= 12
	+	4	= 8
6	+		= 11

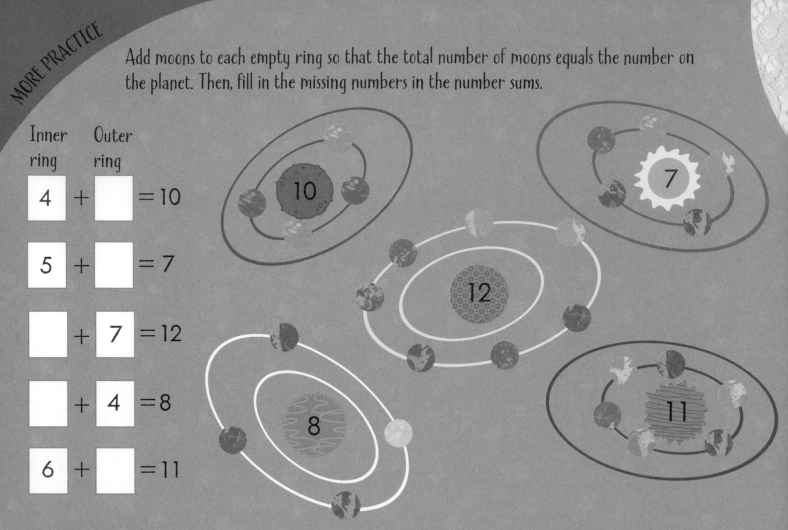

The number on the body of each rocket is the sum of the numbers on its fins. Can you fill in the numbers that are missing?

Answer the questions on the space rocket, then join the dots in order to reveal the picture in the sky.

$5 - 4 =$ .....
$2 + 1 =$ .....
$15 + 5 =$ .....
$20 - 1 =$ .....
$4 + 3 =$ .....
$7 - 2 =$ .....
$5 + 5 =$ .....
$10 + 5 =$ .....
$12 - 6 =$ .....
$6 + 2 =$ .....
$19 - 2 =$ .....
$5 + 4 =$ .....
$14 - 12 =$ .....
$6 + 5 =$ .....
$20 - 8 =$ .....
$9 + 5 =$ .....
$3 + 1 =$ .....
$12 + 4 =$ .....
$16 + 2 =$ .....
$9 + 4 =$ .....

You can use any method to solve these questions. It doesn't matter as long as it works!

$8 + 4 + 8 =$ ....

$8 + 6 + 6 =$ ....

$11 + 2 + 9 =$ ....

Answer the sums on the craters, then match up the pairs. Which one is the odd one out?

$8 + 5 + 2 =$ ....

$7 + 7 + 8 =$ ....

Complete the fact families by writing 3 more facts using the 3 numbers.

$8 + 3 = 11$

$3 + 8 = 11$

$11 - 8 = 3$

$11 - 3 = 8$

$9 + 7 = 16$

$7 + 5 = 12$

$6 + 8 = 14$

$5 + 10 = 15$

Star

Fill in the missing numbers.

$15 - \boxed{} = 12$

$\boxed{} - 7 = 9$

$\boxed{} + 8 = 9$

$3 + \boxed{} = 12$

$7 + 5 = \boxed{}$

$14 - \boxed{} = 10$

$\boxed{} + 3 = 9$

$15 - 10 = \boxed{}$

$4 + \boxed{} = 11$

$\boxed{} - 5 = 4$

Score

Star

$\overline{10}$

1 + 7 + 2 = ☐

2 + 10 + 2 = ☐

8 + 9 + 2 = ☐

7 + 8 + 1 = ☐

7 + 1 + 6 = ☐

4 + 3 + 3 = ☐

2 + 9 + 6 = ☐

5 + 6 + 2 = ☐

5 + 3 + 5 = ☐

4 + 2 + 8 = ☐

3 + 10 + 4 = ☐

7 + 6 + 4 = ☐

Score

Star

—
12

Good work

Fill in the missing numbers.

8 + ☐ + 2 = 17

2 + 3 + ☐ = 7

☐ + 3 + 6 = 15

1 + 5 + 2 = ☐

☐ + 1 + 4 = 13

10 + ☐ + 1 = 15

6 + 4 + ☐ = 14

4 + ☐ + 5 = 10

1 + 7 + 3 = ☐

3 + 5 + ☐ = 15

Score

Star

—
10

23

Number bonds to 10

Pairs of numbers that add up to 10 are called number bonds to 10.
Recognizing them will help you add and subtract more quickly.

In this game, hit each bowling pin with a ball to make a total of 10. Join up the balls and pins.

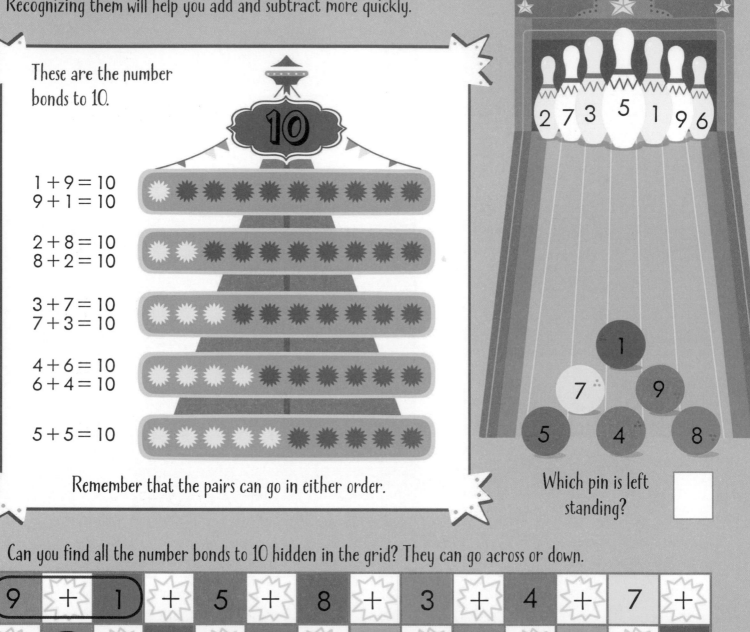

These are the number bonds to 10.

$1 + 9 = 10$
$9 + 1 = 10$

$2 + 8 = 10$
$8 + 2 = 10$

$3 + 7 = 10$
$7 + 3 = 10$

$4 + 6 = 10$
$6 + 4 = 10$

$5 + 5 = 10$

Remember that the pairs can go in either order.

Which pin is left standing?

Can you find all the number bonds to 10 hidden in the grid? They can go across or down.

9	+	1	+	5	+	8	+	3	+	4	+	7	+
+	3	+	8	+	4	+	6	+	9	+	6	+	2
2	+	7	+	5	+	6	+	2	+	8	+	3	+
+	7	+	4	+	9	+	8	+	2	+	4	+	9

When a hoop lands over a post, it scores the number of points shown on that post.
With two hoops, how many ways are there to win?

Throw two hoops. A total score of 10 wins a prize!

6 3 5 4 8 7

There are ⬜ ways to win.

Can you roll the ball around the maze, only passing sums that add up to 10?
Draw on the route.

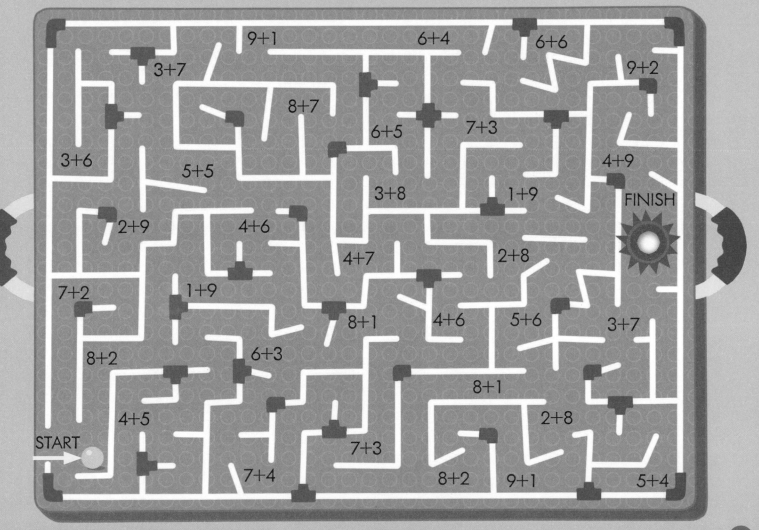

Number bonds to 20

Number bonds to 20 can be useful too.

You can work out most of these pairs
from the number bonds to 10.

$$6 + 4 = 10 \begin{cases} 16 + 4 = 20 \\ 6 + 14 = 20 \end{cases}$$

Pack your bag by drawing a line between
all the pairs that add up to 20.

Circle the item that
is left. What would you
add to that number
to make 20?

Write the missing numbers onto the bags, so each locker has two bags with a total sum of 20.

How long does each journey take in total? Try spotting number bonds to 10 to help you.

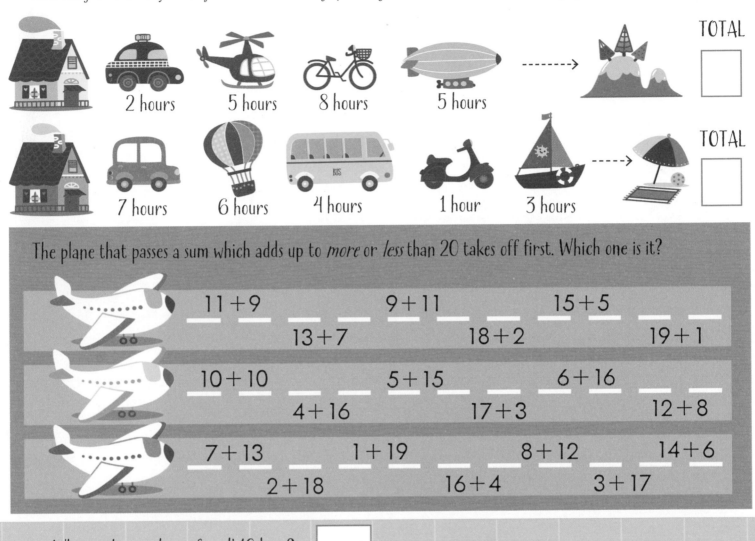

2 hours   5 hours   8 hours   5 hours   TOTAL ☐

7 hours   6 hours   4 hours   1 hour   3 hours   TOTAL ☐

The plane that passes a sum which adds up to *more* or *less* than 20 takes off first. Which one is it?

$11+9$ $9+11$ $15+5$

$13+7$ $18+2$ $19+1$

$10+10$ $5+15$ $6+16$

$4+16$ $17+3$ $12+8$

$7+13$ $1+19$ $8+12$ $14+6$

$2+18$ $16+4$ $3+17$

What is the total sum for all 10 bags? ☐

7

10

Other pairs

As well as the number bonds to 10 and 20, look for other pairs of numbers that give the same total.

Draw around all the pairs of chocolates that have a sum of 20.

These pairs add up to 8.

6 + 2   7 + 1   4 + 4
5 + 3   2 + 6

These pairs add up to 12.

9 + 3   4 + 8
5 + 7   1 + 11   10 + 2

These pairs add up to 15.

14 + 1   9 + 6   5 + 10
8 + 7   12 + 3

Can you think of some more?
Write them on the wrappers.

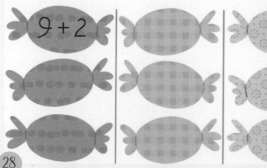

11 =   14 =   18 =

9 + 2

Each matching pair of gumballs adds up to 18.
Can you fill in the missing number in each pair?

Sugar mice cost 3 pennies, candy hearts cost 4 pennies, berry bites cost 5 pennies and lollipops cost 6 pennies. Add up the total for each jar, and write the price beneath.

sugar mouse
candy heart
berry bite
3 + 4 + 5

sugar mouse
candy heart
berry bite
lollipop

sugar mouse
candy heart
lollipop

berry bite
candy heart
lollipop

____pennies   ____pennies   ____pennies   ____pennies

Balance the scales by writing the missing numbers on the bags.

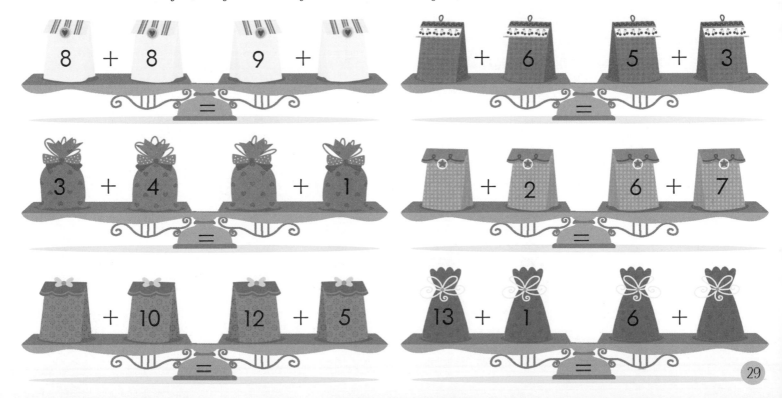

8 + 8   9 +

+ 6   5 + 3

3 + 4   + 1

+ 2   6 + 7

+ 10   12 + 5

13 + 1   6 +

29

Using doubles

Knowing doubles can help you find shortcuts for other sums.

Try to remember these doubles.

(It's just the 2x table.)

$1 + 1 = 2$
$2 + 2 = 4$
$3 + 3 = 6$
$4 + 4 = 8$
$5 + 5 = 10$
$6 + 6 = 12$
$7 + 7 = 14$
$8 + 8 = 16$
$9 + 9 = 18$
$10 + 10 = 20$

$8 + 9 = \boxed{17}$

9 is 1 more than 8,
so double 8 and add 1
(or double 9 and take away 1).

$10 + 9 = \square$

Double 10 and take away 1
(or double 9 and add 1.)

$5 + 7 = \square$

7 is 2 more than 5,
so double 5, then add 2
(or double 7 and take away 2).

$16 + 6 = \square$

16 is 10 more than 6,
so double 6, then add 10.

For each kayak, find the sum of the numbers on the kayakers' vests, and write your answer on the flag.

Colour in the sails on the boats according to the key. Only one boat doesn't have any purple on its sails — can you find it?

$5 + 5$

$14 + 13$

$5 + 14$

$15 + 4$

$24 + 6$

$3 + 3$

$13 + 3$

$14 + 3$

$15 + 5$

$3 + 4$

$25 + 5$

$23 + 3$

$23 + 4$

$4 + 4$

$14 + 4$

KEY

Answer ends in a 6.

Answer ends in a 7.

Answer ends in an 8.

Answer ends in a 9.

Answer ends in a 0.

Can you work out the total points for each team? Write out the sums underneath.

The teams get...

14 points for finishing first.

8 points for finishing second.

7 points for finishing third.

7 bonus points for having only two people in the team.

6 bonus points if a paddle broke.

4 bonus points for collecting the yellow flag.

2nd

1st

3rd

Join each pencil case to a purse containing the right amount of money to buy it.

Can you find a purse with the right money to buy *two* pencil cases with no change? Circle it and the cases.

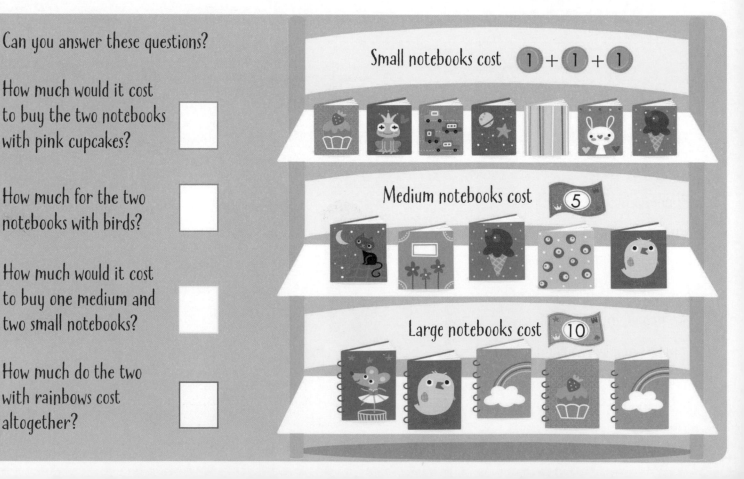

Can you answer these questions?

How much would it cost to buy the two notebooks with pink cupcakes?

How much for the two notebooks with birds?

How much would it cost to buy one medium and two small notebooks?

How much do the two with rainbows cost altogether?

Small notebooks cost $1 + 1 + 1$

Medium notebooks cost 5

Large notebooks cost 10

Can you work out the totals on these receipts?

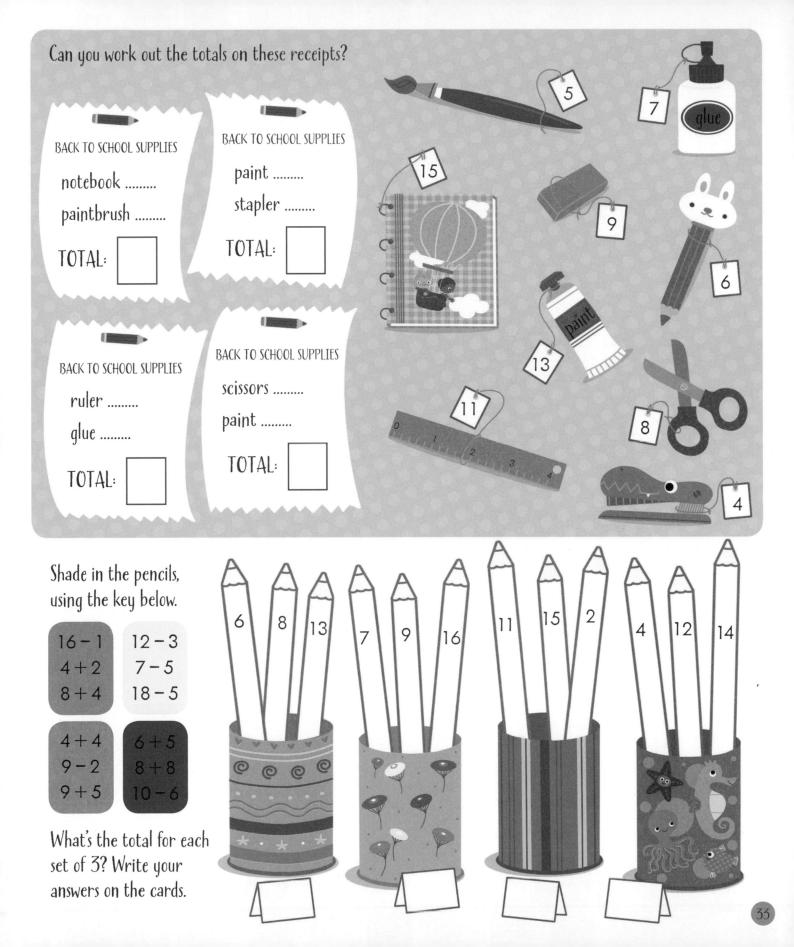

BACK TO SCHOOL SUPPLIES

notebook ....
paintbrush ....

TOTAL: ☐

BACK TO SCHOOL SUPPLIES

paint ....
stapler ....

TOTAL: ☐

BACK TO SCHOOL SUPPLIES

ruler ....
glue ....

TOTAL: ☐

BACK TO SCHOOL SUPPLIES

scissors ....
paint ....

TOTAL: ☐

5
7
15
9
6
13
11
8
4

Shade in the pencils, using the key below.

16 − 1	12 − 3
4 + 2	7 − 5
8 + 4	18 − 5

4 + 4	6 + 5
9 − 2	8 + 8
9 + 5	10 − 6

What's the total for each set of 3? Write your answers on the cards.

6 8 13
7 9 16
11 15 2
4 12 14

33

In the wall painting below, each symbol stands for a letter. Solve the problems to find out which letter each symbol stands for. Then decode the message and write it in the circles.

12−4=p   6+6=u   2+3=m   21−11=d   11−5=i
8+1=h   20−6=b   15−4=o   10−6=y   20−19=a
9+6=t   17−15=r   22−9=n   13−10=e   20−13=s

1	2	3	4	5	6	7	8	9	10	11	12	13	14	15
							p							

Each brick on the pyramid is the sum of the two bricks beneath it. Can you fill in the gaps?

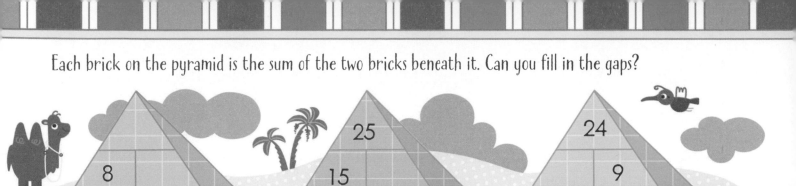

Can you find a route to the treasure? It's only safe to pass *even* answers. Fill in the answers in the circles underneath the sums first, then join up the circles to show your route.

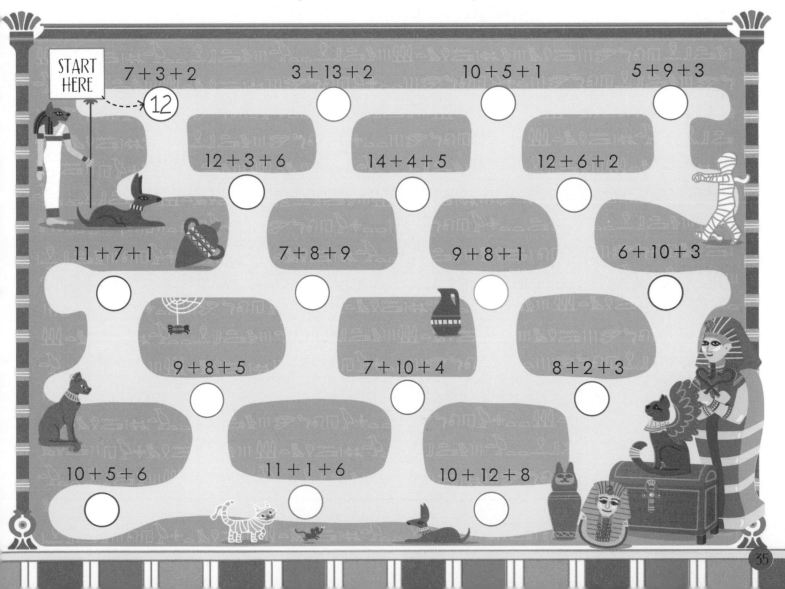

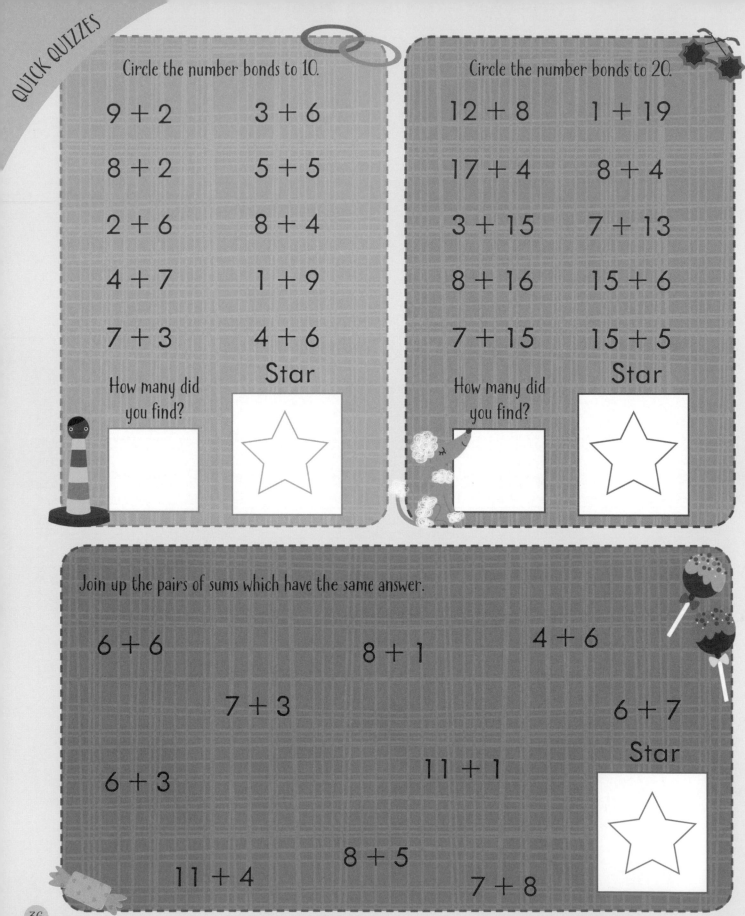

Circle the number bonds to 10.

9 + 2   3 + 6

8 + 2   5 + 5

2 + 6   8 + 4

4 + 7   1 + 9

7 + 3   4 + 6

How many did
you find?

Star

Circle the number bonds to 20.

12 + 8   1 + 19

17 + 4   8 + 4

3 + 15   7 + 13

8 + 16   15 + 6

7 + 15   15 + 5

How many did
you find?

Star

Join up the pairs of sums which have the same answer.

6 + 6   8 + 1   4 + 6

        7 + 3   6 + 7

6 + 3   11 + 1   Star

        8 + 5

    11 + 4   7 + 8

9 + 9 =

6 − 3 =

2 + 2 =

12 − 6 =

10 + 10 =

4 + 4 =

18 − 9 =

18 + 8 =

14 − 7 =

5 + 5 =

22 − 11 =

7 + 7 =

Score

Star

$\dfrac{}{12}$

9 + 10 =

6 + 7 =

12 + 2 =

10 + 11 =

8 + 9 =

12 + 11 =

16 + 6 =

5 + 4 =

13 + 4 =

8 + 7 =

5 + 14 =

14 + 16 =

Score

Star

$\dfrac{}{12}$

37

Number bonds to 100

Spotting number bonds to 100 can help you to add and subtract bigger numbers.

Each band of the rainbow adds up to 100.

10 20 30 40 50   50 60 70 80 90

You can work out number bonds to 100 using the number bonds to 10. Just multiply *everything* by 10.

$9 + 1 = 10$ ⟍ x10
$90 + 10 = 100$ ↙

Can you multiply each number by ten to make number bonds to 100?

$7 + 3 = 10$ ⟍
☐ + ☐ = 100

$2 + 8 = 10$ ⟍
☐ + ☐ = 100

Colour in the stripes on the umbrellas, following the key below.

■ Answer is 10

■ Answer is 20

☐ Answer is 100

■ Answer is any other number

14+6   80+20   5+5   5+8   10+10

11+7   60+40   5+15   90+20   7+3

10   1

80   6

Add together the numbers on each pair of boots, and write the answers in the puddles below.

Take the number in each cloud and fill in the two raindrops that add up to it.

99

7 60 9
70
90 6

100

70 20 50
80
10
60

82

10 7
2
80 70
9

76

40 70 9 6
5 30

66

7 60 8
90 50
6

6+4 90+10 10+6 2+18 20+40

40 5

Colour in the raincoat of the person with an umbrella that matches this one.

60 7

39

Partitioning

For bigger numbers, try adding the tens and ones separately. This is called *partitioning*.

First, partition each number into tens and ones.

27 + 34

20 + 7   30 + 4

Then, add up the tens and the ones separately.

20 + 30   7 + 4

50 + 11

Now you've got an easier sum:

50 + 11 = 61

(So 27 + 34 = 61 too.)

Try it yourself here. Partition the numbers first.

67 + 37

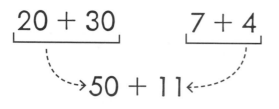

60 + ☐   ☐ + 7

Add the tens here... ☐ + 14 ...and the ones here.

The answer goes here: ☐

Partition the number on each cactus into tens and ones, and write the answers on its branches.

76
70   6

92

64

45

99

Colour in the desert lizards following the clues below.

Colour in the sum that adds up to 64 in blue.
Colour the sum that adds up to 72 in purple.
The pink lizard should have a sum of 58.
Colour in the sum that makes 27 in yellow.

Finish the sums by filling in the blanks on the rocks.

55 + 47

50 + ☐   ☐ + 7

☐ + 12

☐

Partition the sum on each mountain, then write the total on the flag.

100

90 + 10

60 + 8 | 30 + 2

68 + 32

16 + 28

87 + 27

61 + 11

14 + 13

42 + 16

50 + 14

65 + 35

☐ + 5 | ☐ + 5

90 + ☐

☐

84 + 12

☐ + ☐ | ☐ + ☐

☐ + ☐

☐

41

Rounding up

It's often easier to add or subtract a whole ten. So try rounding up 8s or 9s to the nearest ten, then adjust for the difference at the end.

For example... $54 + 29$

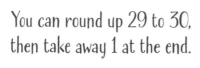

You can round up 29 to 30, then take away 1 at the end.

$54 + 29 = 54 + 30 - 1 = 84 - 1 = 83$

It works for subtraction too, but how you adjust for the difference depends on *which* number you round up.

If you round up the *first* number, you still take away the difference.

$99 - 55 = 100 - 55 - 1 = 45 - 1 = 44$

BUT, if you round up the *second* number, you need to *add* the difference.

$95 - 39 = 95 - 40 + 1 = 55 + 1 = 56$

When you round up the second number, it means you're *taking away* more. So you adjust by adding.

One of the numbers in each question has been rounded up. What should you take away at the end?

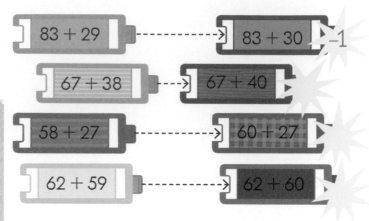

$83 + 29$ ⇢ $83 + 30$ -1

$67 + 38$ ⇢ $67 + 40$

$58 + 27$ ⇢ $60 + 27$

$62 + 59$ ⇢ $62 + 60$

Sometimes, you may want to round up more than one number.

For example...

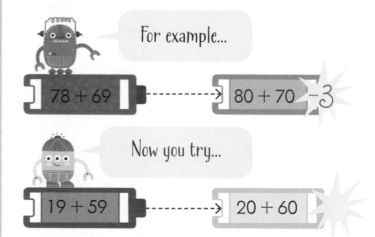

$78 + 69$ ⇢ $80 + 70$ -3

Now you try...

$19 + 59$ ⇢ $20 + 60$

Try these subtraction questions. What should you add OR take away at the end?

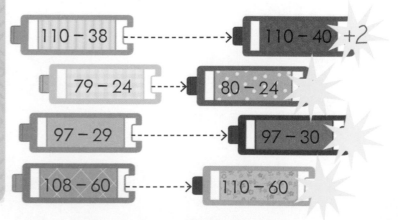

$110 - 38$ ⇢ $110 - 40$ $+2$

$79 - 24$ ⇢ $80 - 24$

$97 - 29$ ⇢ $97 - 30$

$108 - 60$ ⇢ $110 - 60$

Find the answers to these questions. Then, join the dots in the order of the answers. The shape you draw should put the robots into groups of three, with one left over. Circle the robot that *isn't* in a group.

$67 + 29 = 67 + 30 - 1 = 96$

$82 - 38 =$

$73 + 39 =$

$105 - 69 =$

$58 + 98 =$

$111 - 98 =$

$96 + 79 =$

$27 + 79 =$

$103 - 58 =$

$110 - 89 =$

44 •
•156
•96
13 •
•21
112 •
•175
36 •
106 •
45 •

Finish these robots by colouring their arms and legs, according to the key on the right.

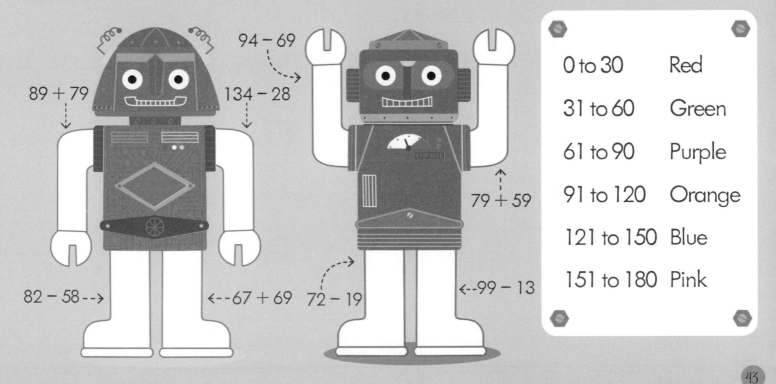

$94 - 69$

$89 + 79$ $134 - 28$

$79 + 59$

$82 - 58$ -->   <--$67 + 69$ $72 - 19$ <--$99 - 13$

0 to 30	Red
31 to 60	Green
61 to 90	Purple
91 to 120	Orange
121 to 150	Blue
151 to 180	Pink

43

Jumping on

For subtraction questions, it might help to imagine jumping on from the smaller number to the bigger one along a number line.

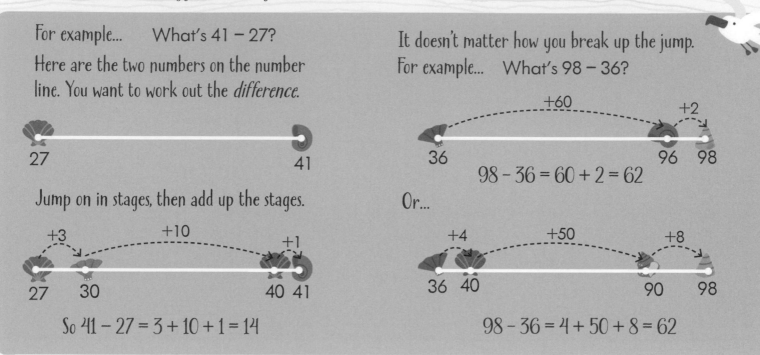

For example...   What's 41 − 27?

Here are the two numbers on the number line. You want to work out the *difference*.

27   41

Jump on in stages, then add up the stages.

+3   +10   +1
27   30   40 41

So 41 − 27 = 3 + 10 + 1 = 14

It doesn't matter how you break up the jump. For example...   What's 98 − 36?

+60   +2
36   96 98

98 − 36 = 60 + 2 = 62

Or...

+4   +50   +8
36 40   90   98

98 − 36 = 4 + 50 + 8 = 62

Answer the questions to see which sandcastles win a prize. The biggest number gets first prize, the next biggest gets second and the *next* biggest gets third. Write 1st, 2nd and 3rd on the winners.

99 − 72 =

69 − 47 =

82 − 36 =

45 − 29 =

86 − 34 =

55 − 18 =

Can you find the route the crab takes to the sea? Solve the question on the first rock, then shade in the shell with the correct answer – which will lead you to the next question. Keep going until you reach the sea.

Use this space for any working out.

Start here.

100 – 27

73

79 – 65

14

105 – 88

63

12

17

18

112 – 72

32

86 – 34

56 – 49

40

52

12

7

115 – 85

30

94 – 57

31

67 – 22

20

37

45

45

Circle two notes that add up to the number on the instrument.

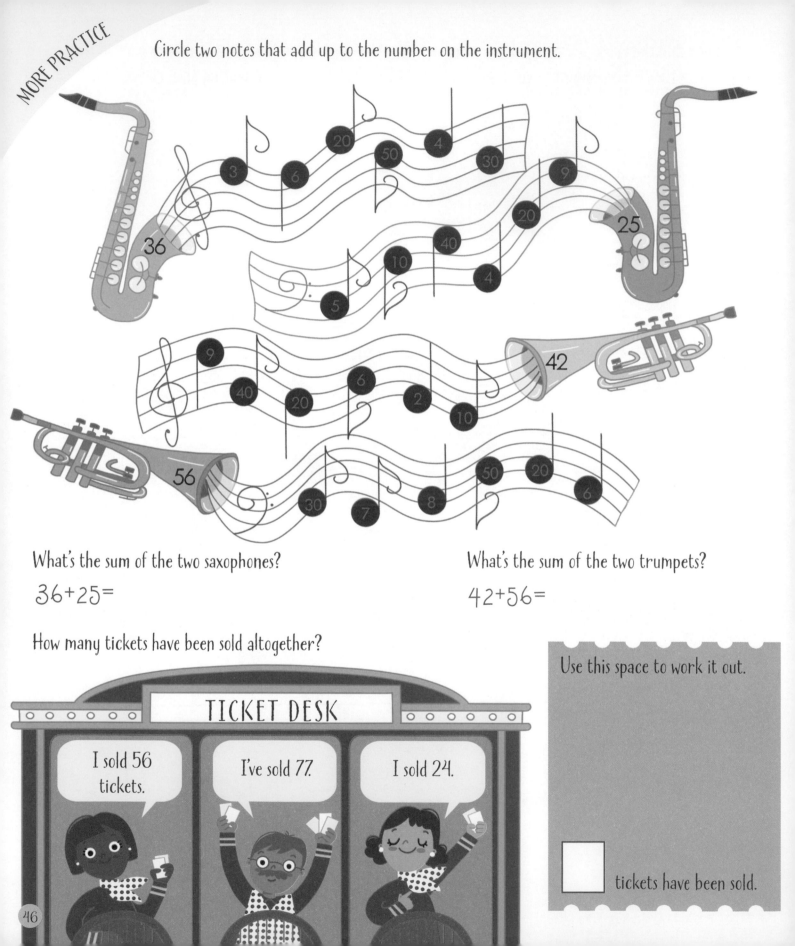

What's the sum of the two saxophones?

36+25=

What's the sum of the two trumpets?

42+56=

How many tickets have been sold altogether?

TICKET DESK

I sold 56 tickets.

I've sold 77.

I sold 24.

Use this space to work it out.

tickets have been sold.

Can you find the piece of the drum kit with the biggest answer? What about the smallest? Circle them when you find them.

27 + 14

100 − 54

17 + 19   69 − 18

23 + 41

81 − 43

78 − 31

17 + 31

Colour in the guitars, matching the sums in the key to the answers.

41 + 27 = red
90 − 41 = green
79 + 20 = pink

99

68

49

Use this space for any working out.

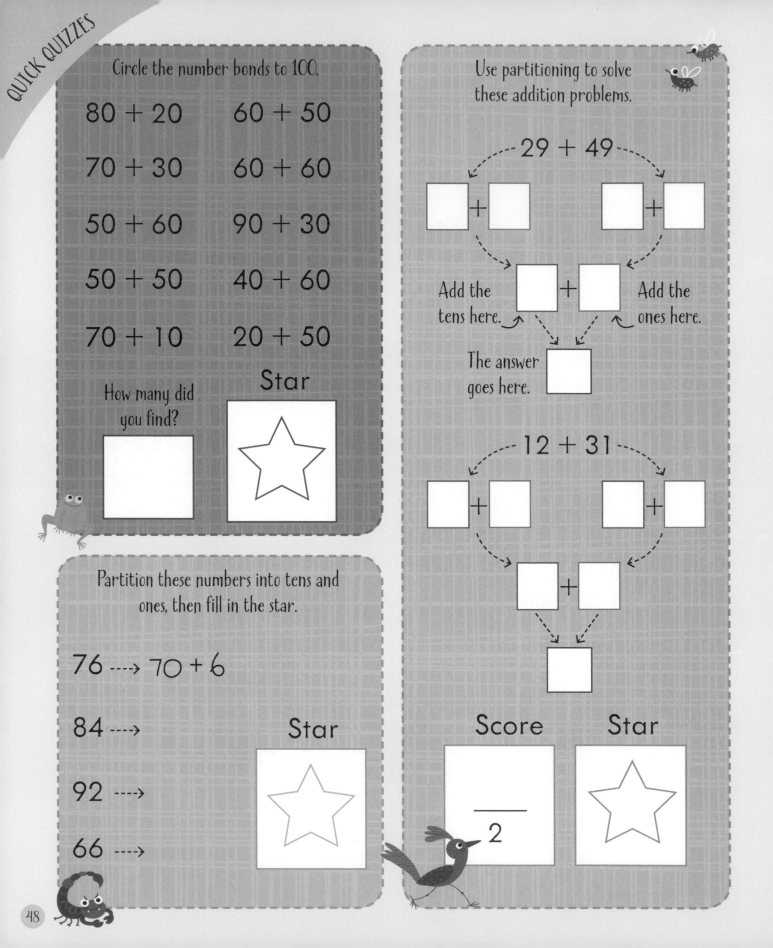

Circle the number bonds to 100.

80 + 20   60 + 50

70 + 30   60 + 60

50 + 60   90 + 30

50 + 50   40 + 60

70 + 10   20 + 50

How many did you find?

Star

Partition these numbers into tens and ones, then fill in the star.

76 ----> 70 + 6

84 ---->   Star

92 ---->

66 ---->

Use partitioning to solve these addition problems.

29 + 49

☐ + ☐   ☐ + ☐

Add the tens here.   ☐ + ☐   Add the ones here.

The answer goes here.   ☐

12 + 31

☐ + ☐   ☐ + ☐

☐ + ☐

☐

Score   Star

$\frac{\quad}{2}$

48

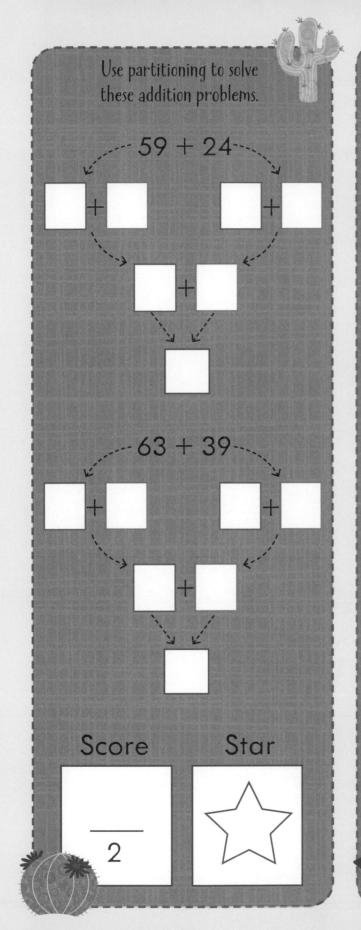

Use partitioning to solve these addition problems.

59 + 24

☐ + ☐   ☐ + ☐

☐ + ☐

☐

63 + 39

☐ + ☐   ☐ + ☐

☐ + ☐

☐

Score

$\dfrac{}{2}$

Star

You could solve these by rounding up.

37 + 39 = 37 + 40 − 1 = ☐

69 − 43 = ☐

33 + 28 = ☐

59 + 39 = ☐

38 − 19 = ☐

49 + 23 = ☐

60 − 48 = ☐

19 + 69 = ☐

93 − 38 = ☐

45 + 69 = ☐

Score

$\dfrac{}{10}$

Star

49

Adding in columns

Writing sums with the numbers on top of each other is known as adding *in columns*. This can help when numbers don't round off easily.

So 56 + 37 becomes...

$$+ \frac{\begin{array}{r} 56 \\ 37 \end{array}}{}$$

To start with, you may want to split each number into tens and ones.

This is how it looks:

$$\frac{\begin{array}{r} 56 \\ + \; 37 \end{array}}{} \;\; ----\!\!\rightarrow \;\; \frac{\begin{array}{r} 50 + 6 \\ + \; 30 + 7 \end{array}}{80 + 13 \; = 93}$$

Once you're used to it, you can work everything out underneath, like this...

Add the ones first, and write your answer underneath.

$$+ \frac{\begin{array}{r} 56 \\ 37 \end{array}}{\begin{array}{|r|} \hline 13 \\ \hline 80 \\ \hline \end{array}}$$

Then add the tens, and write it below.

Add your two new numbers under the line here.

$$\frac{\begin{array}{r} 56 \\ 37 \\ \hline 13 \\ + \;\; 80 \end{array}}{93}$$

This is known as *expanded columns*.

How many of each animal are there in total? You could write out the problem in columns (or use another method, such as rounding up, if you prefer).

69 adults, 25 babies

37 adults, 14 babies

67 adults, 38 babies

48 adults, 16 babies

It's weighing day at the safari park. Add together the weight of each animal and its baby.
Then write the answer onto the display on the scale.

Koalas	Lizards	Frogs	Turtles
87	73	35	67
+ 54	+ 59	+ 27	+ 56

Koalas:
11
130
141

Penguins	Monkeys	Parrots	Meerkats
97	76	48	56
+ 84	+ 45	+ 27	+ 35

Carrying a ten

Once you're used to expanded columns, you can try columns *without* writing the tens and ones separately. If the ones add up to more than ten, you just carry the ten into the next column.

For example...

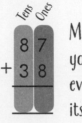

Make sure you keep everything in its column.

Start with the ones: 7 + 8 = 15 (or 1 ten and 5 ones).

Write the ones here.

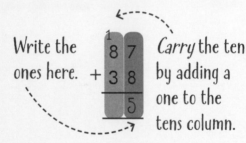

Carry the ten by adding a one to the tens column.

Now, add the tens. Don't forget to include the ten you carried.

There are 12 tens altogether, which makes 120. So write a 1 in the hundreds column...

...and a 2 in the tens column.

Answer the sums on the tree trunk to see which leaves this giraffe is going to munch. Cross out the leaves she eats, then fill the rest in green.

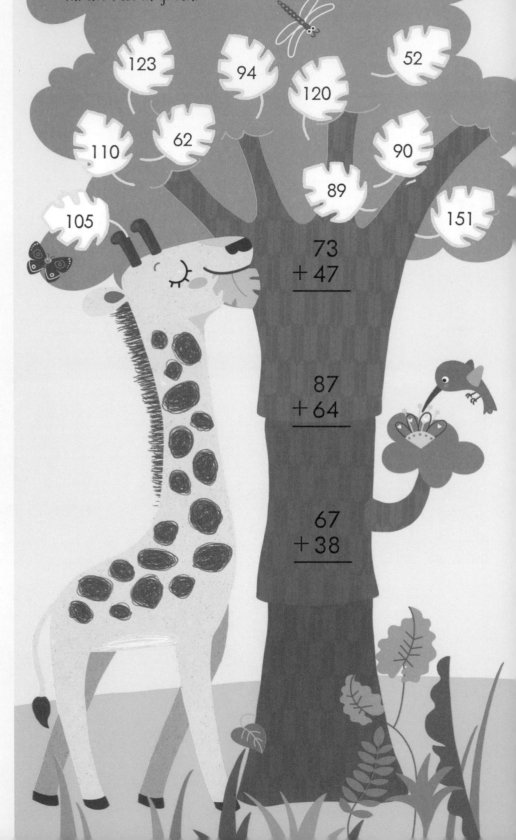

123

94

52

120

62

110

90

89

105

151

$$73 \atop + 47$$

$$87 \atop + 64$$

$$67 \atop + 38$$

Add the numbers below and follow the answers to find the monkey's route to the fruit. What kind of fruit will he eat today?

Use columns or work it out in your head – it's up to you!

$$83 + 28$$

Start here, and follow the arrow with the correct answer to the next sum.

$$85 + 66$$

$$67 + 34$$

151

141

151

$$67 + 36$$

111

$$77 + 67$$

100

101

$$56 + 26$$

103

150

144

$$48 + 36$$

82

72

67

84

53

Subtracting in columns

You can also use columns for subtracting.
The methods are very similar to adding.

Try using columns
when a problem is too
tricky to do in your head.

To start with, it's best to try partitioning...

$$83 \quad \longrightarrow \quad 80 + 3$$
$$-57 \qquad\qquad -50 + 7$$

...but you can't take 7 away from 3, so you need
to split up the top number differently.

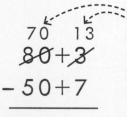

$$70 \quad 13$$
$$\cancel{80} + \cancel{3}$$
$$-50 + 7$$
$$\overline{20 + 6} = 26$$

Borrow a ten
and add it to
the ones.

Then subtract in columns,
and find your final answer.

Once you're used to working like this, you can
try the shorter method.

Borrow a ten
from the
tens column...

$$\begin{array}{r} 7\ 13 \\ \cancel{8}\cancel{3} \\ -\ 57 \end{array}$$

...and add
it to the
ones column.

Then subtract in
columns to find
your final answer.

$$\begin{array}{r} 7\ 13 \\ \cancel{8}\cancel{3} \\ -\ 57 \\ \hline 26 \end{array}$$

Solve the questions on the towels,
then join them up with the item
showing the correct answer.

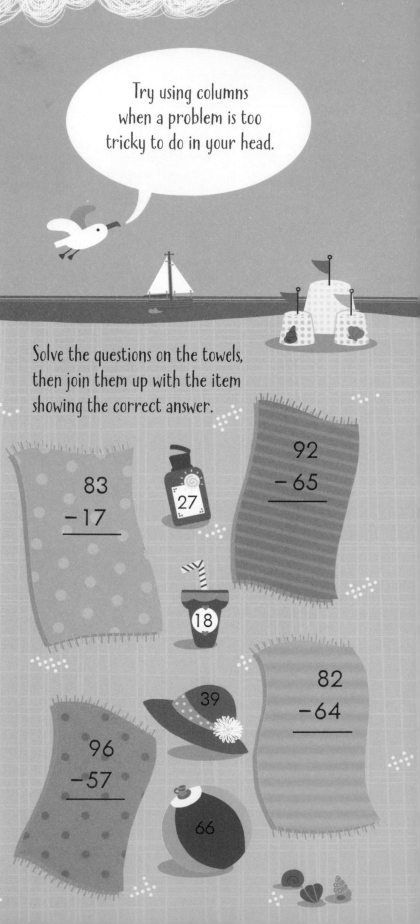

$$83$$
$$-17$$

27

$$92$$
$$-65$$

18

39

$$82$$
$$-64$$

$$96$$
$$-57$$

66

Finish the beach huts' roofs according to the rules below. You can work them out on the front of the huts – use columns if you find it helps.

If the answer is...   ...48, its roof is yellow.   ...49, its roof is purple.
                      ...45, its roof has spots.   ...36, its roof has stripes.

93 – 45   64 – 28   82 – 37   76 – 27

Can you work out how many more waves the surfers rode today, compared to yesterday? Write your answers on their surf boards.

I rode 46 waves today and 27 yesterday.

I rode 41 waves today and 17 yesterday.

I rode 55 waves today and 39 yesterday.

Solve the puzzles in the key, then doodle the pictures into the matching window frames.

Key

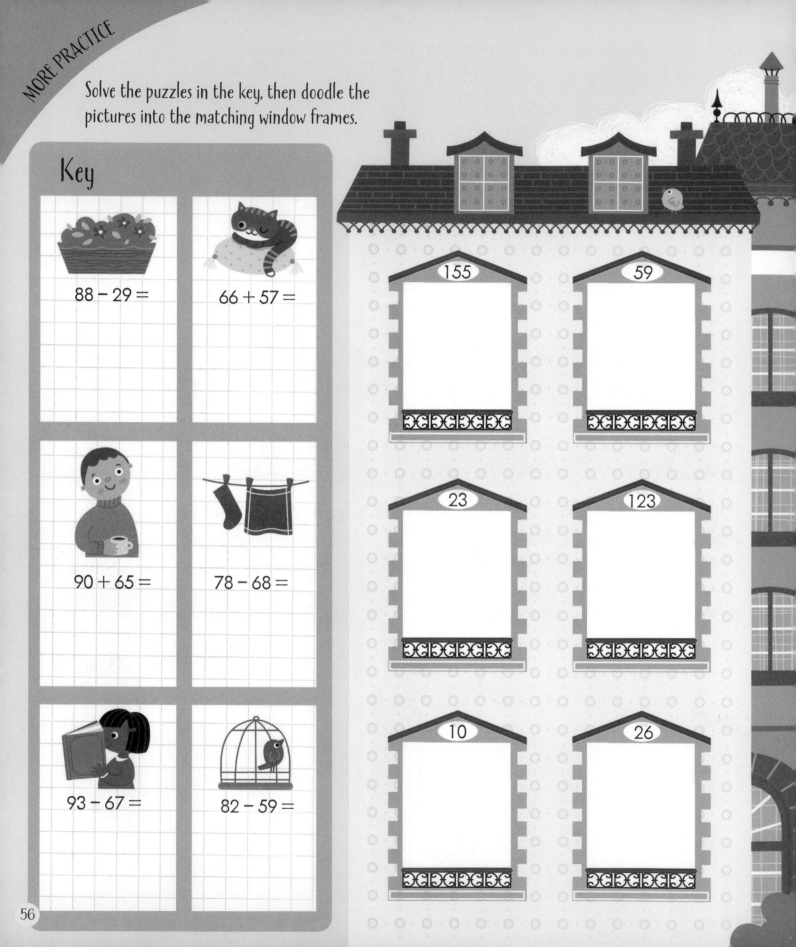

88 − 29 =

66 + 57 =

90 + 65 =

78 − 68 =

93 − 67 =

82 − 59 =

155

59

23

123

10

26

56

Can you answer the window cleaners' questions? You can use their baskets for any working out.

I cleaned 45 windows this morning, and I'm going to do 37 this afternoon. How many is that altogether?

I've got 90 windows to clean today. I've done 67, how many more do I have left?

I use 90 buckets of water a day. I've used 36 already, how many are left?

I need to wash 98 windows. I've done 37, how many to go?

The two numbers on each tree add up to the number on the pot. Can you work out the missing numbers?

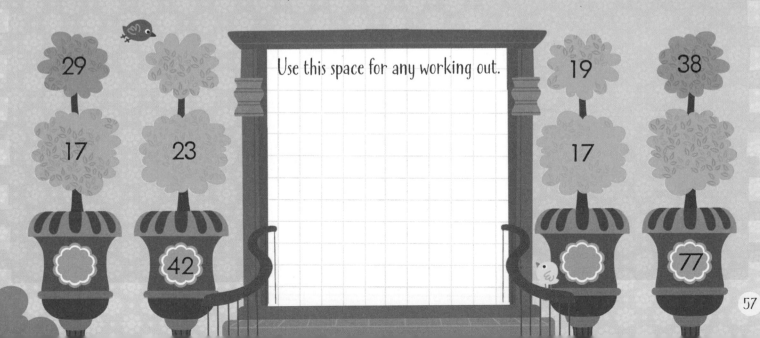

29
17
42

23

Use this space for any working out.

19
17

38

77

MORE PRACTICE

The contestant is ready to start the obstacle course. Can you lead her to the finish by answering each question, then taking the path that shows the right answer? Use any of the methods you've learned in this book.

START HERE

57 + 38

95

59 – 28

33

31

55 – 43

35

88

85

46

17 + 14

50

31

56 + 27

28 + 18

55

83

58

47 + 15

62

59 − 25

34

12

69

47 + 36

63 − 46

22

83

18

24

19

88

77 + 14

17

90

91

69 − 28

41

31 − 24

7

FINISH

59

You might want to use columns for some of these. For example...

$84 + 37 =$

$$\begin{array}{r} {}^1 8 4 \\ + 3 {}^1 7 \\ \hline 1 2 1 \end{array}$$

$86 + 14 =$

$92 - 64 =$

$103 + 26 =$

$73 - 49 =$

$49 + 39 =$

$100 - 66 =$

$82 + 79 =$

$76 + 65 =$

$86 - 58 =$

Just choose whichever method suits the problem.

Score
$\overline{4}$

Star

Score
$\overline{5}$

Star

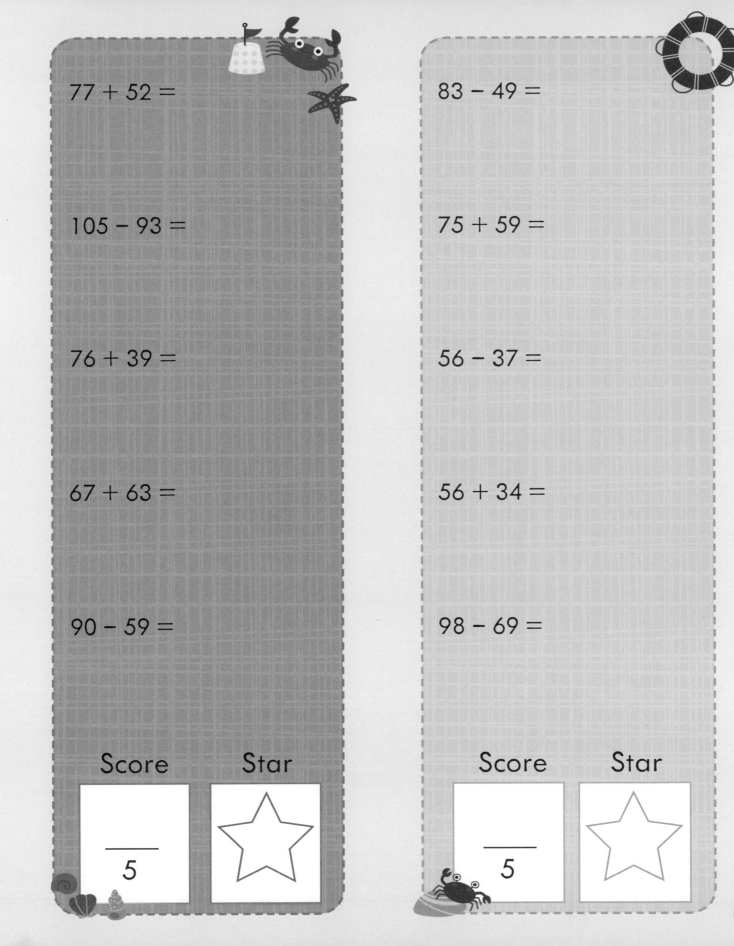

77 + 52 =

105 − 93 =

76 + 39 =

67 + 63 =

90 − 59 =

Score

$\dfrac{}{5}$

Star

83 − 49 =

75 + 59 =

56 − 37 =

56 + 34 =

98 − 69 =

Score

$\dfrac{}{5}$

Star

5, 10, 15, 20, 25, 30, 35, 40...

9 x 9 = 81

9, 18, 27, 36, 45, 54, 63, 72...

2x1 2x2 2x3 2x4 2x5 2x6 2x7

What are times tables?

Times tables are lists of multiplication questions and answers. Once you know them, you can multiply the numbers from 1 to 12 much more quickly and easily.

For example...

I have 8 legs. How many do we have altogether?

Instead of counting the legs one by one, multiply 8 legs by 3, like this...

This means 8 times 3...

$$8 \times 3 = 24$$

...which makes 24 legs altogether.

If you added another one of us, there would be...
$$8 \times 4 = 32$$

24 and 32 are *multiples* of 8 – which means they are in the 8 times table.

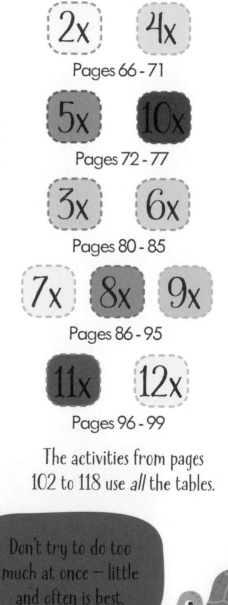

You'll find the tables on the pages listed below, but you can work through them in any order you like.

2x   4x

Pages 66 - 71

5x   10x

Pages 72 - 77

3x   6x

Pages 80 - 85

7x   8x   9x

Pages 86 - 95

11x   12x

Pages 96 - 99

The activities from pages 102 to 118 use *all* the tables.

Don't try to do too much at once – little and often is best.

Tips and tricks for times tables

This section of the book has lots of tips and tricks to help you memorize the times tables.

There's less to learn than you think, because some answers appear twice. For example...

How many worms?

How many bones?

$2 \times 4 = 8$ worms

$4 \times 2 = 8$ bones

Try saying the tables out loud before you start each page. It might help you remember them.

7, 14, 21...

4, 8, 12, 16...

Look out for patterns in the tables such as...

$2 \times 4 = 8$

$2 \times 7 = 14$

$2 \times 10 = 20$

$5 \times 3 = 15$

$5 \times 6 = 30$

$5 \times 9 = 45$

All the answers in the 2x table are even.

All the answers in the 5x table end with 5 or 0.

You'll find more patterns in the rest of the section.

Remember to look out for the Quick Quizzes.

Don't worry if you get stuck. Just take a look at the answer pages at the back of this book...

...or flip back to the page with the table written out.

Turn to page 119 to find all the tables written out in a Times Tables Square. It might help you with some of the activities, too.

2x

2 x 1 = 2

2 x 2 = 4

2 x 3 = 6

2 x 4 = 8

2 x 5 = 10

2 x 6 = 12

2 x 7 = 14

2 x 8 = 16

2 x 9 = 18

2 x 10 = 20

2 x 11 = 22

2 x 12 = 24

The 2x table can help you count in pairs.

Fill in the missing numbers.

How many worms?

2 x 4 = ☐

How many acorns?

2 x 6 = ☐

How many wings?

2 x ☐ = ☐

Join up the questions and answers to match each bird to its nest.

24   18   14

2 x 9   2 x 7   2 x 12

You can check the complete table on the left if you get stuck.

These butterflies fly in pairs. Draw in the butterfly nets to catch...

8 butterflies

16 butterflies

10 butterflies

This frog will only eat flies with numbers in the 2x table. Draw an X over each fly that gets eaten.

Even numbers taste best.

Multiply each number in the inside ring by 2 to fill in the outside of the spider's web.

Tip: Multiplying by 2 is the same as doubling.

This spider can spin 2 webs every hour. How many can it spin in 8 hours? Circle the correct answer.

16   14
12   18

Solve the puzzles below and colour in the answers on the snail's shell, following the key.

2x1, 2x2, 2x3, 2x4 = blue
2x5, 2x6, 2x7, 2x8 = green
2x9, 2x10, 2x11, 2x12 = yellow

Fill in the missing numbers in the 2x table to complete the caterpillars' bodies.

12   14   16   20

18   14   12

4   8   10

67

4x

$4 \times 1 = 4$

$4 \times 2 = 8$

$4 \times 3 = 12$

$4 \times 4 = 16$

$4 \times 5 = 20$

$4 \times 6 = 24$

$4 \times 7 = 28$

$4 \times 8 = 32$

$4 \times 9 = 36$

$4 \times 10 = 40$

$4 \times 11 = 44$

$4 \times 12 = 48$

To multiply a number by 4, try doubling it twice.

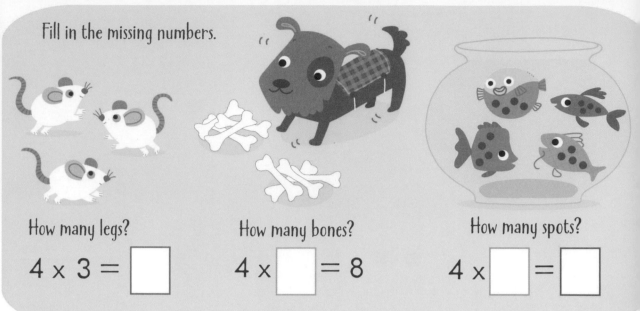

Fill in the missing numbers.

How many legs?

$4 \times 3 = \boxed{}$

How many bones?

$4 \times \boxed{} = 8$

How many spots?

$4 \times \boxed{} = \boxed{}$

Black out the two incorrect answers on each paw print, leaving the correct answer behind.

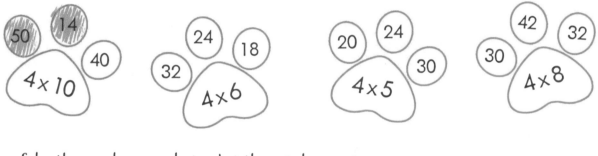

50 14 40
4×10

24 18 32
4×6

20 24 30
4×5

42 32 30
4×8

Solve the puzzles on each stand at the pet show and write the number on the prize-winning iguanas' medals.

4×11

4×7

4×12

4×9

Find a route for the tortoise to eat through every multiple of 4. He can go up, down, left or right, but doesn't like the taste of anything not in the 4x table.

Solve these questions, then colour in the answers on the parrot's feathers following the code below.

4 × 3	4 × 4	4 × 1	4 × 2
4 × 7	4 × 5	4 × 6	4 × 9
4 × 11	4 × 12	4 × 8	4 × 10

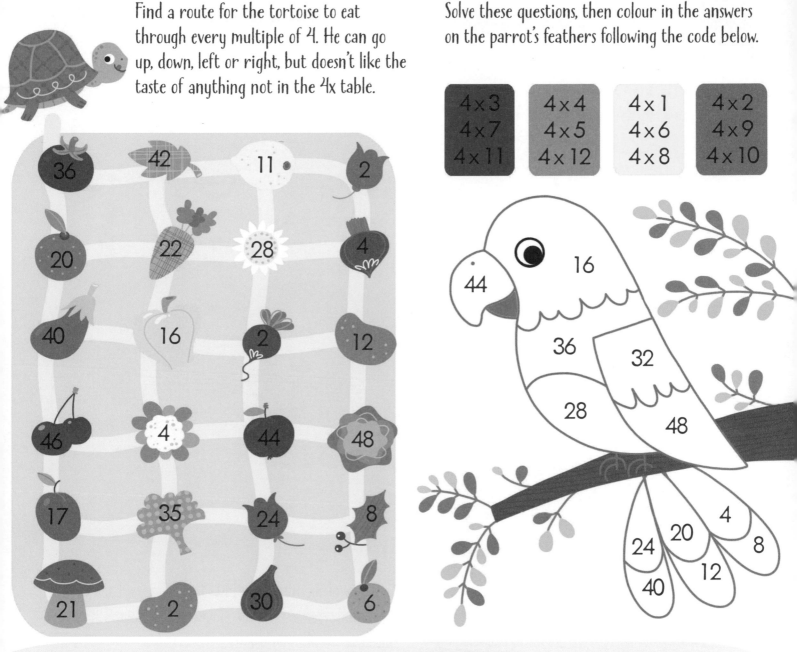

The number on each ball equals the two numbers below it multiplied together.
Can you fill in the missing numbers?

2x   4x

Which shirt matches all the clues?

The player's number is:
Smaller than 4 x 8
Bigger than 2 x 4
Not equal to 4 x 7

6   28   10   34

Find the answers on the line that match the questions below. Which piece of clothing is left?

36   20   14   6

2 x 3	4 x 9	4 x 12
2 x 7	4 x 10	4 x 11
2 x 11	2 x 9	4 x 5

Finish the laundry list. How many pairs...?

20 sports socks = ☐ pairs

10 gloves = ☐ pairs

8 mittens = ☐ pairs

16 hiking socks = ☐ pairs

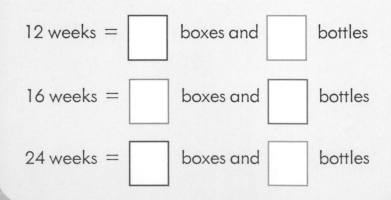

Each box of laundry soap lasts for 2 weeks. Each bottle of fabric softener lasts for 4 weeks. How many bottles and boxes would you use in...

12 weeks = ☐ boxes and ☐ bottles

16 weeks = ☐ boxes and ☐ bottles

24 weeks = ☐ boxes and ☐ bottles

Can you find the sock that's been hung on the wrong peg?

Socks with spots should go on numbers which are in the 2 times table *and* the 4 times table.

Socks with stripes should go on numbers which are in the 2 times table only.

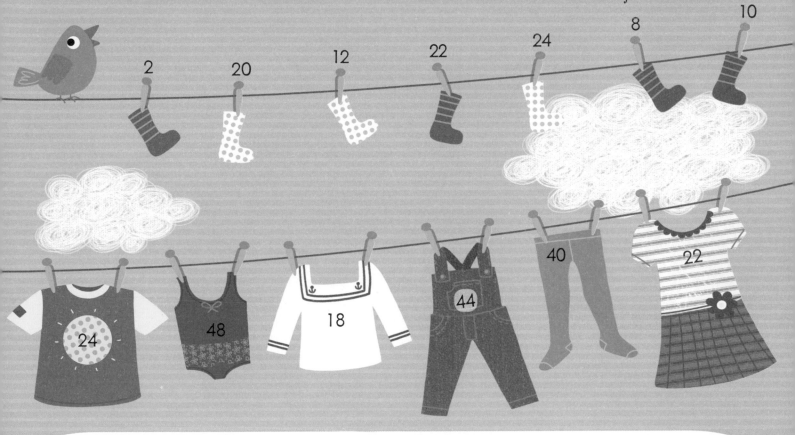

Join up the shoes with the boxes they go into.

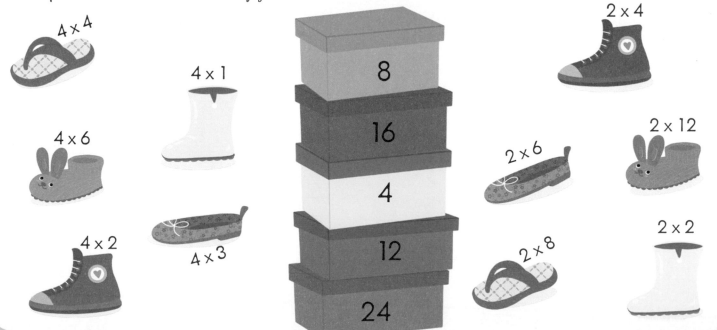

4 x 4

4 x 1

4 x 6

4 x 2

4 x 3

2 x 4

2 x 12

2 x 6

2 x 8

2 x 2

8

16

4

12

24

5x

5 x 1 = 5
5 x 2 = 10
5 x 3 = 15
5 x 4 = 20
5 x 5 = 25
5 x 6 = 30
5 x 7 = 35
5 x 8 = 40
5 x 9 = 45
5 x 10 = 50
5 x 11 = 55
5 x 12 = 60

Numbers in the 5 times table end in 5 or 0.

Fill in the missing numbers.

How many lights?

5 x 3 = 15

How many dials?

5 x 4 = 20

How many wheels?

5 x 5 = 25

When you give these robots a number, they multiply it by 5.
Fill in the missing numbers and answers.

5 | x5 | = 25

11 | x5 | = 55

10 | x5 | = 50

9 | x5 | = 45

7 | x5 | = 35

Battery

Starting at the battery, join together all the multiples of 5.
Which robot does the trail lead to? Find it and colour it in.

40   25   5   45   48

51   39   14   20   62

7   29   6   10   9

82   52   60   55   11

12   35   50   47   44

30   15   33   23   17

73

10x

10 x 1 = 10

10 x 2 = 20

10 x 3 = 30

10 x 4 = 40

10 x 5 = 50

10 x 6 = 60

10 x 7 = 70

10 x 8 = 80

10 x 9 = 90

10 x 10 = 100

10 x 11 = 110

10 x 12 = 120

To multiply any number by 10, just add a 0.

Fill in the missing numbers.

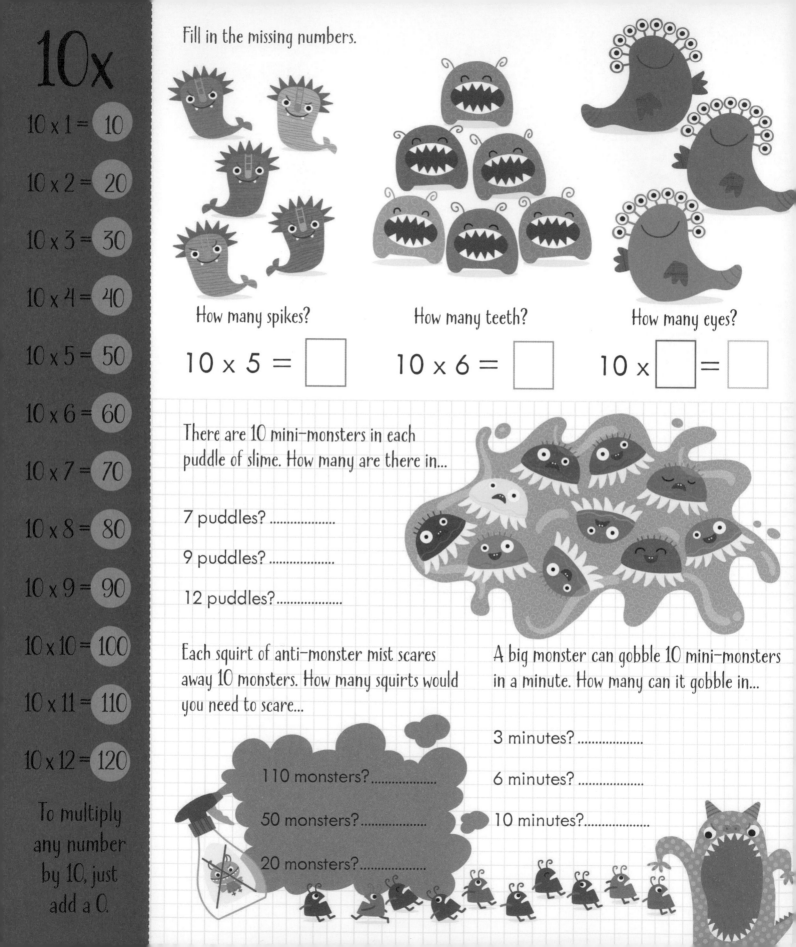

How many spikes?

10 x 5 = ☐

How many teeth?

10 x 6 = ☐

How many eyes?

10 x ☐ = ☐

There are 10 mini-monsters in each puddle of slime. How many are there in...

7 puddles? ....

9 puddles? ....

12 puddles? ....

Each squirt of anti-monster mist scares away 10 monsters. How many squirts would you need to scare...

110 monsters? ....

50 monsters? ....

20 monsters? ....

A big monster can gobble 10 mini-monsters in a minute. How many can it gobble in...

3 minutes? ....

6 minutes? ....

10 minutes? ....

These mini-monsters pass messages by touching feelers. Can you pass a message from one red monster to the other, by shading in all the multiples of 10?

Swat all the monsters in the 10 times table by drawing an X over them. Be as quick as you can!

75

5x   10x

Circle the question on each rocket that matches the answer on the flame beneath.

5 × 10
5 × 11
5 × 12

60

5 × 7
5 × 8
5 × 9

45

10 × 8
10 × 9
10 × 10

90

10 × 3
10 × 4
10 × 5

30

It takes five days to fly between each planet. Can you figure out these puzzles?

How long will it take to reach Planet Zatt from Planet Zip?

5 x 4 = ☐ days

How long is the flight from Planet Zatt to Planet Zitch?

5 x ☐ = ☐ days

Planet Zip

Planet Zong

Planet Zam

Planet Zewt

Planet Zatt

Which alien has been chosen for the space mission?
The alien's number is...

In the 5 times table
Bigger than 10 x 3
Smaller than 5 x 8

Circle the correct alien.

32

18

35

40

30

15

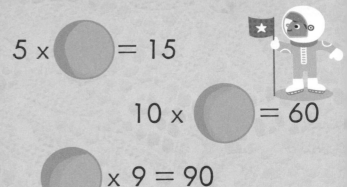

Fill in the missing numbers in the craters.

5 x ⬤ = 15

10 x ⬤ = 60

⬤ x 9 = 90

5 x 7 = ⬤

How many planets could I travel between ☐ in 25 days?

How long does it take to fly from Planet Zop to Planet Zong? ☐ days

How long will it take to deliver a letter from Planet Zing to Planet Zip? ☐ days

Planet Zeep

Planet Zitch

Planet Zop

Planet Zwug

Planet Zing

$2 \times 2 = \boxed{4}$

$2 \times 4 = \boxed{8}$

$2 \times 6 = \boxed{12}$

$2 \times 11 = \boxed{22}$

$2 \times 3 = \boxed{6}$

$2 \times 1 = \boxed{2}$

$2 \times 10 = \boxed{20}$

$2 \times 12 = \boxed{24}$

$2 \times 9 = \boxed{18}$

$2 \times 5 = \boxed{10}$

$2 \times 8 = \boxed{16}$

$2 \times 7 = \boxed{14}$

Score | Star

$\dfrac{}{12}$

$4 \times 10 = \boxed{40}$

$4 \times 7 = \boxed{}$

$4 \times 5 = \boxed{}$

$4 \times 2 = \boxed{}$

$4 \times 6 = \boxed{}$

$4 \times 12 = \boxed{}$

$4 \times 9 = \boxed{}$

$4 \times 11 = \boxed{}$

$4 \times 3 = \boxed{}$

$4 \times 1 = \boxed{}$

$4 \times 4 = \boxed{}$

$4 \times 8 = \boxed{}$

Score | Star

$\dfrac{}{12}$

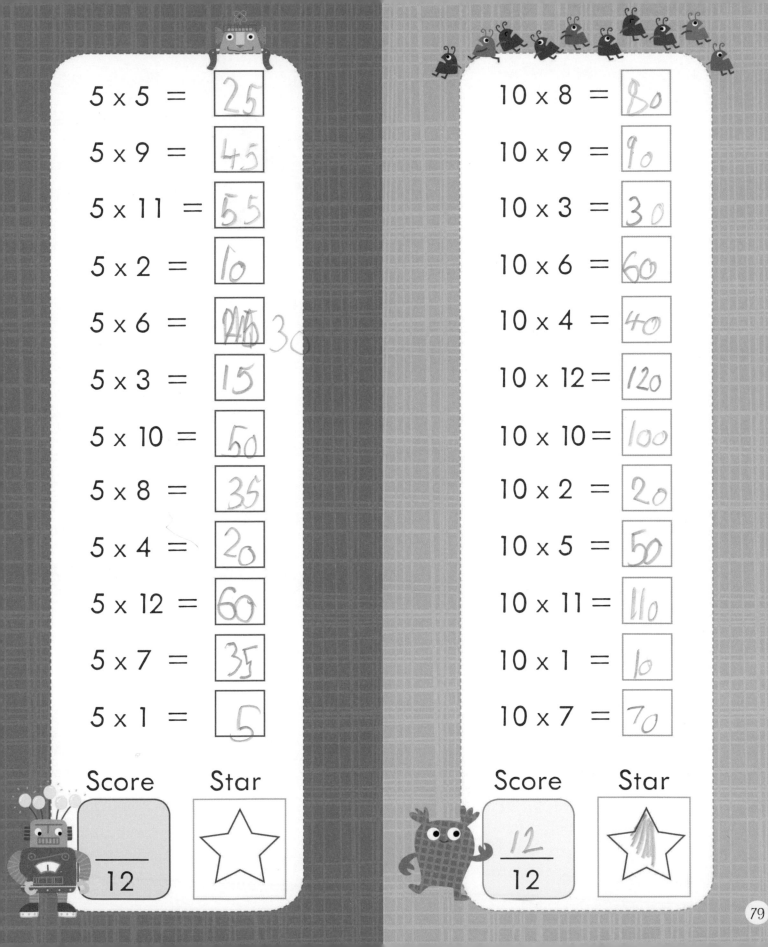

5 x 5 = 25

5 x 9 = 45

5 x 11 = 55

5 x 2 = 10

5 x 6 = ~~25~~ 30

5 x 3 = 15

5 x 10 = 50

5 x 8 = 35

5 x 4 = 20

5 x 12 = 60

5 x 7 = 35

5 x 1 = 5

Score

Star

$\dfrac{}{12}$

10 x 8 = 80

10 x 9 = 90

10 x 3 = 30

10 x 6 = 60

10 x 4 = 40

10 x 12 = 120

10 x 10 = 100

10 x 2 = 20

10 x 5 = 50

10 x 11 = 110

10 x 1 = 10

10 x 7 = 70

Score

Star

$\dfrac{12}{12}$

3x

$3 \times 1 = 3$

$3 \times 2 = 6$

$3 \times 3 = 9$

$3 \times 4 = 12$

$3 \times 5 = 15$

$3 \times 6 = 18$

$3 \times 7 = 21$

$3 \times 8 = 24$

$3 \times 9 = 27$

$3 \times 10 = 30$

$3 \times 11 = 33$

$3 \times 12 = 36$

You can use the 3x table to count quickly in threes.

Fill in the missing numbers.

How many flags?

$3 \times 2 = \boxed{}$

How many flowers?

$3 \times \boxed{} = 9$

How many scoops?

$3 \times \boxed{} = \boxed{}$

Match up the questions and answers.

3×2 15 3×1

36   3×6

3×5 18 3×12 3   6

3 of these shells aren't in the 3 times table. Can you spot them?

24   33   30   32

14   3

12   23   27   9

Colour in the stripes on the deckchairs to match the puzzles on the beach balls.

15 24 21

6 3 9

3 × 7
3 × 5
3 × 9

3 × 4
3 × 10
3 × 2

3 × 3
3 × 1
3 × 11

30 36 33

18 27 12

3 × 12 3 × 6
3 × 8

Finish the number pattern on the footprints in the sand.

12

36

6

3

21

24

6x

6 x 1 = 6

6 x 2 = 12

6 x 3 = 18

6 x 4 = 24

6 x 5 = 30

6 x 6 = 36

6 x 7 = 42

6 x 8 = 48

6 x 9 = 54

6 x 10 = 60

6 x 11 = 66

6 x 12 = 72

Numbers in the 6 times table are always even.

Fill in the missing numbers.

How many cartons?

6 x 3 = ☐

How many muffins?

6 x ☐ = 48

How many bagels?

6 x ☐ = ☐

Finish writing the 6x table onto the lids, to figure out how many eggs there are altogether.

6 | 12 | ☐ | ☐

☐ | ☐ | ☐ | ☐

☐ | ☐ | ☐ | ☐

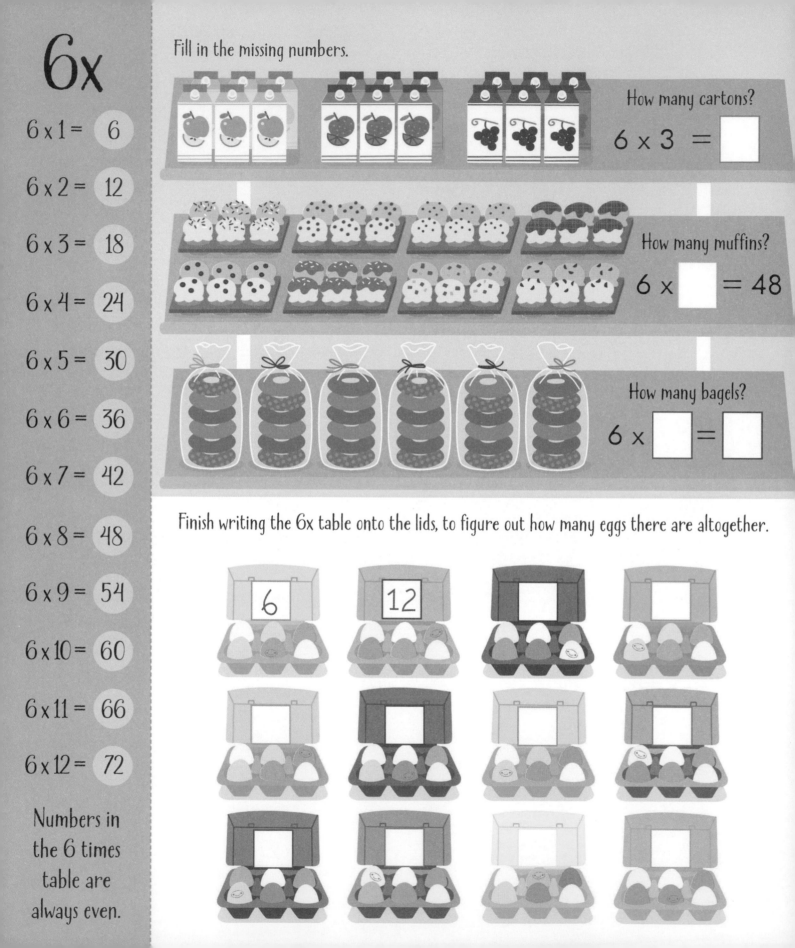

Finish the shopping list for 6 people.

_12_ sandwiches (2 each)

____ tomatoes (6 each)

____ breadsticks (4 each)

____ cereal bars (3 each)

____ cherries (10 each)

____ apples (1 each)

Each kind of cookie is shared equally between 6 plates. Draw the cookies there would be on 1 plate.

18 coconut cookies

12 chocolate cookies

24 cherry cookies

Fill the basket by drawing in all the groceries that are in the 6x table.

64   22   6

30   66   26   24

14   54   48

85

3x   6x

Circle the shuttlecocks which are in both the 3x table *and* the 6x table.

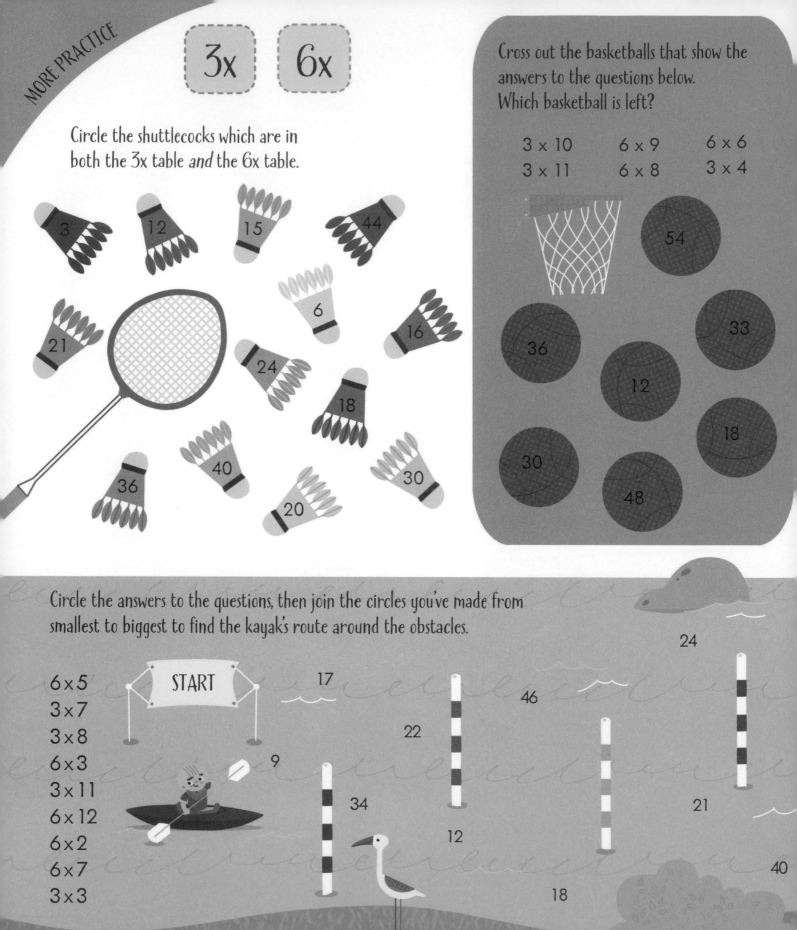

3 12 15 44 21 6 16 24 18 36 40 30 20

Cross out the basketballs that show the answers to the questions below.
Which basketball is left?

3 × 10   6 × 9   6 × 6
3 × 11   6 × 8   3 × 4

54 36 33 12 18 30 48

Circle the answers to the questions, then join the circles you've made from smallest to biggest to find the kayak's route around the obstacles.

6 × 5
3 × 7
3 × 8
6 × 3
3 × 11
6 × 12
6 × 2
6 × 7
3 × 3

START

17 22 9 34 12 46 24 21 18 40

The number on each ball equals the two numbers below it multiplied together. Can you fill in the missing numbers?

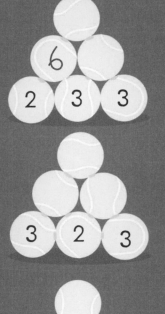

When the skiers pass a flag, they win the number of points on that flag. How many points has each skier won?

Start!

3
6
6
6
3
3
3
3
6
6
3
6
6
3
3
3

POINTS

POINTS

25
30
103
72
52
75
42
33
32

FINISH

85

7x

7 x 1 = 7

7 x 2 = 14

7 x 3 = 21

7 x 4 = 28

7 x 5 = 35

7 x 6 = 42

7 x 7 = 49

7 x 8 = 56

7 x 9 = 63

7 x 10 = 70

7 x 11 = 77

7 x 12 = 84

To remember
7 x 8, say
5, 6, 7, 8:
56 = 7 x 8.

Fill in the missing numbers.

How many bells?

7 x 2 = ☐

How many fish?

7 x ☐ = ☐

It takes the Arctic explorers 7 days to trek between each checkpoint on their route.

How long will it take from base camp to get to...

Checkpoint 3?

☐ days

Checkpoint 5?

☐ days

Checkpoint 7?

☐ days

Where will they be after...

63 days?

Checkpoint ☐

77 days?

Checkpoint ☐

Fill in the missing numbers to complete the igloo.

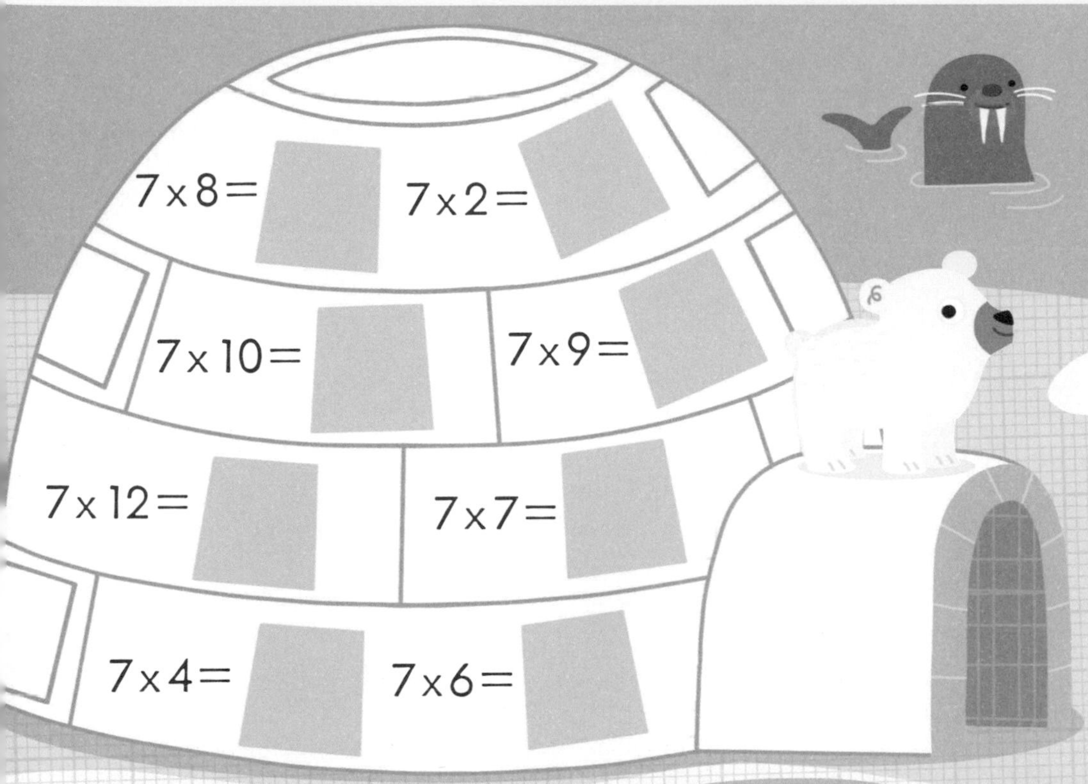

$7 \times 8 =$ $7 \times 2 =$

$7 \times 10 =$ $7 \times 9 =$

$7 \times 12 =$ $7 \times 7 =$

$7 \times 4 =$ $7 \times 6 =$

This fisherwoman only catches fish in the 7 times table. Circle each fish she'll catch below.

Connect the dots in the 7 times table, from smallest to biggest, to see who's swimming under the ice.

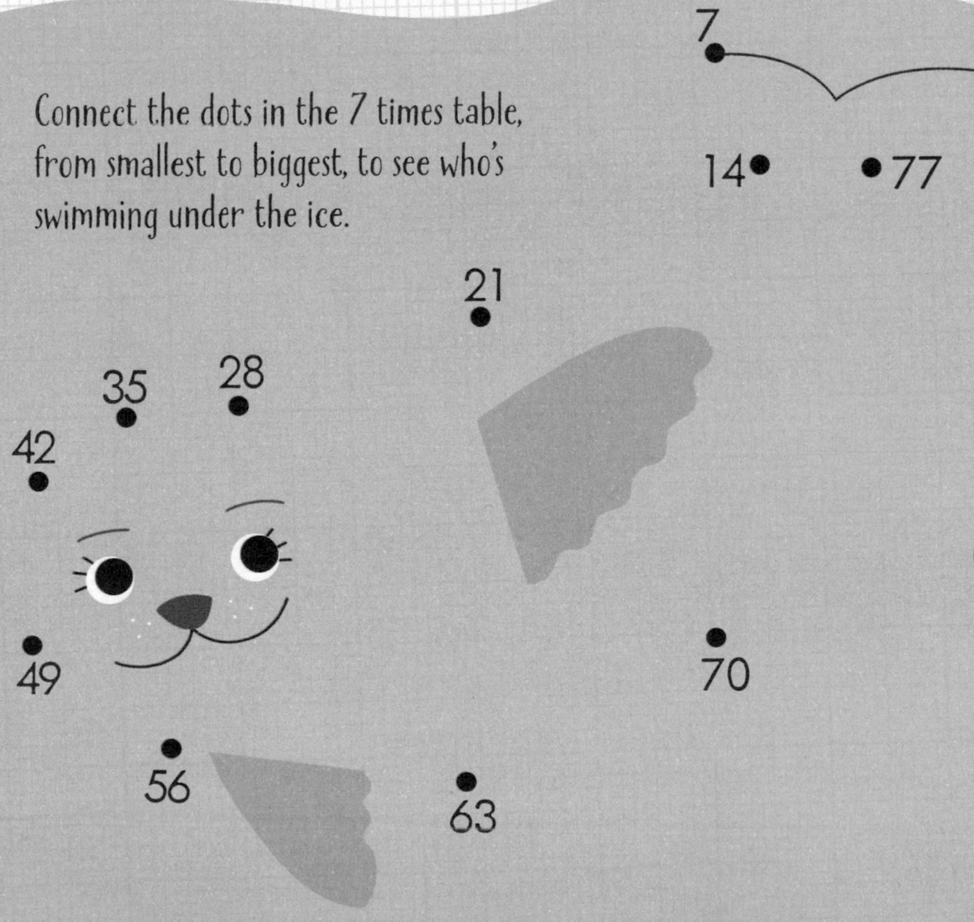

7   84

14   77

21

35   28

42

49

56

63

70

56

21

42

20

44

63

52

35

84

70

67

8x

8 x 1 = 8
8 x 2 = 16
8 x 3 = 24
8 x 4 = 32
8 x 5 = 40
8 x 6 = 48
8 x 7 = 56
8 x 8 = 64
8 x 9 = 72
8 x 10 = 80
8 x 11 = 88
8 x 12 = 96

Look at the last digit of each answer. Can you spot a pattern?

Fill in the missing numbers.

How many tentacles?

8 x 3 = ☐

How many spikes?

8 x ☐ = ☐

Finish colouring in the coral reef, so questions and answers are the same colours.

96

64

80

8 x 10

64

40

40

72

88

8 x 5

8 x 2

64

Circle the seahorse with the smallest number, and the clownfish with the biggest number.

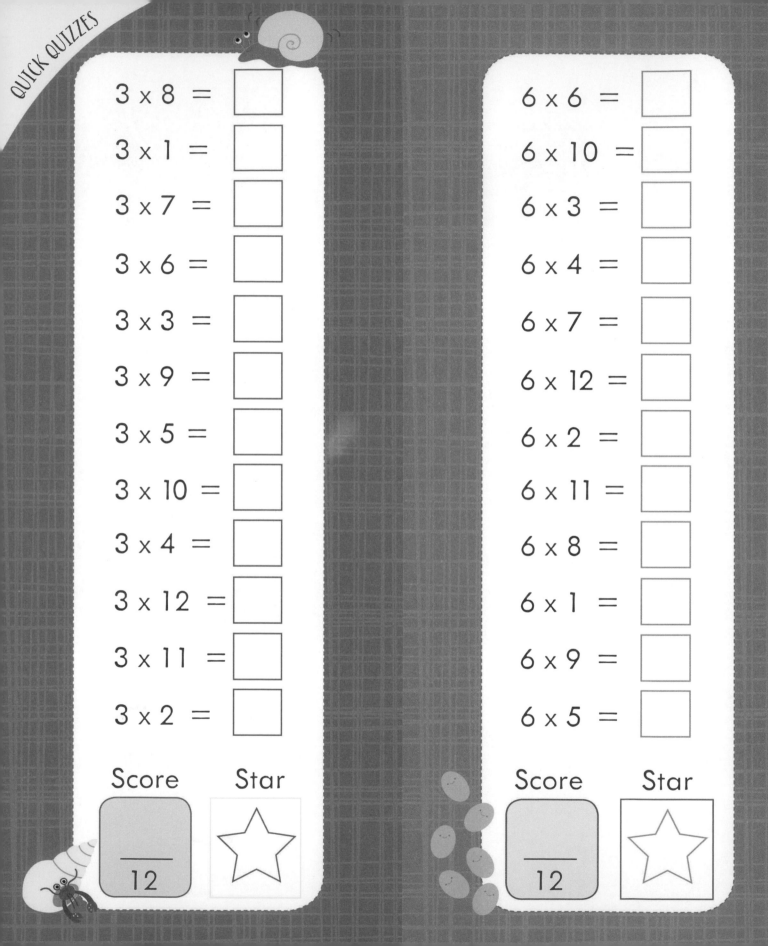

3 x 8 =

3 x 1 =

3 x 7 =

3 x 6 =

3 x 3 =

3 x 9 =

3 x 5 =

3 x 10 =

3 x 4 =

3 x 12 =

3 x 11 =

3 x 2 =

Score

Star

____
12

6 x 6 =

6 x 10 =

6 x 3 =

6 x 4 =

6 x 7 =

6 x 12 =

6 x 2 =

6 x 11 =

6 x 8 =

6 x 1 =

6 x 9 =

6 x 5 =

Score

Star

____
12

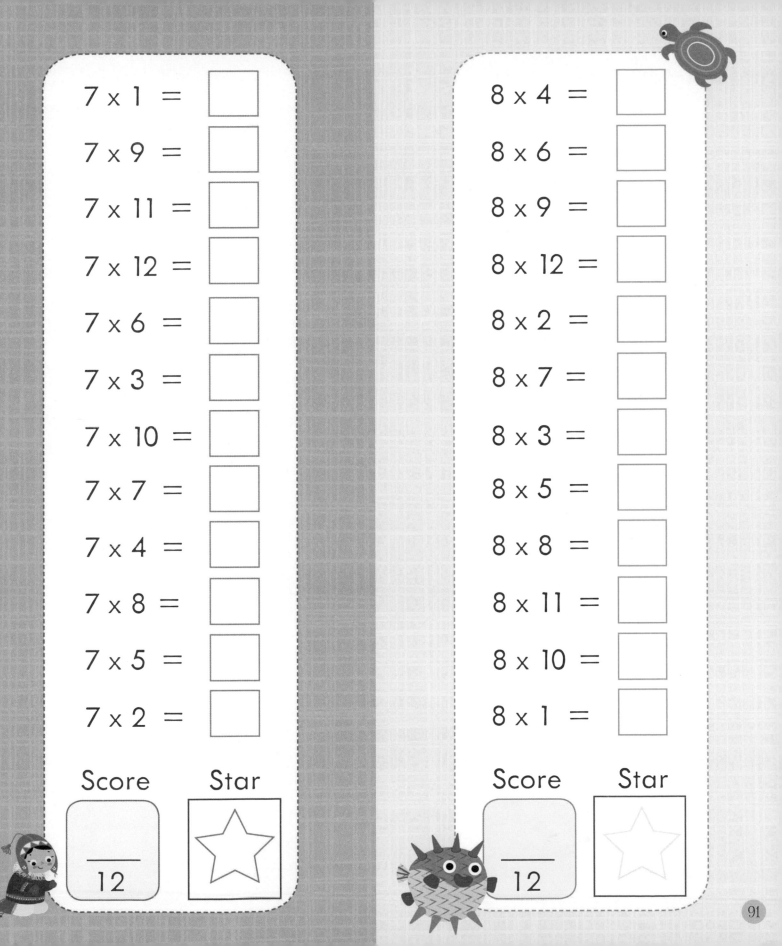

7 x 1 = ☐

7 x 9 = ☐

7 x 11 = ☐

7 x 12 = ☐

7 x 6 = ☐

7 x 3 = ☐

7 x 10 = ☐

7 x 7 = ☐

7 x 4 = ☐

7 x 8 = ☐

7 x 5 = ☐

7 x 2 = ☐

Score
————
12

Star
☆

8 x 4 = ☐

8 x 6 = ☐

8 x 9 = ☐

8 x 12 = ☐

8 x 2 = ☐

8 x 7 = ☐

8 x 3 = ☐

8 x 5 = ☐

8 x 8 = ☐

8 x 11 = ☐

8 x 10 = ☐

8 x 1 = ☐

Score
————
12

Star
☆

9x

9 x 1 = 9

9 x 2 = 18

9 x 3 = 27

9 x 4 = 36

9 x 5 = 45

9 x 6 = 54

9 x 7 = 63

9 x 8 = 72

9 x 9 = 81

9 x 10 = 90

9 x 11 = 99

9 x 12 = 108

The digits of each answer add up to 9 (up to 9 x 10).

Fill in the missing numbers.

How many test tubes?

9 x 2 = ☐

How many crystals?

9 x ☐ = ☐

Can you help the scientist complete her notes?

Each dropper holds 9 droplets. How many droplets in...

3 droppers? ☐

8 droppers? ☐

12 droppers? ☐

Each chemical reaction makes 9 bubbles of gas. How many reactions make...

72 bubbles? ☐

36 bubbles? ☐

99 bubbles? ☐

I need 9 test tubes for each experiment. How many do I need for...

2 experiments? ☐

6 experiments? ☐

9 experiments? ☐

Pop the bubbles that aren't in the 9 times table by drawing an X over them.

73 18 45 81 85 19 27 99 42 36 62

Fill the flasks to the correct levels.
The first one has been filled already.

9 × 3

9 × 4

9 × 7

9 × 9

Add explosions to the flasks which
match these answers:

~~54~~ 72 18
99 90 108

9 × 6

9 × 1

9 × 11

9 × 10

9 × 2

9 × 9

9 × 8

9 × 12

7x   8x   9x

The cake factory packs cupcakes into boxes of 8.
How many cakes has this machine packed already?

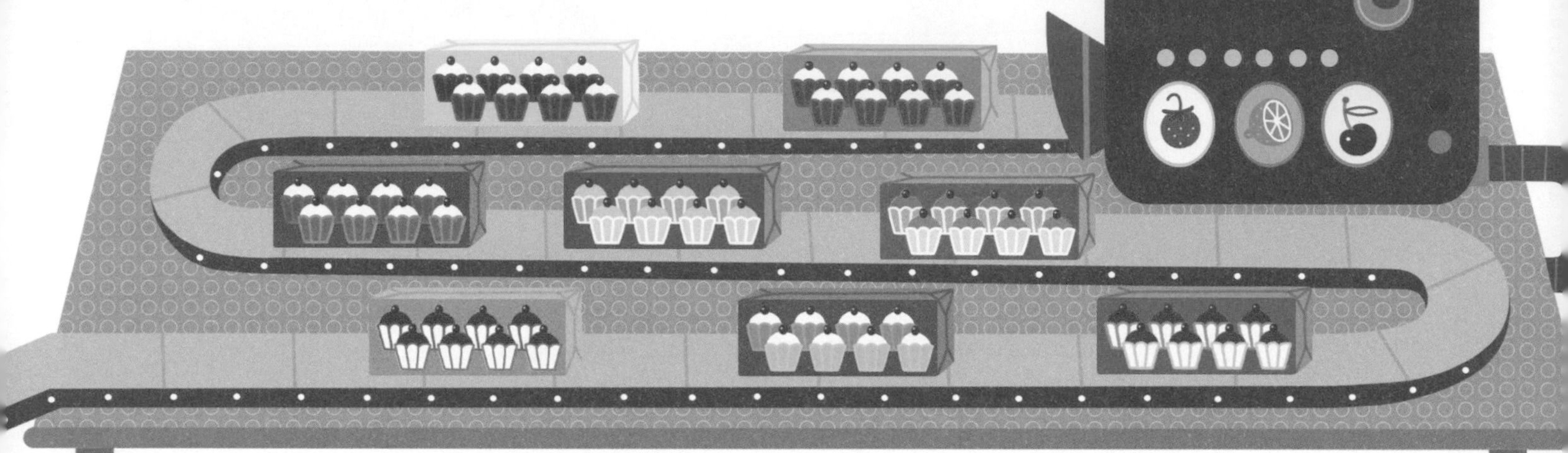

Each Cake-O-Matic machine runs for 7 hours every day.
Write in the number of cakes each machine will make in a day.

4 cakes every hour

Number of cakes =

6 cakes every hour

Number of cakes =

3 cakes every hour

Number of cakes =

The cake factory is taking orders. How many cakes does each person want?

I need enough
cakes for 7 people
to have 2 each.

cakes

Can I have 9 chocolate
cakes, 9 lemon cakes
and 9 vanilla cakes?

cakes

Please can I have
4 boxes with
8 cakes in each?

cakes

Colour in these cupcakes, following the icing guide below.

Multiples of 7 = blue
Multiples of 8 = purple
Multiples of 9 = yellow

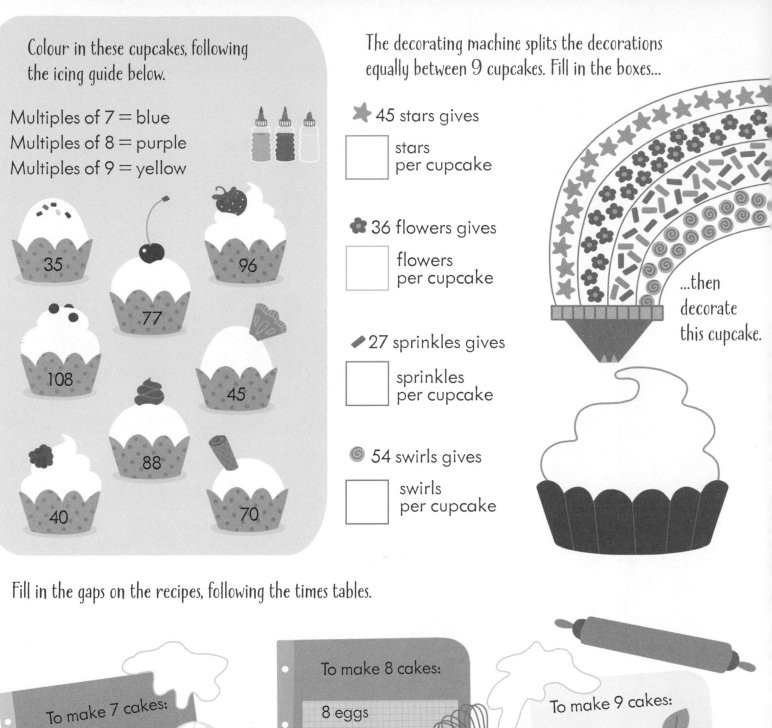

35
96
77
108
45
88
40
70

The decorating machine splits the decorations equally between 9 cupcakes. Fill in the boxes...

45 stars gives

☐ stars per cupcake

36 flowers gives

☐ flowers per cupcake

27 sprinkles gives

☐ sprinkles per cupcake

54 swirls gives

☐ swirls per cupcake

...then decorate this cupcake.

Fill in the gaps on the recipes, following the times tables.

To make 7 cakes:

7 eggs
14 oranges
.... lemons
.... cups of sugar
35 cups of flour

To make 8 cakes:

8 eggs
.... oranges
24 lemons
.... cups of sugar
.... cups of flour

To make 9 cakes:

9 eggs
.... oranges
.... lemons
36 cups of sugar
.... cups of flour

11x

11 x 1 = 11
11 x 2 = 22
11 x 3 = 33
11 x 4 = 44
11 x 5 = 55
11 x 6 = 66
11 x 7 = 77
11 x 8 = 88
11 x 9 = 99
11 x 10 = 110
11 x 11 = 121
11 x 12 = 132

Up to 11 x 9, the two digits in each answer are the same.

Fill in the missing numbers.

How many wheels?

11 x 3 = ☐

How many diamonds?

11 x ☐ = ☐

The car which has an *even* answer will win the race. Can you figure out which one?

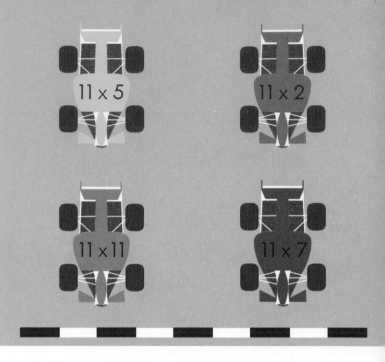

Can you find a route from the middle of the wheel to the edge, only passing numbers in the 11 times table?

--- Finish here.

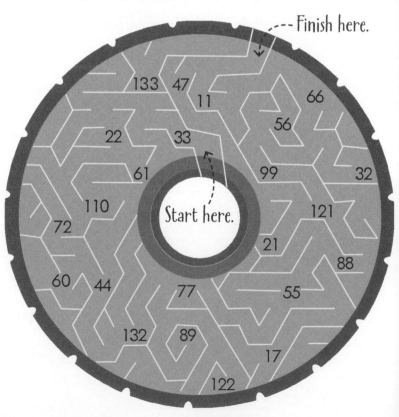

Start here.

The car speeds between each flag in 11 seconds. Where will it be from the start in...

11 seconds?
Black flag

44 seconds?
....

55 seconds?
....

77 seconds?
....

110 seconds?
....

132 seconds?
....

The mechanics can change a wheel in 11 seconds. How long do they take to change all the wheels on 3 cars? Circle the correct answer.

(33)   (44)

(122)   (132)   (144)

Tip: Figure out how many wheels there are in total first.

Pit Stop

The next car to race has a number that is bigger than 11 x 6, but smaller than 11 x 9. Which one is it?

87

100

62

12x

12 x 1 = 12

12 x 2 = 24

12 x 3 = 36

12 x 4 = 48

12 x 5 = 60

12 x 6 = 72

12 x 7 = 84

12 x 8 = 96

12 x 9 = 108

12 x 10 = 120

12 x 11 = 132

12 x 12 = 144

Remember, the only one you haven't seen before is 12 x 12.

Fill in the missing numbers.

How many stars?

12 x 3 = ☐

How many windows?

12 x ☐ = ☐

Colour the knights' shields following the guide below.

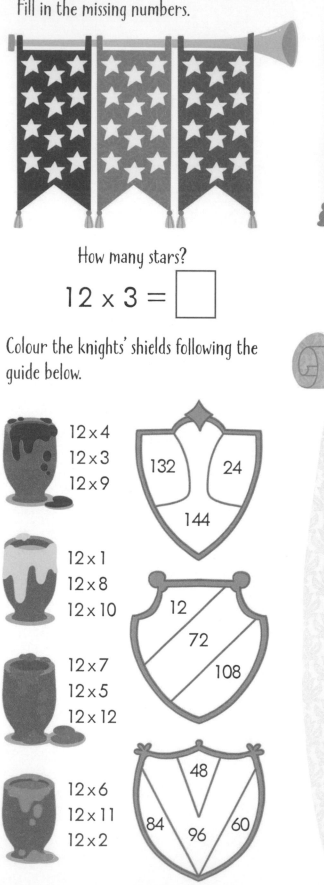

12 x 4
12 x 3
12 x 9

132   24
    144

12 x 1
12 x 8
12 x 10

12
    72
        108

12 x 7
12 x 5
12 x 12

12 x 6
12 x 11
12 x 2

    48
84   96   60

Finish the shopping list for the castle cook. He has 12 hungry knights to feed.

..... Onions (4 each)

..... Chickens (2 each)

..... Potatoes (10 each)

..... Loaves of bread (3 each)

..... Apples (6 each)

..... Sausages (5 each)

Help the knight escape from the labyrinth.
Only numbers in the 12x table are safe to pass.

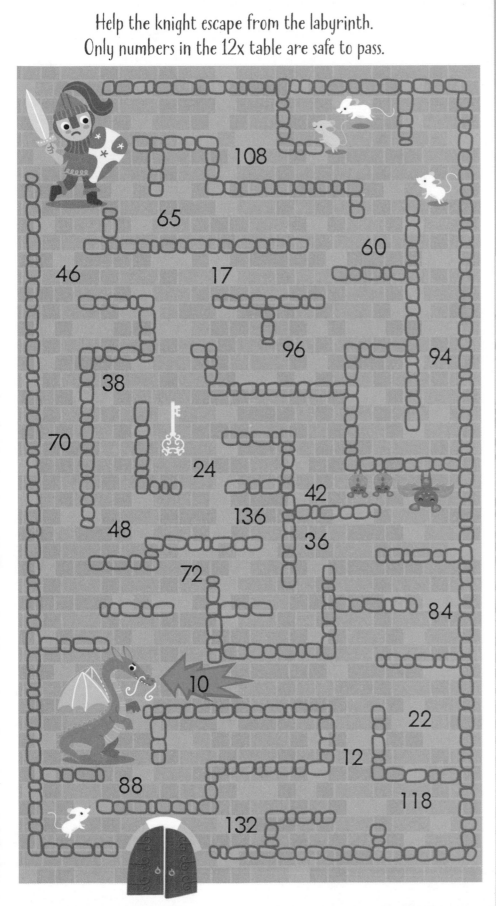

How many points has each archer scored?

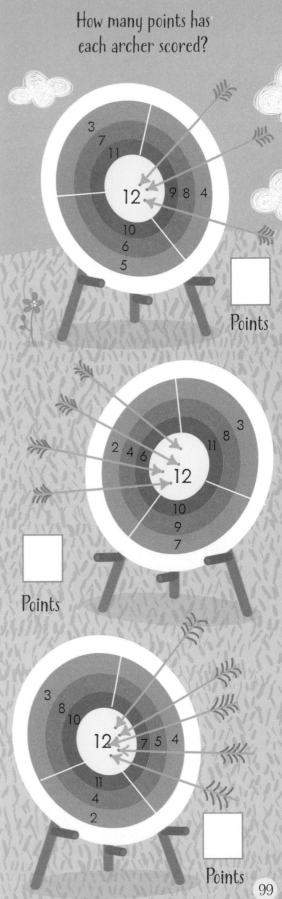

Points

Points

Points

9 x 11 =

9 x 9 =

9 x 4 =

9 x 12 =

9 x 7 =

9 x 1 =

9 x 8 =

9 x 3 =

9 x 6 =

9 x 10 =

9 x 2 =

9 x 5 =

Score

Star

—— / 12

11 x 2 =

11 x 11 =

11 x 3 =

11 x 10 =

11 x 1 =

11 x 12 =

11 x 5 =

11 x 4 =

11 x 6 =

11 x 7 =

11 x 9 =

11 x 8 =

Score

Star

—— / 12

12 x 6 =

12 x 3 =

12 x 11 =

12 x 5 =

12 x 4 =

12 x 1 =

12 x 2 =

12 x 7 =

12 x 10 =

12 x 12 =

12 x 8 =

12 x 9 =

Score

Star

—
12

12 x 3 =

8 x 8 =

6 x 10 =

4 x 4 =

12 x 10 =

11 x 12 =

8 x 6 =

8 x 7 =

12 x 6 =

3 x 9 =

9 x 4 =

9 x 9 =

Score

Star

—
12

Treasure island

Solve the clues to steer the pirate ship across the ocean to the island filled with treasure.

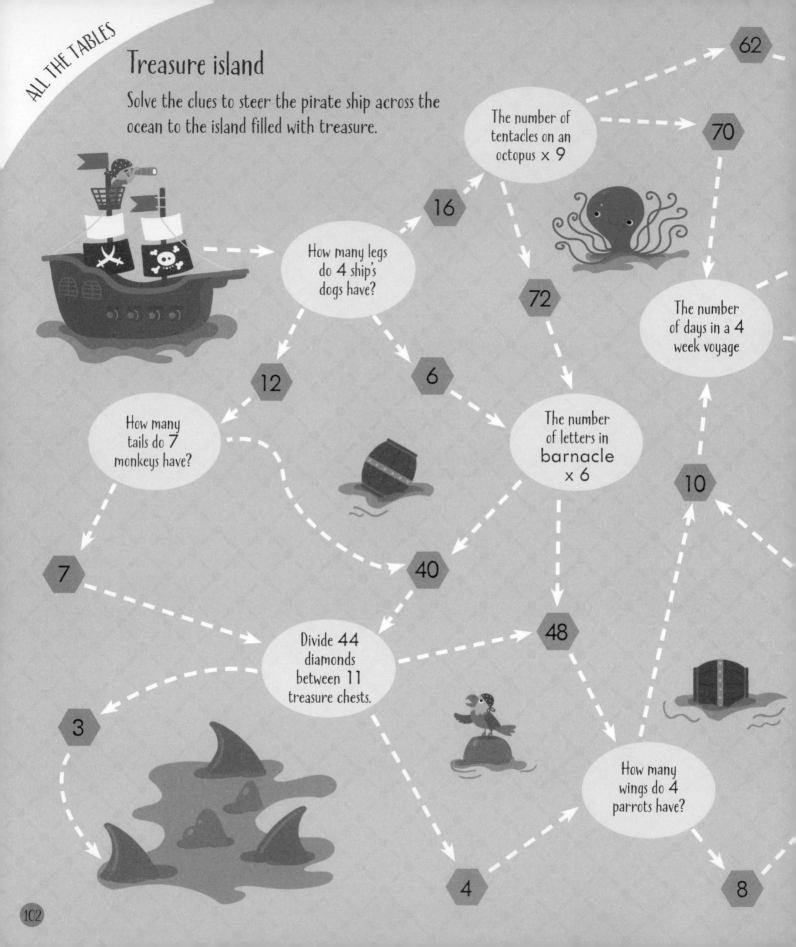

62

The number of tentacles on an octopus x 9

70

16

How many legs do 4 ship's dogs have?

72

The number of days in a 4 week voyage

12

How many tails do 7 monkeys have?

6

The number of letters in **barnacle** x 6

10

7

40

48

Divide 44 diamonds between 11 treasure chests.

3

How many wings do 4 parrots have?

4

8

12

Split 36 bananas between 6 monkeys.

28

81

6

50

22

The number of letters in **scallywag** × 9

24

Share 40 ship's biscuits between 10 pirates.

20

12

4

Split 50 gold coins between 5 pirates.

Divide 144 pirates between 12 pirate ships.

How many coconuts on 7 trees, if each tree has 5 coconuts?

30

35

N
W · E
S

At the fair

9 18 27

Figure out the score for knocking down each matching pair by multiplying their numbers together.

11   7   8   6

3   1   2   5

= 22   =

=   =

Can you fill in the missing numbers on the flags?

Finish the numbers on the 'Test Your Strength' game.

TEST YOUR STRENGTH

-144
-132
-
-96
-
-72
-
-36
-24
-12

Colour in all the windows and wheels, following the key below.

48   24   60   12

72   18   36   16

Do you notice a pattern?

6 x 6

4 x 12   2 x 6

3 x 8

4 x 4   5 x 12

12 x 3

3 x 6   8 x 9

63   81

To win me, hit all the coconuts in the 8x table.

4   6   28   33   20

24   8   12   9   16   1

To win me, hit all the coconuts in the 4x table.

How many hits to win the lion? ☐   How many hits to win the panda? ☐

Which duck wins the most points?

🦆 Red duck – multiply the number by 7.
🦆 Yellow duck – multiply the number by 5.

8   4   9
11   2   7   12   3

4 x 6
9 x 4   2 x 9   12 x 6
2 x 12
8 x 2   10 x 6
8 x 6   4 x 3

Creepy-crawlies

Shade in the answers on the honeycomb to help the bee find a route through the hive. Cross out the questions as you find them.

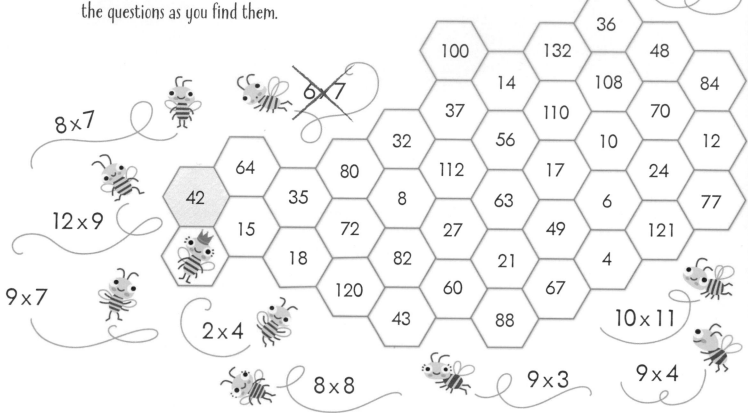

7 × 5

12 × 6

6 × 7

8 × 7

12 × 9

9 × 7

2 × 4

8 × 8

9 × 3

9 × 4

10 × 11

Which pair of bugs wins the race? Multiply their numbers together.
The pair with the biggest number wins – which pair will it be?

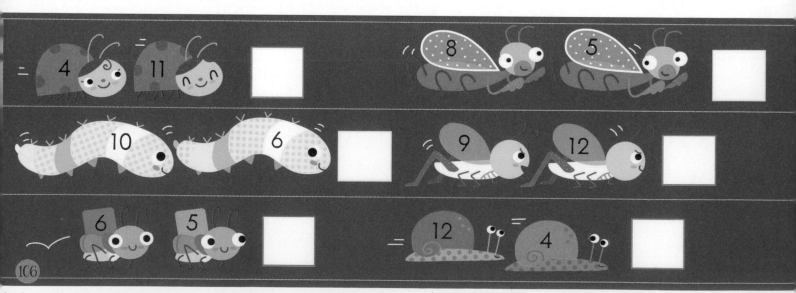

What shape are the fireflies making in the night sky? Find out by linking up the answers to the questions in the crescent moon in order.

6 x 6
9 x 5
5 x 6
4 x 8
9 x 10
6 x 9
8 x 3
12 x 6
2 x 8
4 x 11
2 x 7
8 x 12
4 x 9

22 30 99
21 36 105
89 46
15 45 80 77
52 33 31 96 32 90
14 54 23
102 88
4 44 72 18
62 24
16 70
112

Finish

= 8 4 ☐   6 6 ☐

8 6 ☐   10 10 ☐

2 11 ☐   12 7 ☐

Times tables town

Can you draw a route for the van to deliver these letters in the following order?

8 x 5

9 x 7

6 x 6

5 x 11

8 x 4

12 x 9

2 x 10

7 x 6

4 x 4

Circle the correct answers to these puzzles.

Which letter is going to a house with a red front door?

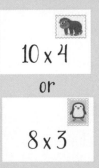

10 x 4

or

8 x 3

Which letter is going to a house with a yellow door?

7 x 7

or

3 x 7

Which letter is going to a house with two chimneys?

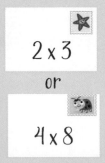

2 x 3

or

4 x 8

Air show

Fill in the times tables on the planes' banners.

7x [ ] [ ] [21]

[24] [ ] [ ] [ ] [ ] [ ] [ ]

Colour in the hot air balloons so that...

...numbers in the 5x table are red.
...numbers in the 7x table are yellow.
...numbers in the 9x table are purple.
...numbers in the 11x table are green.
...numbers in the 12x table are pink.

Balloon 1: 25, 11, 27, 96

Balloon 2: 9, 28, 22, 10

Balloon 3: 15, 14, 66, 54

Balloon 4: 56, 33, 24, 40

Balloon 5: 48, 121, 49, 81

Balloon 6: 12, 18, 30, 42

110

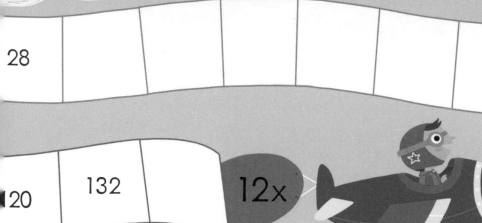

28

20 | 132 | 12x

Colour in the helicopter propellers, using the clues below.

The helicopter with a number bigger than 9 x 11 has a yellow propeller.

54

20

The one that's smaller than 8 x 3 but bigger than 4 x 4 has a green propeller.

36

The red propeller goes with the number equal to 6 x 6 and 12 x 3.

100

The helicopter with the blue propeller is bigger than 10 x 5 but smaller than 7 x 8.

On safari

Solve the puzzles to guide the trucks on their safari. Where does each truck end up?

Start here

7 blue trucks can carry 42 people. How many people on each truck?

9

6

Share 45 insects between 5 meerkats.

8

20

7

Start here

Each red truck has 4 wheels. How many wheels do 8 have?

30

32

How many legs do 5 giraffes have?

Share 121 leaves between 11 giraffes.

100

8

The number of letters in crocodile x 12

56

8 snakes have 64 spots. altogether. How many spots does 1 snake have?

10

108

7

20

Share 25 fish between 5 crocodiles.

5

How many ears do 10 elephants have?

LION LOOK-OUT

The number of letters in rhinoceros x 7

80

There are 4 lion families, each with 2 cubs. How many cubs are there altogether?

8

12

70

4

36

18

Flamingos like to stand on 1 leg. How many legs do 12 flamingos stand on?

How many paws do 9 lions have?

80

12

11

The number of letters in baboon x 9

15

6 people each take 3 photos of the leopards. How many do they take in total?

57

18

54

16

Share 42 nuts between 6 monkeys.

How many hooves do 4 zebras have?

22

7

20

JUNGLE CAMPSITE

Message in a bottle

Can you decode these two messages? Use the key and write the letters in the circles to find out what they say.

4 x 3   4 x 12   3 x 8   6 x 10   2 x 10   12 x 7   6 x 4

4 x 4   5 x 8   6 x 2   12 x 6   4 x 8   5 x 12   4 x 10   4 x 9

6 x 12   5 x 6   2 x 12   9 x 12   2 x 6   11 x 12

6 x 6   10 x 4   8 x 9   3 x 10   3 x 4   3 x 12   7 x 5   5 x 12

12 x 2   12 x 3   11 x 3   8 x 5   12 x 11   8 x 4   9 x 4   5 x 5

9 x 8   10 x 3   8 x 3   2 x 8   4 x 6   4 x 3   5 x 4   6 x 5

KEY

12 = a
16 = b
20 = c
24 = e
25 = g
30 = h
32 = i
33 = j
35 = k
36 = n
40 = o
48 = r
60 = s
72 = t
84 = u
108 = w
132 = y

Ferry trip

Follow the order of the questions on the right, to draw on the route for the ferry to get back to shore, visiting all the islands on the way.

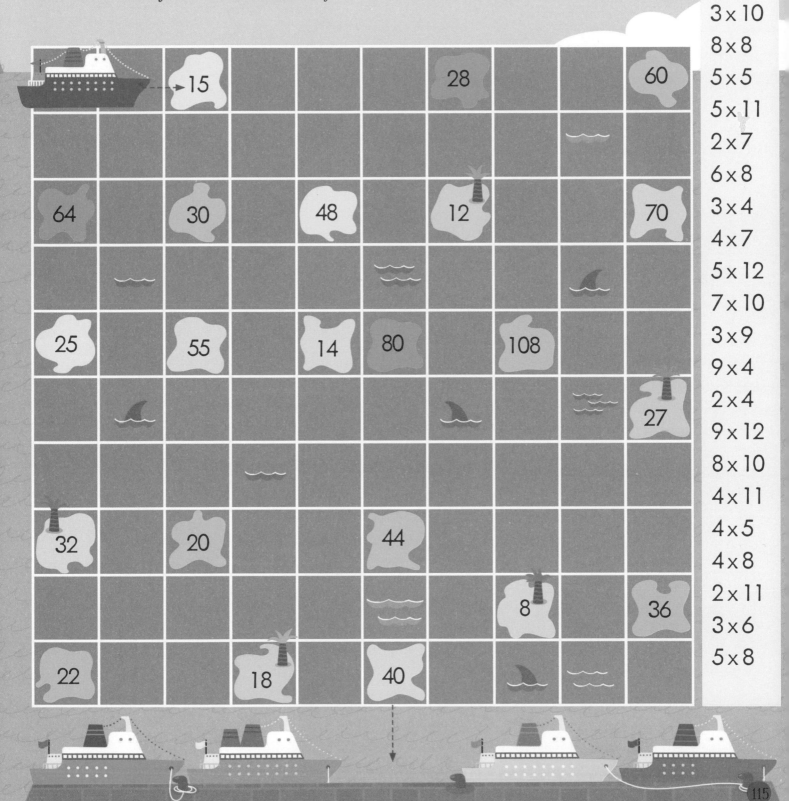

3 x 5
3 x 10
8 x 8
5 x 5
5 x 11
2 x 7
6 x 8
3 x 4
4 x 7
5 x 12
7 x 10
3 x 9
9 x 4
2 x 4
9 x 12
8 x 10
4 x 11
4 x 5
4 x 8
2 x 11
3 x 6
5 x 8

3 x 3 =

9 x 9 =

7 x 10 =

2 x 7 =

9 x 12 =

10 x 10 =

7 x 12 =

4 x 6 =

6 x 8 =

10 x 7 =

6 x 9 =

12 x 12 =

Score

Star

12

6 x 6 =

5 x 7 =

7 x 9 =

4 x 9 =

12 x 11 =

9 x 8 =

7 x 7 =

8 x 2 =

4 x 11 =

12 x 4 =

11 x 10 =

3 x 4 =

Score

Star

12

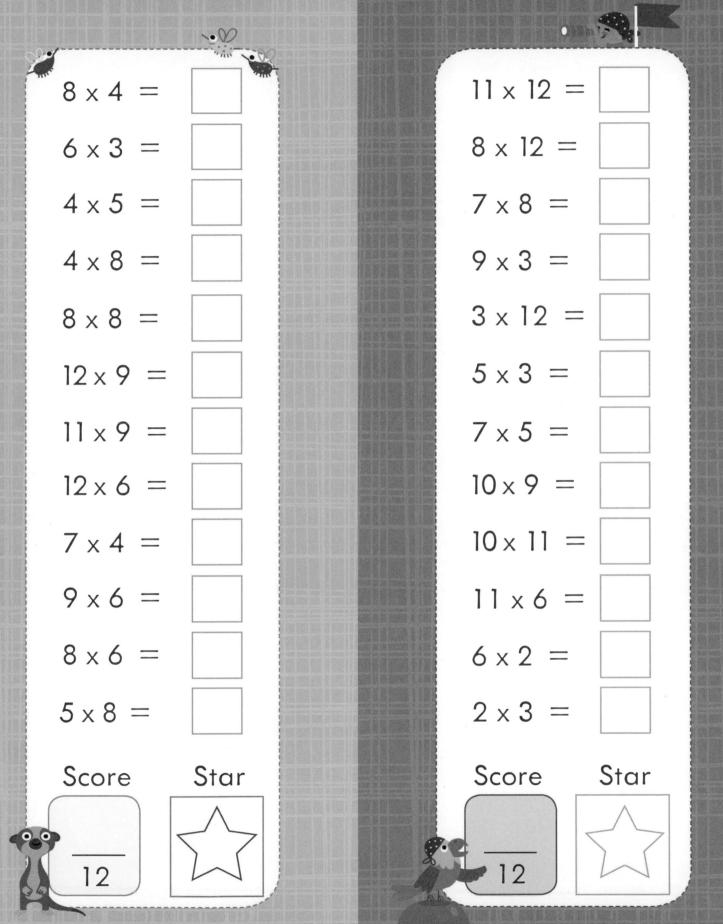

8 x 4 =

6 x 3 =

4 x 5 =

4 x 8 =

8 x 8 =

12 x 9 =

11 x 9 =

12 x 6 =

7 x 4 =

9 x 6 =

8 x 6 =

5 x 8 =

Score

Star

12

11 x 12 =

8 x 12 =

7 x 8 =

9 x 3 =

3 x 12 =

5 x 3 =

7 x 5 =

10 x 9 =

10 x 11 =

11 x 6 =

6 x 2 =

2 x 3 =

Score

Star

12

Robots

84   60
90
45
36   125

77   89
54   56
14   50

32   35
55   48
72   15

Shade in the two circles that you'd multiply together to make the number in the middle of the robots.

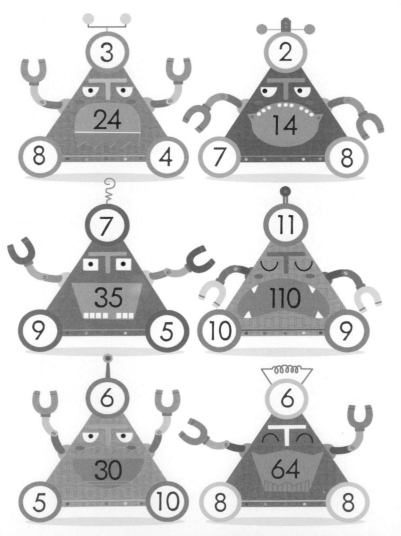

3
24
8   4

2
14
7   8

7
35
9   5

11
110
10   9

6
30
5   10

6
64
8   8

Fill in the outer rings by multiplying each number by the times table in the middle.

21
12   3   5
11   7x   6
10   9   8

12   2   4
10   9x   5
9   7   6

Times Table Square

This times table square can help you find the answers to any times table question. For example, if you want the answer to 7 x 5, run your finger down from the 7 in the red row and along from the 5 in the green column. Where they meet is the answer: 35. Try it out for yourself...

Pick a number in the green column...

...and a number in the red row.

X	1	2	3	4	5	6	7	8	9	10	11	12
1	1	2	3	4	5	6	7	8	9	10	11	12
2	2	4	6	8	10	12	14	16	18	20	22	24
3	3	6	9	12	15	18	21	24	27	30	33	36
4	4	8	12	16	20	24	28	32	36	40	44	48
5	5	10	15	20	25	30	35	40	45	50	55	60
6	6	12	18	24	30	36	42	48	54	60	66	72
7	7	14	21	28	35	42	49	56	63	70	77	84
8	8	16	24	32	40	48	56	64	72	80	88	96
9	9	18	27	36	45	54	63	72	81	90	99	108
10	10	20	30	40	50	60	70	80	90	100	110	120
11	11	22	33	44	55	66	77	88	99	110	121	132
12	12	24	36	48	60	72	84	96	108	120	132	144

Finding the answer is easy!

The answers repeat either side of this pink line.

119

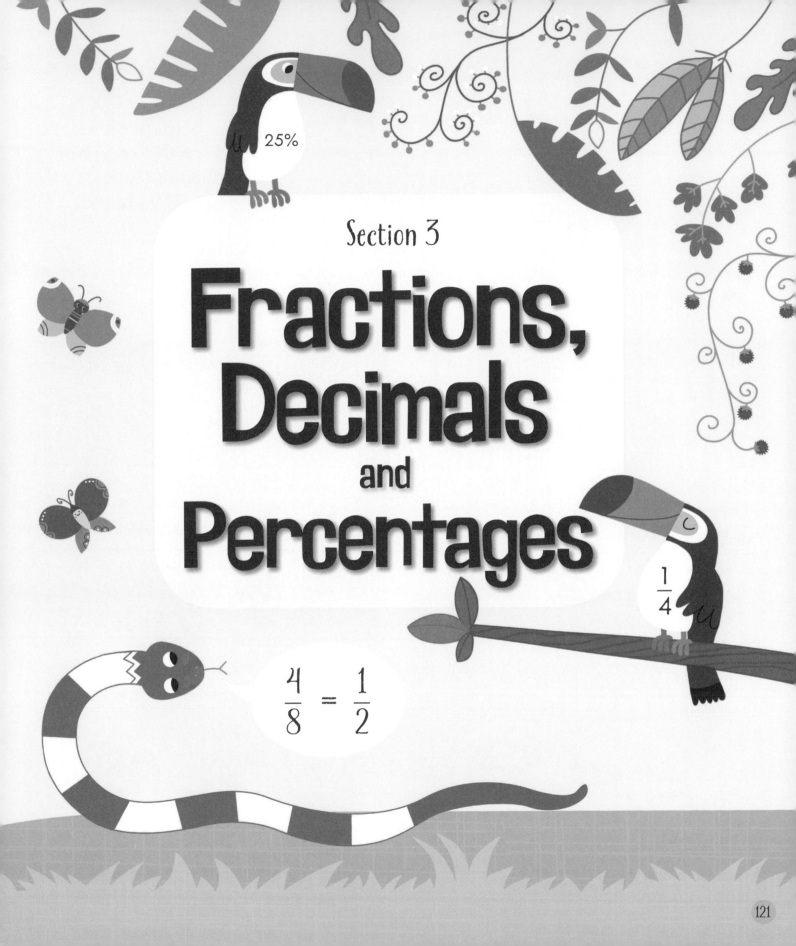

Section 3

Fractions, Decimals and Percentages

25%

$\frac{1}{4}$

$$\frac{4}{8} = \frac{1}{2}$$

What are fractions?

This section of the book is all about fractions. A fraction just means an equal part or share of something.

Turn to page 179 to see all the most common fractions together in a 'fraction wall'.

For example, if you shared this cookie equally between two people, they'd get one half each.

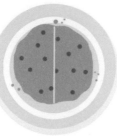

One half is also written like this:

The top number is called the *numerator*.

$\dfrac{1}{2}$

The bottom number is called the *denominator*.

These are fractions, because they're equal shares.

half $\dfrac{1}{2}$

quarter $\dfrac{1}{4}$

third $\dfrac{1}{3}$

fifth $\dfrac{1}{5}$

These *aren't* fractions, because the shares *aren't* equal.

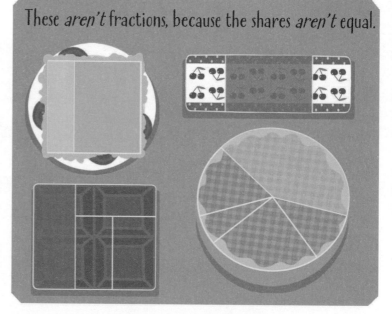

If you cut a pizza into three, and have one slice, that's...

$\dfrac{1}{3}$ one part...

out of three parts...

...or one third.

If you have two slices, that's...

two parts...

out of three parts...

$\dfrac{2}{3}$

...or two thirds of a pizza.

122

Using fractions

Fractions are a way of dividing.

For example, to divide 1 chocolate bar between 4...

...you put what you're dividing on top, and the amount you're dividing *by* on the bottom.

$$\frac{1}{4}$$

So we all get $\frac{1}{4}$ of the bar!

Sometimes, the result will be more than one.

For example, if you divide 3 cakes between 2 mice...

...each mouse will get three halves...

$$\frac{3}{2}$$

...which is the same as 1 and a half.

This is called an *improper* fraction. Find out more on page 132.

You can show fractions on a number line, according to their size.

0   $\frac{1}{10}$ $\frac{1}{5}$ $\frac{1}{4}$ $\frac{1}{3}$ $\frac{1}{2}$ $\frac{2}{3}$ $\frac{3}{4}$ 1

But remember that the *actual* value of a fraction depends on what you had to start with.

What's a half of 10 candy canes?

$$\frac{1}{2} \text{ of } 10 = 5$$

What's a half of 12 cookies?

$$\frac{1}{2} \text{ of } 12 = 6$$

$\frac{1}{2}$ of 12 is the same as $\frac{1}{2}$ *multiplied by* 12. Find out more on page 136.

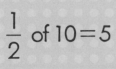

123

Halves, thirds and quarters

Fractions have to be the same *size*.

I have a whole circle.

I have two halves of a circle.

I *don't* have halves — just two pieces.

But fractions don't have to be the same *shape*.

We've both got a quarter of our sandwich.

Each sandwich is split into 4 equal pieces.

Can you spot a mouse who has eaten a quarter of its cheese, and a mouse who has eaten a half? Circle them both.

A whole cheese looks like this.

These jars were full before the mice got to them. Write the fraction that's *missing* underneath each one.

The actual value of a fraction depends on how much you have to start with.

The brown mouse eats $\frac{1}{4}$ of the chunks of cheese. Then, the white mouse eats $\frac{1}{3}$ of what's left. Draw a circle around each mouse and the chunks of cheese it eats.

Half of these mice are brown, a third of them are black and the rest are white. Can you colour them in?

Which mouse below eats more?

I'm going to eat $\frac{1}{4}$ of these cookies.

I'll munch through $\frac{1}{3}$ of these.

125

How many shares?

The numerator (the number on top) tells you how many shares you have.

$\frac{1}{3}$

The numerator is one, so you have one third.

$\frac{2}{3}$

A two means you've got two thirds.

$\frac{3}{3}$

Three thirds make a whole.

Draw a line between each customer and their ice cream.

Three customers are sharing two ice creams between them. How much will they get each?

Circle the answer. $\frac{1}{2}$ $\frac{3}{4}$ $\frac{2}{3}$

Mine is half strawberry and half chocolate.

Mine is three fifths vanilla.

Mine is two thirds mint.

There's been an order for ten ice cream sundaes. Can you answer the questions underneath?

Of the sundaes, what fraction has sprinkles? $\frac{}{10}$

What fraction has pink ice cream? $\frac{}{10}$

What fraction has orange ice cream? $\frac{}{10}$

What fraction has strawberries? $\frac{}{10}$

Colour in the ice cream cakes according to the recipes.

Recipe
$\frac{1}{2}$ chocolate
$\frac{2}{6}$ raspberry
$\frac{1}{6}$ mint

Recipe
$\frac{1}{6}$ vanilla
$\frac{1}{6}$ chocolate
$\frac{2}{3}$ mango

Recipe
$\frac{1}{6}$ mango
$\frac{1}{3}$ blackberry
$\frac{1}{2}$ raspberry

Recipe
$\frac{1}{3}$ blueberry
$\frac{1}{3}$ mint
$\frac{1}{3}$ vanilla

127

Equivalent fractions

Fractions with the same value are called *equivalent* fractions.

For example...

$$\frac{1}{2} = \frac{2}{4} = \frac{4}{8}$$

$$\frac{1}{3} = \frac{2}{6} = \frac{4}{12}$$

You'll find a bigger fraction wall on page 178.

$\frac{1}{2}$				$\frac{1}{2}$			
$\frac{1}{4}$		$\frac{1}{4}$		$\frac{1}{4}$		$\frac{1}{4}$	
$\frac{1}{8}$	$\frac{1}{8}$	$\frac{1}{8}$	$\frac{1}{8}$	$\frac{1}{8}$	$\frac{1}{8}$	$\frac{1}{8}$	$\frac{1}{8}$

You can find equivalent fractions using fraction walls, like these.

$\frac{1}{3}$				$\frac{1}{3}$				$\frac{1}{3}$			
$\frac{1}{6}$		$\frac{1}{6}$		$\frac{1}{6}$		$\frac{1}{6}$		$\frac{1}{6}$		$\frac{1}{6}$	
$\frac{1}{12}$	$\frac{1}{12}$	$\frac{1}{12}$	$\frac{1}{12}$	$\frac{1}{12}$	$\frac{1}{12}$	$\frac{1}{12}$	$\frac{1}{12}$	$\frac{1}{12}$	$\frac{1}{12}$	$\frac{1}{12}$	$\frac{1}{12}$

Join each owl to the baby owl with the equivalent fraction.

$\frac{6}{12}$　$\frac{3}{6}$　$\frac{4}{12}$

$\frac{2}{6}$　$\frac{1}{4}$　$\frac{2}{8}$

Join up the acorns which show equivalent fractions.

$\frac{3}{4}$　$\frac{2}{8}$　$\frac{6}{8}$　$\frac{2}{12}$　$\frac{1}{2}$　$\frac{1}{4}$　$\frac{4}{8}$　$\frac{1}{6}$

Three of the fractions on each branch are equivalent. Can you circle the ones that *aren't* the same?

$\frac{8}{12}$ $\frac{4}{6}$ $\frac{3}{4}$ $\frac{2}{3}$

$\frac{2}{4}$ $\frac{4}{8}$

$\frac{1}{4}$ $\frac{1}{2}$ $\frac{2}{6}$ $\frac{4}{12}$

$\frac{1}{3}$ $\frac{3}{8}$

Can you add spots to the eggs in the nests?

$\frac{1}{3}$ of these eggs need spots.

$\frac{1}{2}$ of these eggs need spots.

$\frac{3}{4}$ of these eggs need spots.

$\frac{2}{3}$ of these eggs need spots.

$$\frac{1}{3} = \frac{}{6}$$

$$\frac{1}{2} = \frac{}{4}$$

$$\frac{3}{4} = \frac{}{8}$$

$$\frac{2}{3} = \frac{}{6}$$

Help the baby bird find the nest with the right fraction, using her clue.

The fraction is bigger than $\frac{1}{4}$, but smaller than $\frac{3}{4}$.

Use the fraction wall to help you compare.

$\frac{1}{8}$ $\frac{3}{8}$ $\frac{7}{8}$ $\frac{6}{8}$

Simplifying fractions

Simplifying a fraction means converting it into an equivalent fraction with a smaller denominator (bottom).

To do this, you divide the top and the bottom by the same number.

For example:

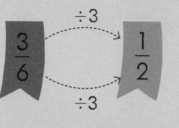

$$\frac{3}{6} \xrightarrow{\div 3} \frac{1}{2}$$
(÷3 below)

It can be easier to simplify in stages.

$$\frac{8}{24} \xrightarrow{\div 2} \frac{4}{12} \xrightarrow{\div 4} \frac{1}{3}$$
(÷2 and ÷4 below)

Keep going until you can't divide the top and bottom by the same number any more.

Circle the fractions that can't be simplified any further.

$\frac{6}{8}$ $\frac{6}{13}$ $\frac{4}{16}$ $\frac{4}{7}$ $\frac{6}{10}$

Simplify the fractions on the kennels, then match them up with the dogs.

$\frac{5}{10}$ $\frac{4}{6}$ $\frac{9}{12}$ $\frac{2}{8}$

$\frac{3}{4}$ $\frac{1}{2}$ $\frac{1}{4}$ $\frac{2}{3}$

Simplify the fractions on the dog treats by dividing the top and the bottom by the same number.

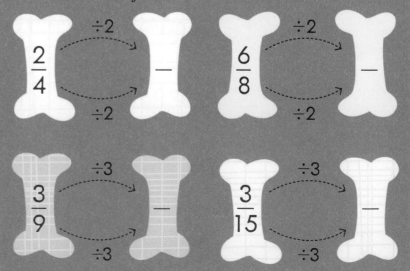

$$\frac{2}{4} \xrightarrow{\div 2} \underline{\quad}$$

$$\frac{6}{8} \xrightarrow{\div 2} \underline{\quad}$$

$$\frac{3}{9} \xrightarrow{\div 3} \underline{\quad}$$

$$\frac{3}{15} \xrightarrow{\div 3} \underline{\quad}$$

Six dogs have had their photographs taken. Can you answer the questions below?
Don't forget to simplify your answers.

🐾 Of all the dogs, what fraction has a collar?

🐾 Of the collars, what fraction is pink?

🐾 Of all the dogs, what fraction has bows?

🐾 Of the bows, what fraction is yellow?

$$\frac{}{6} = \frac{}{3}$$

$$\frac{}{4} = \frac{}{}$$

$$\frac{}{6} = \frac{}{}$$

$$\frac{}{9} = \frac{}{}$$

It's time to announce the results of a dog show! Simplify the fractions on the banner, then match the simplified fractions with the fractions below the dogs, adding in the letters to spell out their names.

A	E	S	L	K	F	C	I	O
$\frac{8}{12} = \frac{}{}$	$\frac{6}{10} = \frac{}{}$	$\frac{3}{15} = \frac{}{}$	$\frac{5}{10} = \frac{}{}$	$\frac{4}{16} = \frac{}{}$	$\frac{3}{9} = \frac{}{}$	$\frac{2}{12} = \frac{}{}$	$\frac{6}{8} = \frac{}{}$	$\frac{10}{12} = \frac{}{}$

$\frac{1}{3}$ $\frac{1}{2}$ $\frac{3}{4}$ $\frac{1}{6}$ $\frac{1}{4}$

$\frac{1}{5}$ $\frac{5}{6}$ $\frac{1}{6}$ $\frac{1}{4}$ $\frac{1}{5}$

$\frac{2}{3}$ $\frac{1}{2}$ $\frac{1}{3}$ $\frac{3}{4}$ $\frac{3}{5}$

Proper, improper and mixed fractions

This is a *proper* fraction.

$$\frac{3}{4}$$

The numerator is smaller than the denominator.

This is an *improper* fraction.

$$\frac{5}{4}$$

The numerator is *bigger* than the denominator.

You can convert an improper fraction into a *mixed* fraction, like this.

$$\frac{5}{4} = 1\frac{1}{4}$$

Four quarters make a whole, so $\frac{5}{4}$ is one whole plus one quarter.

These knights are battling a fierce dragon. Finish the dragon using the clues.

- All the *proper* fractions are red.
- All the *improper* fractions are yellow.
- All the *mixed* fractions are green.

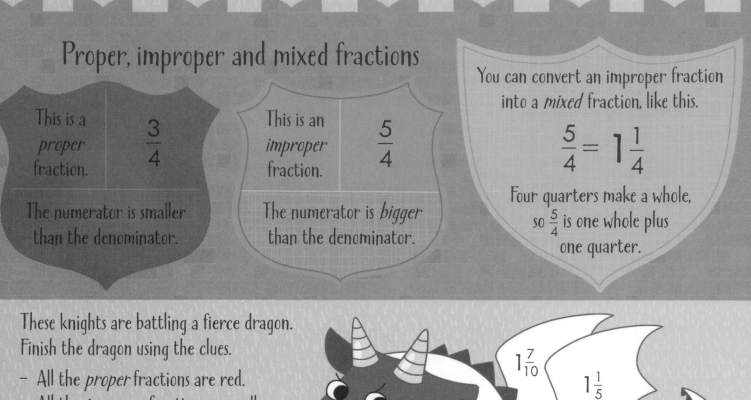

The knight with the biggest number defeated the dragon. Convert the fractions to find out which one it was.

The knights are making their way back to the castle. Can you convert the improper fractions into mixed fractions, to find their route?

Pass the fractions in this order...
$\frac{8}{5}$ $\frac{7}{4}$ $\frac{10}{9}$ $\frac{5}{2}$ $\frac{5}{3}$ $\frac{9}{4}$

You could convert the fractions here first.

$\frac{8}{5} =$

$\frac{7}{4} =$

$\frac{10}{9} =$

$\frac{5}{2} =$

$\frac{5}{3} =$

$\frac{9}{4} =$

It's time for a feast. Are there enough pies for all the knights to have the amount they want?   YES / NO
Hint: Try drawing thirds on the pies first.

Using fractions to divide

Fractions are a way of sharing or dividing.

For example, to divide 2 jars of treats between 5 party bags...

...you put the number of things you're dividing on top...

...and the number you're dividing *by* on the bottom.

$$\frac{2}{5}$$

So each party bag will have $\frac{2}{5}$ of a jar.

If you divided these 3 birthday cakes between 4 plates, how many slices would be on each plate? Draw them on.

What fraction of a whole cake is on each plate? ☐

Share 2 pineapple pizzas between 3 guests.

Share 4 pepperoni pizzas between 7 guests.

Share 5 mushroom pizzas between 6 guests.

Each person gets ☐ of a pizza.   Each person gets ☐ of a pizza.   Each person gets ☐ of a pizza.

Answer these questions to share out the party food. Remember to simplify your answers.

Divide 4 cartons of juice between 6 cups. What fraction of a carton will be in each cup?

Share 4 cartons of popcorn between 8 bowls. What fraction of a carton will be in each bowl?

Share 3 slices of melons between 6 plates. What fraction of a slice will be on each plate?

$$\frac{4}{6} = \frac{}{3}$$

$$\frac{}{} = \frac{}{}$$

$$\frac{}{} = \frac{}{}$$

Cross out the balloons which match the clues below. Which balloon *doesn't* match? Circle it.

$5 \div 2$ $6 \div 9$ $8 \div 5$ $2 \div 4$ $3 \div 9$ $6 \div 5$

$1\frac{1}{5}$ $\frac{1}{3}$ $1\frac{2}{3}$ $2\frac{1}{2}$ $\frac{2}{3}$ $\frac{1}{2}$ $1\frac{3}{5}$

Finding a fraction of a number

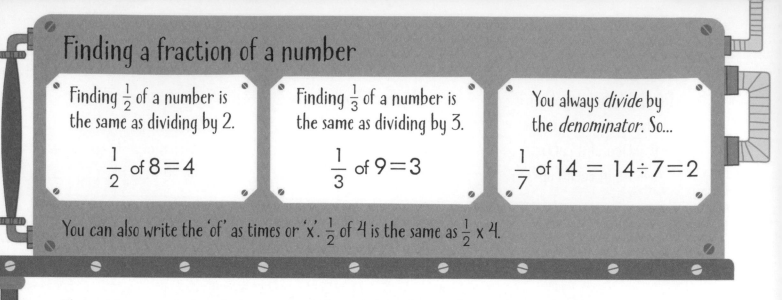

Finding $\frac{1}{2}$ of a number is the same as dividing by 2.

$$\frac{1}{2} \text{ of } 8 = 4$$

Finding $\frac{1}{3}$ of a number is the same as dividing by 3.

$$\frac{1}{3} \text{ of } 9 = 3$$

You always *divide* by the *denominator*. So...

$$\frac{1}{7} \text{ of } 14 = 14 \div 7 = 2$$

You can also write the 'of' as times or 'x'. $\frac{1}{2}$ of 4 is the same as $\frac{1}{2}$ x 4.

These robots are finding fractions of numbers. Write the number each one should divide by on the dotted line, then write the answer in the white circle. The first one has been done for you.

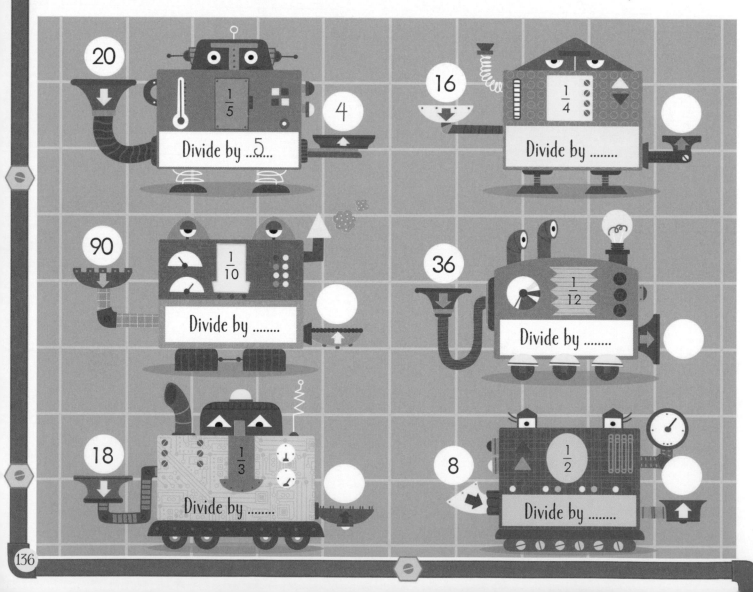

20 · $\frac{1}{5}$ · 4 · Divide by ...5...

16 · $\frac{1}{4}$ · Divide by ....

90 · $\frac{1}{10}$ · Divide by ....

36 · $\frac{1}{12}$ · Divide by ....

18 · $\frac{1}{3}$ · Divide by ....

8 · $\frac{1}{2}$ · Divide by ....

It's a busy day at the robot factory. Can you work out how many boxes each robot has delivered?

I've delivered $\frac{1}{4}$ of my 12 boxes.

..... boxes

I have 15 boxes to deliver, and I've done $\frac{1}{3}$.

..... boxes

I've delivered half of my 18 boxes.

..... boxes

I've delivered $\frac{1}{3}$ of my 15 boxes.

..... boxes

This robot is packing a box full of spare parts. Can you find his route around the factory, picking up parts on the way? Follow the order shown on the right.

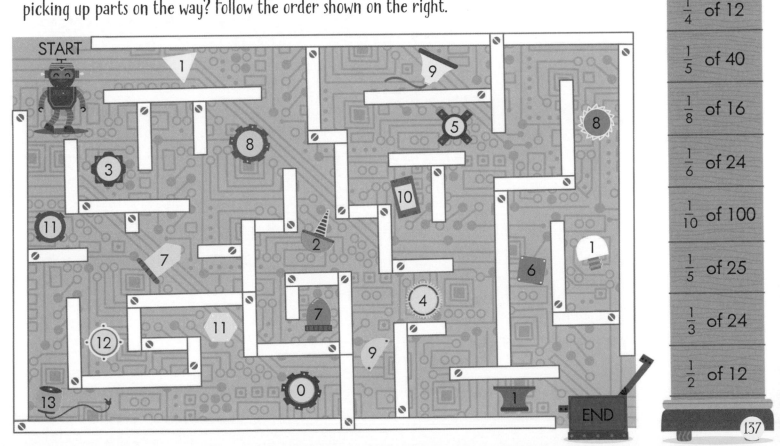

$\frac{1}{4}$ of 12

$\frac{1}{5}$ of 40

$\frac{1}{8}$ of 16

$\frac{1}{6}$ of 24

$\frac{1}{10}$ of 100

$\frac{1}{5}$ of 25

$\frac{1}{3}$ of 24

$\frac{1}{2}$ of 12

Finding more fractions

To find a fraction of a number when the numerator is more than one, you *divide* by the denominator, then *multiply* the result by the numerator.

For example...

I spent $\frac{2}{3}$ of my 15 coins at the last port.

How many coins did she spend?

Divide by the denominator (bottom) to find one third.

$15 \div 3 = 5$

Multiply the result by the numerator (top) to find two thirds.

$5 \times 2 = 10$ coins

Try it yourself here...

What's $\frac{3}{10}$ of 60 gold coins?

First, find a tenth.

$60 \div$

Then multiply your answer by the numerator to find three tenths.

The chest with the biggest answer contains the most treasure. Can you work out which one it is, and draw an X on it?

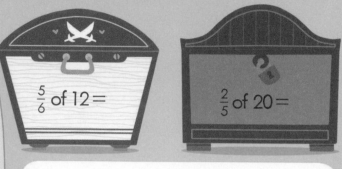

$\frac{5}{6}$ of 12 =

$\frac{2}{5}$ of 20 =

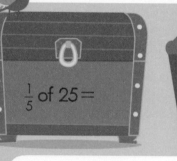

$\frac{1}{5}$ of 25 =

$\frac{3}{4}$ of 16 =

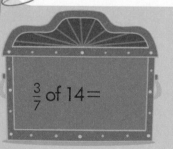

$\frac{3}{7}$ of 14 =

$\frac{3}{8}$ of 24 =

Solve the questions on the right below. Then join the numbers in order, using straight lines, to find the pirate ship's route around the islands to the treasure. Does the route avoid whirlpools and sharks?

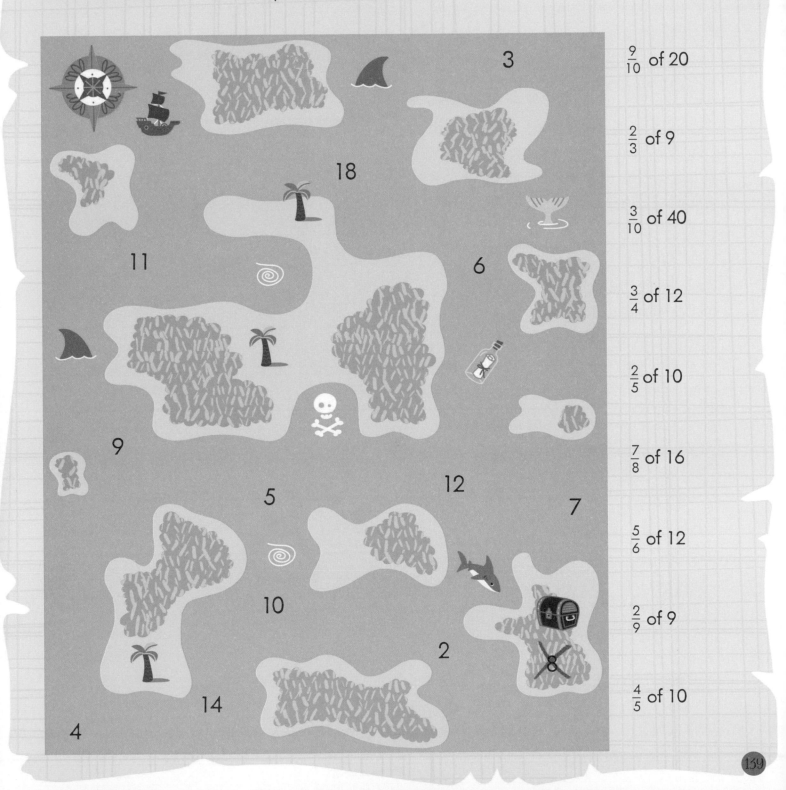

$\frac{9}{10}$ of 20

$\frac{2}{3}$ of 9

$\frac{3}{10}$ of 40

$\frac{3}{4}$ of 12

$\frac{2}{5}$ of 10

$\frac{7}{8}$ of 16

$\frac{5}{6}$ of 12

$\frac{2}{9}$ of 9

$\frac{4}{5}$ of 10

Comparing fractions

It's easier to compare fractions if they have a shared or *common* denominator.

For example...

What's bigger: $\frac{2}{3}$ or $\frac{3}{5}$?

To find the common denominator, multiply together the two denominators you started with.

$$3 \times 5 = 15$$

That tells you that both fractions can be converted into fifteenths.

This is how you do it...

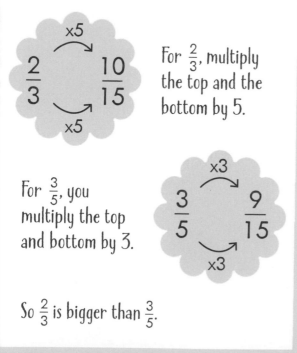

For $\frac{2}{3}$, multiply the top and the bottom by 5.

$$\frac{2}{3} \xrightarrow{\times 5} \frac{10}{15}$$

For $\frac{3}{5}$, you multiply the top and bottom by 3.

$$\frac{3}{5} \xrightarrow{\times 3} \frac{9}{15}$$

So $\frac{2}{3}$ is bigger than $\frac{3}{5}$.

Circle the best deal on this market stall. (You're looking for the biggest fraction.) The common denominator is 15 (5x3).

T-SHIRTS $\frac{2}{3}$ off!

SCARVES $\frac{4}{5}$ off!

$$\frac{2}{3} \xrightarrow[\times 5]{\times 5} \overline{15}$$

$$\frac{4}{5} \xrightarrow[\times 3]{\times 3} \overline{15}$$

What about this stall? Find the common denominator by multiplying the two denominators together.

BAGS $\frac{1}{2}$ off!

DRESSES $\frac{4}{7}$ off!

$$\frac{1}{2} \xrightarrow[\times]{\times} —$$

$$\frac{4}{7} \xrightarrow[\times]{\times} —$$

Which stall has sold the biggest fraction?

I've sold $\frac{3}{5}$ of my hats.

I've sold $\frac{3}{4}$ of my watches.

Use this space for any working out.

Follow the clues below to decorate the shoppers' bags. You can convert the fractions in your head, or use the space below.

The bag with the smallest fraction has stripes.

The bag with the biggest fraction has spots.

The bag with zigzags has a bigger fraction than the bag with flowers.

141

Adding and subtracting fractions

When fractions have matching denominators, you can add or subtract the numerators like this.

$$\frac{3}{7} + \frac{2}{7} = \frac{5}{7}$$

$$\frac{5}{9} - \frac{3}{9} = \frac{2}{9}$$

If the denominators *don't* match...

What's $\frac{3}{4}$ plus $\frac{2}{3}$?

...you need to convert the fractions so that they do...

$$\frac{3}{4} \overset{\times 3}{\underset{\times 3}{=}} \frac{9}{12} \qquad \frac{2}{3} \overset{\times 4}{\underset{\times 4}{=}} \frac{8}{12}$$

...before you add.

$$\frac{9}{12} + \frac{8}{12} = \frac{17}{12} = 1\frac{5}{12}$$

The big goat eats two thirds of the food in the trough and the kid eats a sixth. How much is that altogether?
(Hint: Convert the first fraction into sixths.)

$$\frac{2}{3} + \frac{1}{6} =$$

Follow the clues to colour in the horses in their stable.

GREY: the sum on the stall equals 1
BROWN: the sum on the stall equals $\frac{1}{2}$
BLACK: the sum on the stall equals $1\frac{1}{2}$

Use this space for working.

$$\frac{1}{3} + \frac{1}{6}$$

$$\frac{2}{3} + \frac{5}{6}$$

$$\frac{3}{7} + \frac{4}{7}$$

Can you find the sum of all the fractions on the sheep?

It's feeding time at the farm. Can you work out how many bags of seed the birds eat in total?

- Each chicken eats $\frac{1}{4}$ of a bag of seed.
- Each chick eats *half* as much as a chicken.
- Each rooster eats *twice* as much as a chicken.

Use this space for working.

bags of seed

143

Each monkey had 6 bananas to begin with. What fraction does each one have left?
Use this space for your working out, and remember to simplify your answers.

Colour in the frogs on these leaves, so $\frac{2}{5}$ of the frogs are yellow, and $\frac{3}{10}$ of the frogs are red.

Three toucans are sharing eight mangoes equally. What fraction will they get each?

Figure out the answers to the questions below, then circle the butterfly that *doesn't* show an answer from the list.

$\frac{5}{6}$ of 18

$\frac{1}{2}$ of 12

$\frac{3}{4}$ of 16

$\frac{4}{7}$ of 14

$\frac{1}{5}$ of 15

$\frac{3}{7}$ of 21

$\frac{7}{10}$ of 30

6   18   3   12

8   9   15   21

Shade the snakes' bodies following the fractions.

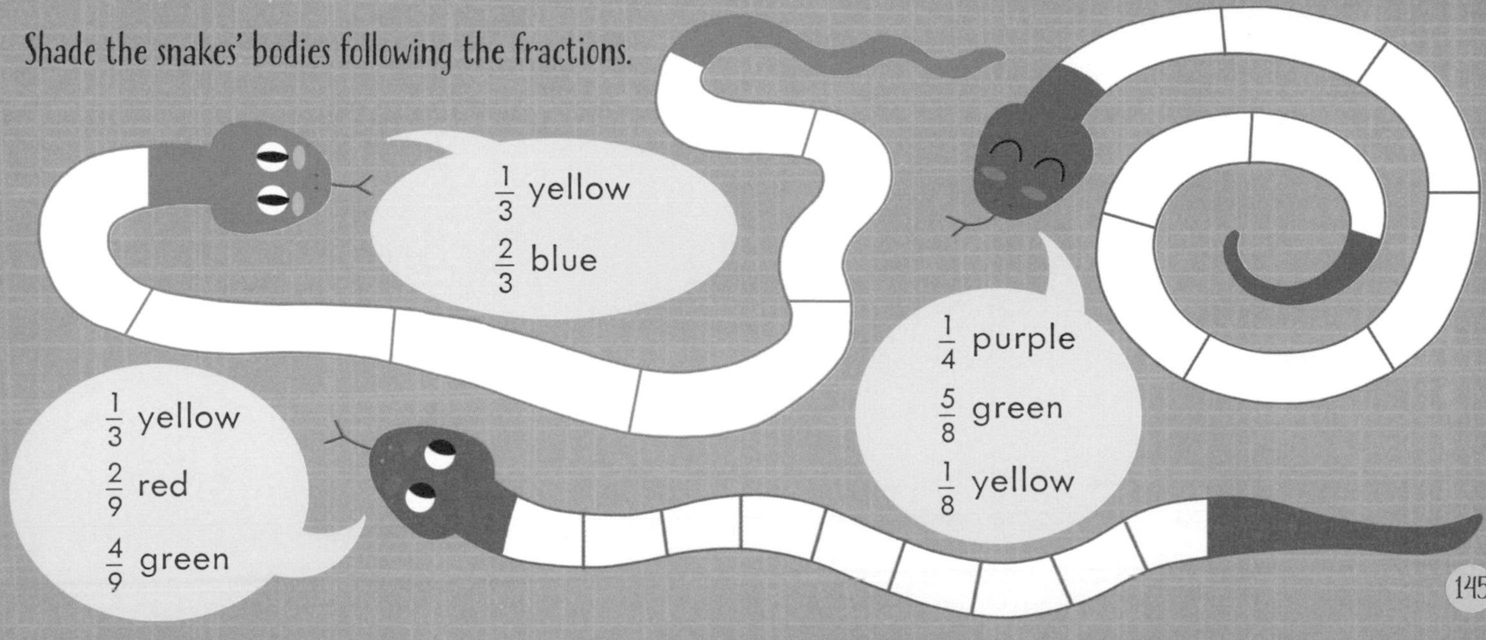

$\frac{1}{3}$ yellow
$\frac{2}{3}$ blue

$\frac{1}{4}$ purple
$\frac{5}{8}$ green
$\frac{1}{8}$ yellow

$\frac{1}{3}$ yellow
$\frac{2}{9}$ red
$\frac{4}{9}$ green

145

What fraction of each shape is shaded?
Write your answers in the boxes.

Check your answers at the back of the book, then write your score in the box.

Score

$\dfrac{}{8}$

Star

Simplify these fractions.

$$\frac{3}{12} =$$

$$\frac{4}{10} =$$

$$\frac{3}{6} =$$

$$\frac{14}{20} =$$

Convert these improper fractions into mixed fractions.

$$\frac{7}{4} =$$

$$\frac{10}{3} =$$

$$\frac{17}{8} =$$

Score

$\dfrac{}{7}$

Star

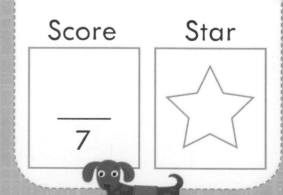

Find the value of these fractions.

$\frac{2}{3}$ of 15 =

$\frac{3}{4}$ of 12 =

$\frac{3}{10}$ of 30 =

$\frac{4}{7}$ of 21 =

$\frac{5}{6}$ of 18 =

$\frac{1}{4}$ of 20 =

Score

$\frac{}{6}$

Star

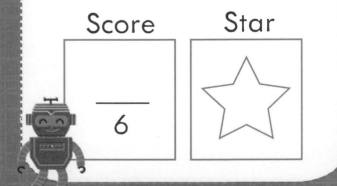

Find the answers to these fraction questions, and simplify your answers.

$\frac{2}{3} + \frac{2}{3} =$

$\frac{1}{3} - \frac{1}{6} =$

$\frac{4}{5} - \frac{3}{10} =$

$\frac{1}{12} + \frac{2}{6} =$

$\frac{3}{5} + \frac{2}{10} =$

$\frac{1}{3} - \frac{1}{4} =$

Score

$\frac{}{6}$

Star

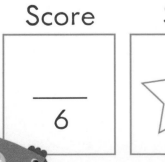

What are decimals?

This section of the book is all about decimals. Decimals are another way of writing fractions out of 10, 100 or 1,000 (or other tens of tens), like this...

$\frac{1}{10}$ 0.1

$\frac{1}{100}$ 0.01

$\frac{1}{1000}$ 0.001

Decimals are written using *place value*, which means that *where* a number goes tells you how much it's worth.

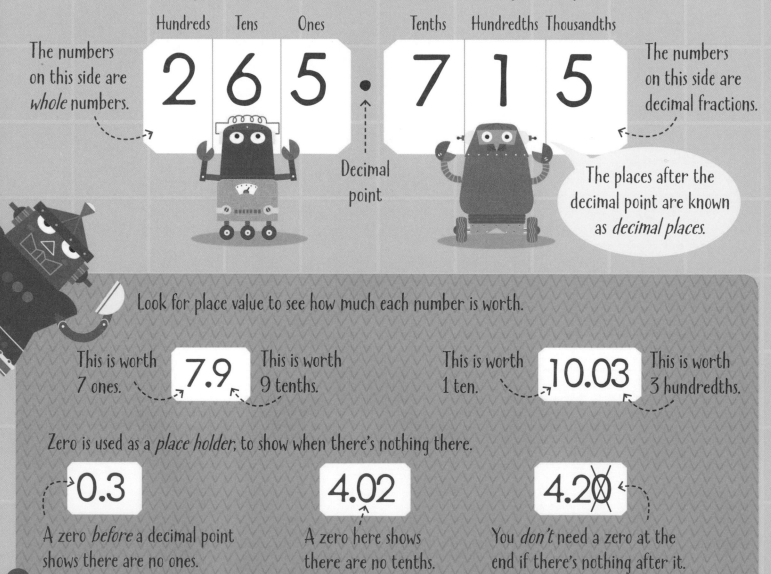

Hundreds Tens Ones   Tenths Hundredths Thousandths

The numbers on this side are *whole* numbers.

2 6 5 . 7 1 5

Decimal point

The numbers on this side are decimal fractions.

The places after the decimal point are known as *decimal places*.

Look for place value to see how much each number is worth.

This is worth 7 ones.   **7.9**   This is worth 9 tenths.

This is worth 1 ten.   **10.03**   This is worth 3 hundredths.

Zero is used as a *place holder*, to show when there's nothing there.

0.3

A zero *before* a decimal point shows there are no ones.

4.02

A zero here shows there are no tenths.

4.2~~0~~

You *don't* need a zero at the end if there's nothing after it.

148

Converting decimals

When you're converting fractions into decimals – and the other way around – it helps to remember how many decimal places you'll need.

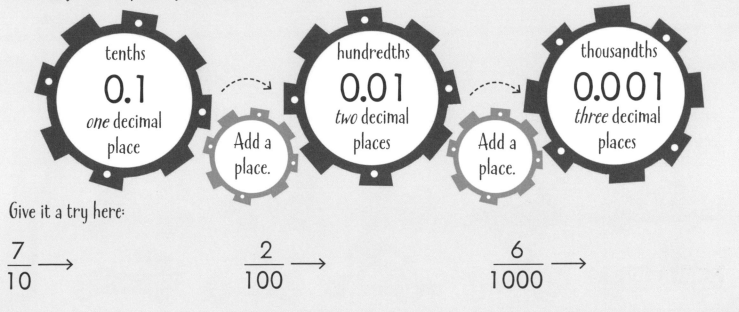

tenths
0.1
one decimal place

Add a place.

hundredths
0.01
two decimal places

Add a place.

thousandths
0.001
three decimal places

Give it a try here:

$\dfrac{7}{10} \longrightarrow$ $\dfrac{2}{100} \longrightarrow$ $\dfrac{6}{1000} \longrightarrow$

Number lines

On a number line, decimals come between the whole numbers. Can you fill in the gaps?

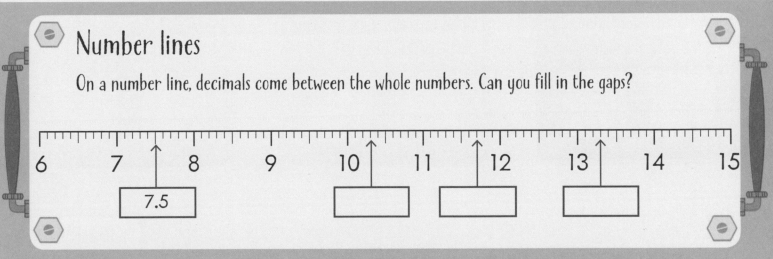

7.5

Some decimals may be more precise than you need. Finding the nearest whole number or the nearest tenth can make the numbers easier to handle. This is called *rounding*.

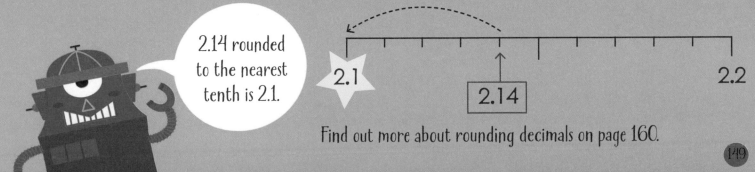

2.14 rounded to the nearest tenth is 2.1.

2.1

2.14

2.2

Find out more about rounding decimals on page 160.

Tenths

When you're converting fractions into decimals, remember to think about place value. Try these fractions with tenths first.

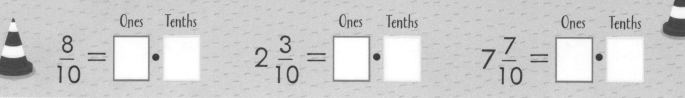

$\frac{8}{10}$ = ☐ Ones • ☐ Tenths

$2\frac{3}{10}$ = ☐ Ones • ☐ Tenths

$7\frac{7}{10}$ = ☐ Ones • ☐ Tenths

There are ten cars waiting at the traffic lights. Can you answer the questions below, and then convert your fractions into decimals?

Of all the cars, what fraction is red?

Fraction ☐   Decimal ☐

Of all the cars, what fraction has an open top?

Fraction ☐   Decimal ☐

Of all the cars, what fraction is blue?

Fraction ☐   Decimal ☐

Which space *hasn't* been reserved? Draw a line from the car to it.

Which space is left for me?

0.7   0.9   1.1   0.4

2.1   1.2   0.2   0.5

RESERVED SPACES

$\frac{9}{10}$ $\frac{5}{10}$ $\frac{4}{10}$

$1\frac{1}{10}$ $\frac{7}{10}$

$1\frac{2}{10}$ $2\frac{1}{10}$

Hundredths

Can you convert these fractions with hundredths into decimals?

$$\frac{4}{100} = \boxed{} \cdot \boxed{} \boxed{}$$

Ones　Tenths　Hundredths

$$\frac{36}{100} = \boxed{} \cdot \boxed{} \boxed{}$$

Ones　Tenths　Hundredths

If there are no tenths, put a 0 in the tenths column.

(36 hundredths is the same as 3 tenths and 6 hundredths.)

Remember that hundredths need two decimal places.

Fill in the picture, matching the decimals to the fractions below to find the correct colours.

$\frac{1}{100}$　$\frac{5}{100}$

$\frac{15}{100}$　$\frac{25}{100}$

$\frac{50}{100}$　$\frac{75}{100}$

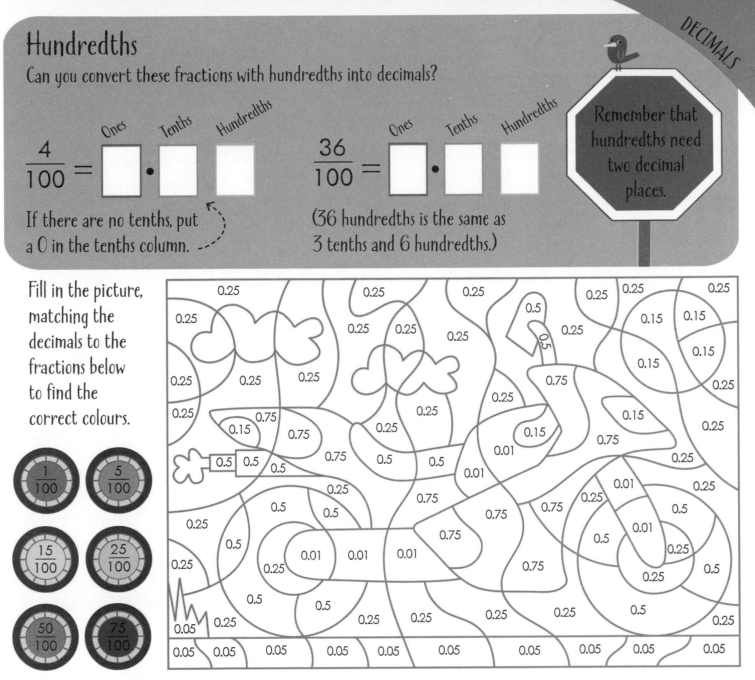

These cars are waiting to fill up. They'll go in order, from the smallest number to the biggest number.
Can you work out the order, then write 1ˢᵗ, 2ⁿᵈ, 3ʳᵈ, 4ᵗʰ and 5ᵗʰ next to the cars?

0.3　0.6　3.6　$\frac{36}{100}$　$\frac{6}{100}$

Decimal measurements

Decimals are useful when you're measuring in metric.

There are 10 millimetres (mm) in a centimetre (cm) and 100 cm in a metre (m).

10 mm = 1 cm
1 mm = 0.1 cm

100 cm = 1 m
10 cm = 0.1 m
1 cm = 0.01 m

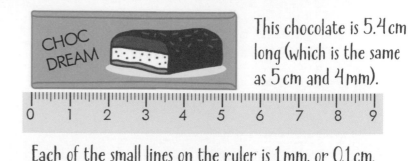

CHOC DREAM

This chocolate is 5.4 cm long (which is the same as 5 cm and 4 mm).

Each of the small lines on the ruler is 1 mm, or 0.1 cm.

What are the lengths of these sweets? Write your answers in the boxes, using decimals.

cm

0 1 2 3 4 5 6 7 8 9 10

Start measuring at 0.

cm

0 1 2 3 4 5 6 7 8 9 10

cm

0 1 2 3 4 5 6 7 8 9 10

Circle the bag of flour this customer should buy.

My recipe needs 1,200 g of flour.

0.2 kg

1 kg

1.2 kg

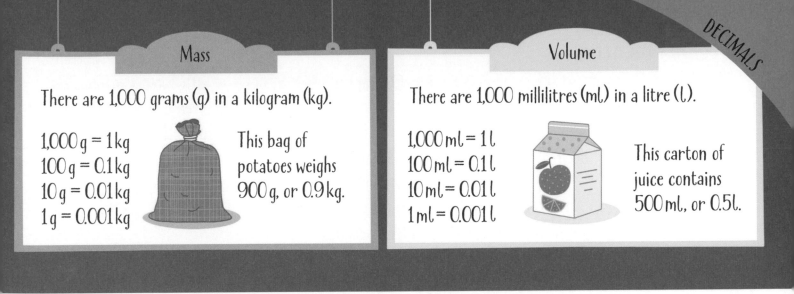

Mass

There are 1,000 grams (g) in a kilogram (kg).

1,000 g = 1 kg
100 g = 0.1 kg
10 g = 0.01 kg
1 g = 0.001 kg

This bag of potatoes weighs 900 g, or 0.9 kg.

Volume

There are 1,000 millilitres (ml) in a litre (l).

1,000 ml = 1 l
100 ml = 0.1 l
10 ml = 0.01 l
1 ml = 0.001 l

This carton of juice contains 500 ml, or 0.5 l.

Find the items on the shelves that match the shopping list exactly, and circle them.

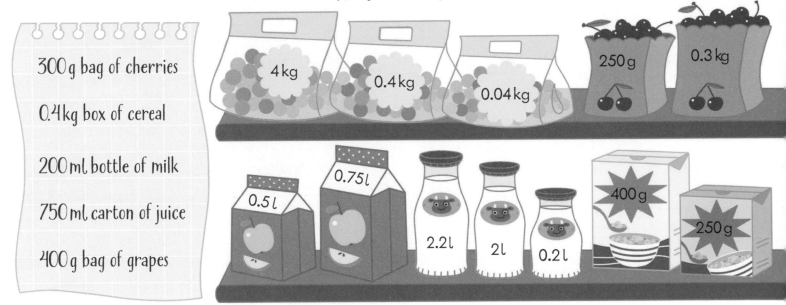

300 g bag of cherries

0.4 kg box of cereal

200 ml bottle of milk

750 ml carton of juice

400 g bag of grapes

Circle the product in each pair which has *more*.

BAKING PAPER 10 m

BAKING PAPER 1700 cm

400 g

0.45 kg

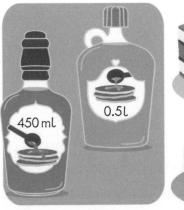

450 ml

0.5 l

0.08 kg

70 g

153

Decimal money

Many types of money, including pounds (£), dollars ($) and Euros (€), use decimal places.

Money is always written with two decimal places, even if there's nothing after the decimal point.

Whole pounds, (or dollars or Euros) go on this side.

decimal point

Pennies or cents go on this side. (A hundred pennies make a pound, so each penny is 0.01 pounds.)

£14.05

£14.00

Join up the pair of items that you could buy for exactly £1.00. Then join the pairs you could buy for exactly £2.00, for exactly £3.00 and for exactly £4.00.

£0.86

£0.14

£1.99

£0.75

£1.25

£1.66

£1.34

£2.01

How much will everything cost?

€15.55

€1.23

€0.77

€2.45

TOTAL

€

Will I get any change from a €20.00 note?

YES / NO

Look out for pairs which add up to whole Euros.

154

Some of the numbers are missing on these receipts. Can you fill in the blanks?
You could count on from the first price until you get to the total.

light bulb	£4.50
lampshade	
TOTAL	£11.00

tap	$15.00
mop	
TOTAL	$20.60

wood glue	€2.40
planks	
TOTAL	€12.60

What are the new prices? Fill in the labels.

SUPER SUMMER SALE!

Everything HALF price.

WAS $4.50 NOW $

WAS $3.20 NOW $

WAS $5.00 NOW $

How much will each person pay?

Pink paint £0.50 per 100 ml	Blackboard paint £0.60 per 100 ml	Glow in the dark paint £1.20 per 100 ml

£.......

£.......

£.......

I need 500 ml of pink paint for my bedroom door.

I need 0.5l of blackboard paint for my kitchen wall.

I'm buying 0.2l of paint to make my bike glow in the dark.

Remember, there are 1,000 ml in a litre.

155

More conversions

When you're converting fractions into decimals, you might need to convert the fraction into tenths or hundredths first.

Here are some common conversions:

$$\frac{1}{2} = \frac{5}{10} = 0.5$$

$$\frac{1}{4} = \frac{25}{100} = 0.25$$

$$\frac{3}{4} = \frac{75}{100} = 0.75$$

$$\frac{1}{5} = \frac{2}{10} = 0.2$$

Remember, fractions are a way of dividing. So you can also convert fractions into decimals by dividing, either in your head or on a calculator.

$$\frac{1}{8} = 1 \div 8 = 0.125$$

Sometimes, the answer won't be exact. For example...

$$\frac{1}{3} = 1 \div 3 = 0.333333333...$$

Here, the threes go on forever. This is known as 0.3 recurring, or $0.\dot{3}$.

Colour in each snowball, to show the decimal beneath.

0.25   0.75   0.5   0.6   0.2   0.8

Match each seal to a fish with the same value. Which fish if left over? Draw a circle around it.

For each baby penguin, can you find an egg with a matching number? Circle it.

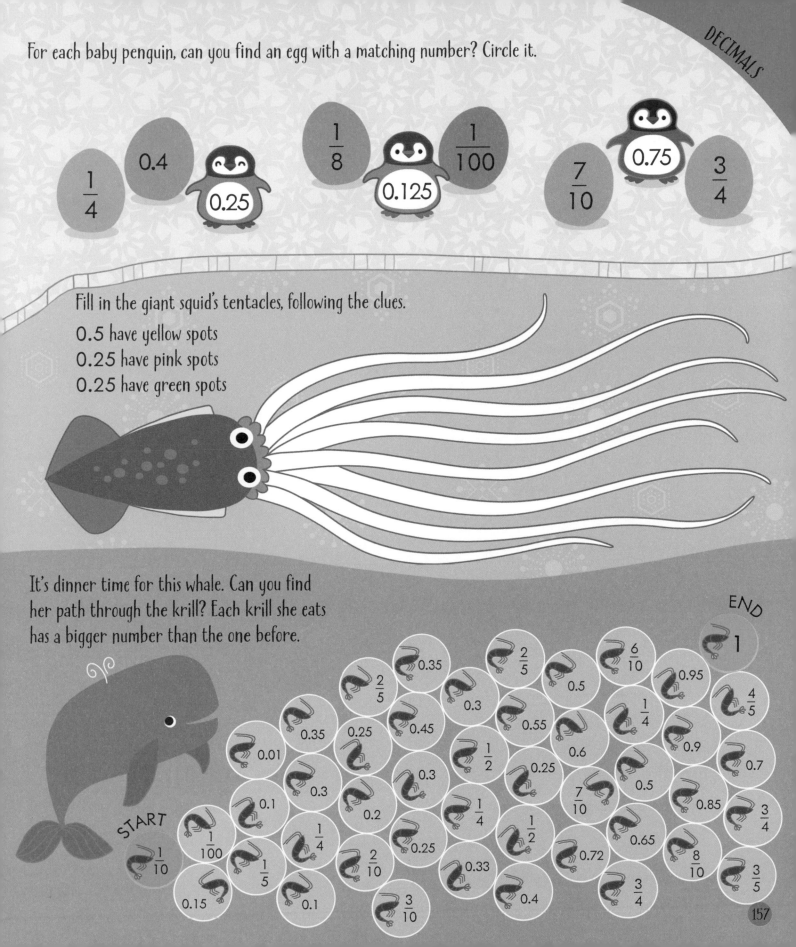

$\frac{1}{4}$ 0.4 0.25 $\frac{1}{8}$ 0.125 $\frac{1}{100}$ $\frac{7}{10}$ 0.75 $\frac{3}{4}$

Fill in the giant squid's tentacles, following the clues.

0.5 have yellow spots
0.25 have pink spots
0.25 have green spots

It's dinner time for this whale. Can you find her path through the krill? Each krill she eats has a bigger number than the one before.

END
1

0.35 $\frac{2}{5}$ $\frac{6}{10}$

0.95

$\frac{2}{5}$ 0.3 0.5 $\frac{4}{5}$

0.35 0.25 0.45 0.55 $\frac{1}{4}$ 0.9 0.7

0.01 0.3 $\frac{1}{2}$ 0.25 0.6 0.5 0.85 $\frac{3}{4}$

0.1 0.2 $\frac{1}{4}$ $\frac{7}{10}$ 0.65 $\frac{8}{10}$ $\frac{3}{5}$

START

$\frac{1}{100}$ $\frac{1}{4}$ 0.25 $\frac{1}{2}$ 0.72 $\frac{3}{4}$

$\frac{1}{10}$ $\frac{1}{5}$ $\frac{2}{10}$ 0.33 0.4

0.15 0.1 $\frac{3}{10}$

157

Finding a decimal of a number

To find 0.1 of a number, you need to divide it by 10.

$$0.1 \text{ of } 30 = 30 \div 10 = 3$$

What about 0.4 of 20? Find 0.1 and then multiply it by 4.

Divide 20 by 10 to find 0.1...

$$20 \div 10 = 2$$

...then multiply your answer by 4.

$$2 \times 4 = 8$$

So 0.4 of 20 = 8.

In some cases, it could be quicker to think of the fraction you're working out.

$$0.25 = \tfrac{1}{4} \quad 0.5 = \tfrac{1}{2} \quad 0.75 = \tfrac{3}{4}$$

You can also use a calculator. Remember that 'of' means the same as 'multiply' or 'times' (x).

So to find 0.3 of 20, you put in...

$$0.3 \times 20$$

...to get the answer (it's 6).

One of these containers contains a golden ticket. Can you find it, using the clues below? Circle the right one.

It's even. It's more than 10. It's less than 15.

0.1 of 10   0.3 of 50   0.7 of 20   0.5 of 20

Use this space for working out.

Can you find the winning card? Start by crossing out any pairs of cards that show the same answer – the winner is the one left.

0.4 of 40

0.1 of 40

0.5 of 24

0.2 of 20

0.5 of 32

In this game, you multiply the number on the dart by the decimal it hits to find out your points. How many points have these darts won altogether?

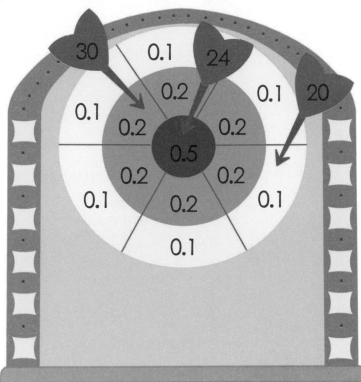

If you start with 5 balls, how many go in each basket, according to the signs? Draw in your answer.

Work out the decimals below, then join the answers with straight lines to show the route of the bumper car. You can work them out in your head, or use a calculator.

0.2 of 20 =

0.5 of 50 =

0.75 of 4 =

0.3 of 20 =

0.7 of 10 =

0.5 of 26 =

0.25 of 20 =

How many cars will I bump?

Start here.

159

Rounding decimals

To round to the nearest *whole* number, look at the number in the tenths column.

If it's 5 or more, you round up.

$$3.5 \longrightarrow 4$$

If it's 4 or less, you round down.

$$6.4 \longrightarrow 6$$

It doesn't matter if there are any hundredths or not.

$$8.49 \longrightarrow 8$$

If you're rounding to the nearest *tenth,* look at the number in the hundredths column.

If it's 5 or more, you round up.

$$7.36 \longrightarrow 7.4$$

If it's 4 or less, you round down.

$$2.44 \longrightarrow 2.4$$

If there's a 9 in the tenths column, you may have to add one to the whole numbers.

$$2.97 \longrightarrow 3.0$$

Keep a 0 in the tenths column.

Round the decimals below, then find your answers in the picture below to reveal something that's for sale in the museum shop.

Round these to the nearest whole number:

5.6 →
7.2 →
9.9 →
4.3 →
4.9 →

...and colour them in green.

Round these to the nearest tenth:

4.45 →
0.95 →
3.64 →
9.82 →
7.44 →

...and colour them in red.

(Leave all the other numbers blank.)

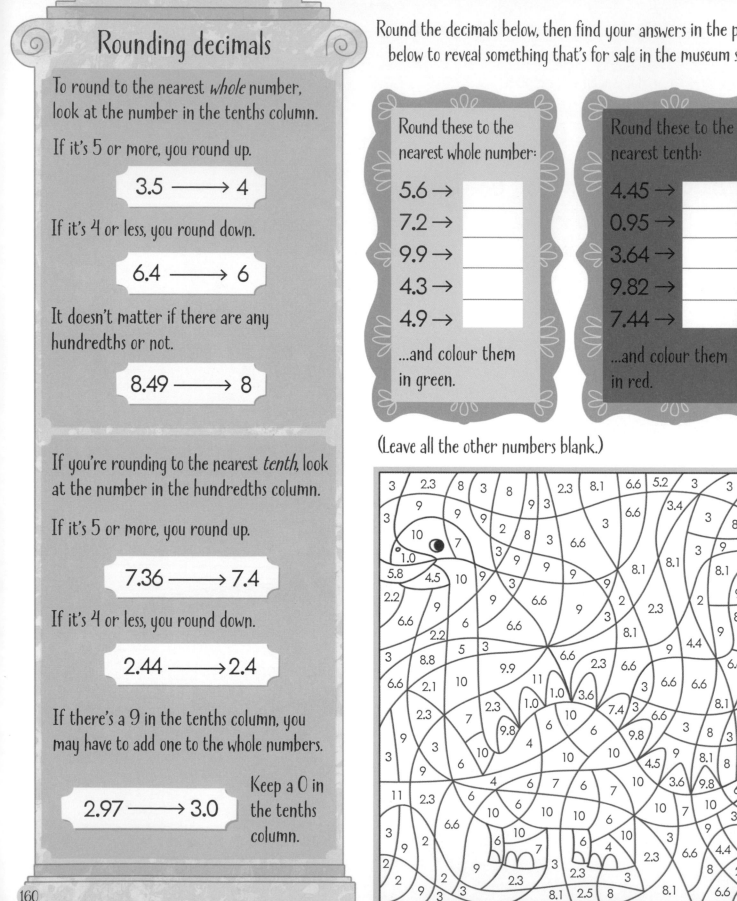

160

Use the clues to figure out what these souvenirs cost in the museum shop.
Then, write your answers on the price tags below.

ACTIVITY BOOK

The Ancient Egyptian mask cost £10.50, but it's half price today.

If you bought the activity book with £10.00, you'd get £3.40 change.

The globe used to be £10.00, but now it's £2.60 less.

The helmet costs £1.40 more than the book, and £1.20 less than the dinosaur.

Which two of these souvenirs could you buy for exactly $5.00?

$3.20 $1.50

$4.50 $2.10

$2.90 $3.80

How much would it cost to buy all four souvenirs, to the nearest pound?

£2.59   £0.55   £1.20   £3.45

Use this space for working out.

TOTAL

Write these fractions as decimals.

$$\frac{7}{10} =$$

$$\frac{3}{4} =$$

$$\frac{57}{100} =$$

$$\frac{2}{5} =$$

Write these decimals as fractions over 10 or 100.

$$0.4 =$$

$$0.55 =$$

$$0.8 =$$

$$0.09 =$$

Score | Star

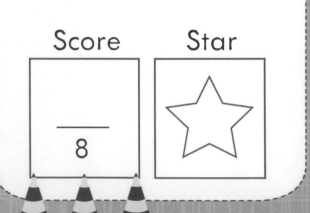

8

Find the answers to these addition and subtraction questions.

$$2.1 + 0.4 =$$

$$8.2 - 2.8 =$$

$$0.65 - 0.3 =$$

$$£2.50 + £3.20 =$$

$$\$1.20 - \$0.90 =$$

$$0.5 + 1.05 =$$

Score | Star

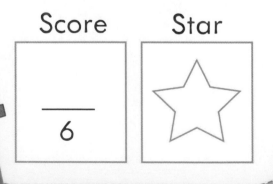

6

Figure out the value of these decimal questions.

0.9 of 20 =

0.25 of 12 =

0.5 of 30 =

0.75 of 16 =

0.2 of 20 =

0.3 of 100 =

Score

Star

6

Round these decimals to the nearest whole number.

5.05 $\longrightarrow$

1.49 $\longrightarrow$

2.75 $\longrightarrow$

8.09 $\longrightarrow$

Round these decimals to the nearest tenth.

8.34 $\longrightarrow$

0.37 $\longrightarrow$

0.89 $\longrightarrow$

1.99 $\longrightarrow$

Score

Star

8

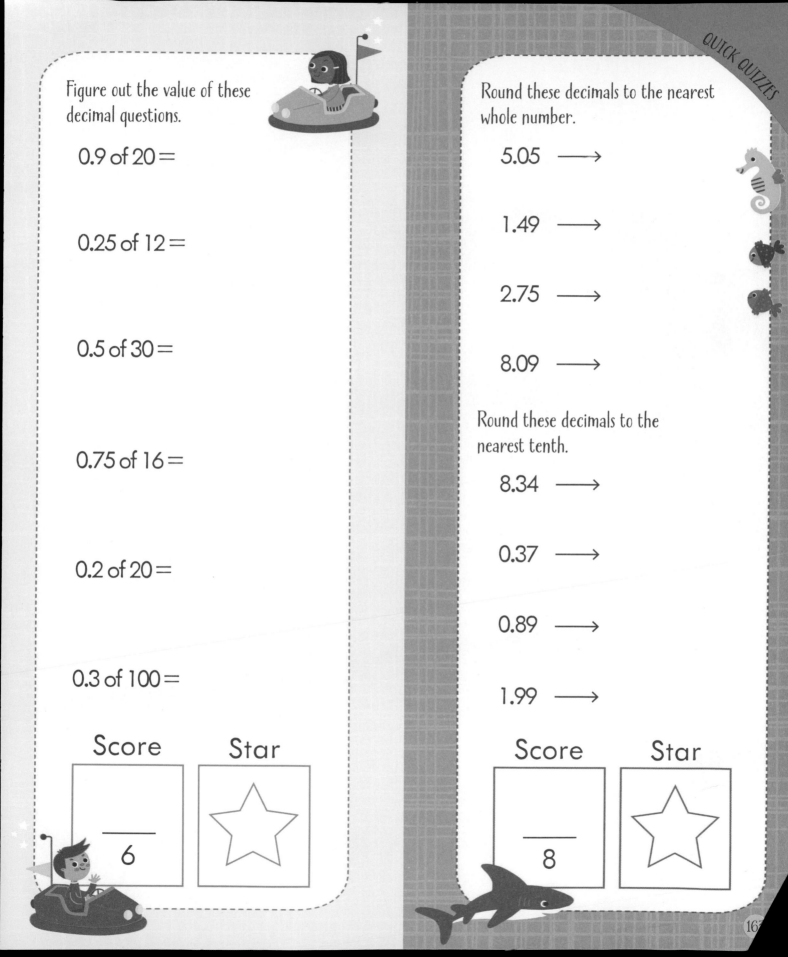

What are percentages?

Percentages are another way of writing fractions out of 100.
The sign % stands for 'percent' which means 'out of 100'.

Can you fill in the gaps?

$$\frac{4}{100} = \boxed{4\%}$$

$$\frac{16}{100} = \boxed{16\%}$$

$$\frac{22}{100} = \boxed{}$$

$$\frac{60}{100} = \boxed{}$$

You don't actually have to have 100 things. Whatever you begin with counts as 100%.
You can find a percentage of a shape...

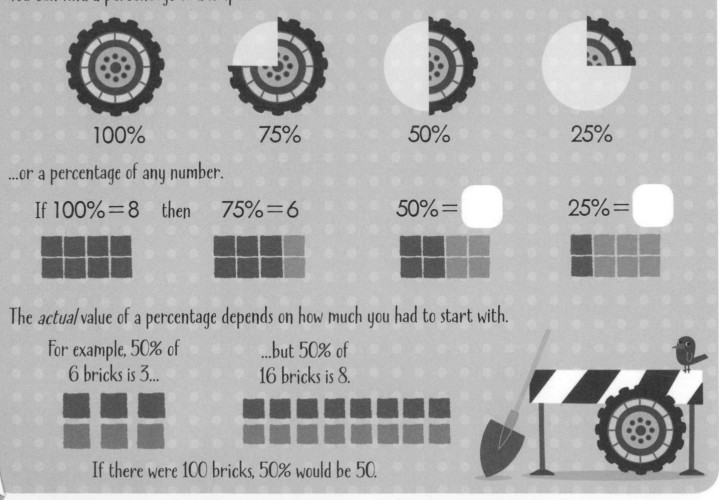

100%   75%   50%   25%

...or a percentage of any number.

If 100% = 8   then   75% = 6   50% = ☐   25% = ☐

The *actual* value of a percentage depends on how much you had to start with.

For example, 50% of
6 bricks is 3...

...but 50% of
16 bricks is 8.

If there were 100 bricks, 50% would be 50.

Fractions, decimals and percentages

To turn a fraction into a percentage, convert the fraction into hundredths first.

3 out of 4 builders have cheese sandwiches for lunch. What percentage is that?

$$\frac{3}{4} = \frac{75}{100} = 75\%$$

×25

×25

To convert a percentage into a fraction, write the percentage as a fraction over 100, then simplify it.

25% of people on the building site like peanut butter sandwiches. What's that as a fraction?

$$25\% = \frac{25}{100} = \frac{1}{4}$$

÷25

÷25

To convert a decimal into a percentage, multiply it by 100.

These pipes are 0.5 copper and 0.5 brass. What's that as a percentage?

$$0.5 \times 100 = 50\%$$

To convert a percentage into a decimal, you do the opposite: *divide* by 100.

20% of our hard hats are red. What's that as a decimal?

$$20 \div 100 = 0.2$$

Just like fractions and decimals, you can put percentages on a number line to show their size.

0%	10%	25%	50%	75%	100%
0	0.1	0.25	0.5	0.75	1
	$\frac{1}{10}$	$\frac{1}{4}$	$\frac{1}{2}$	$\frac{3}{4}$	

Converting percentages

Here are the most common conversions. It's helpful to remember these.

$\frac{1}{10} \rightarrow 0.1 \rightarrow 10\%$

$\frac{1}{2} \rightarrow 0.5 \rightarrow 50\%$

$\frac{1}{4} \rightarrow 0.25 \rightarrow 25\%$

$\frac{3}{4} \rightarrow 0.75 \rightarrow 75\%$

$\frac{1}{5} \rightarrow 0.2 \rightarrow 20\%$

300 Red Rovers fans and 100 Blues United fans are watching the game. What percentage of the total support each team?

.... %   .... %

Can you convert these statistics into percentages?

I've saved 7 out of 10 goal attempts.

.... % saved

I've scored 5 goals, and 2 were headers.

.... % headers

We've played half of our matches at home.

.... % home games

We've played 4 matches this season, and won 3.

.... % wins

Can you help the commentators work out how many goals each team has scored?

Blues United have made 12 shots at goal. 25% of them went in.

Red Rovers have only made 10 shots at goal, but 30% went in.

Blues United scored .... goals.

Red Rovers scored .... goals.

Fill in the percentages in the league table. The team with the highest percentage of wins will be top of the league. Can you find which one it is?

	Games	Wins	% wins
Town Tigers	10	3	
City Cubs	5	2	
Red Rovers	20	5	
Soccer Union	12	9	
Blues United	10	6	

If you have a club membership, which club's tickets are cheaper?

.... is cheaper.

BLUES UNITED

Single ticket – £30.00

Members' discount – 50% off

RED ROVERS

Single ticket – £40.00

Members' discount – 75% off

Finding percentages

To find a percentage of a number, you can divide the number by 100, and then multiply the result by the percentage.

What's 30% of 50?

$$50 \div 100 = 0.5$$

$$0.5 \times 30 = 15$$

But often, there's a quicker way to do it.

What's 60% of 120?

60% is 50% plus 10% – which are easier to work out separately.

$$50\% \text{ (a half) of } 120 = 60$$
$$10\% \text{ (a tenth) of } 120 = 12$$

Add them together to get the answer: 72.

What's 30% of 150?

150 is 100 plus 50.

$$30\% \text{ of } 100 = 30$$

30% of 50 will be half of your *first* answer...

$$30\% \text{ of } 50 = 15$$

Add them together to get the answer: 45.

Here's a journal from a dinosaur dig. Can you answer the questions?

We found 140 bones today. 25% of them were from a diplodocus skeleton. How many is that?

(Hint: 25% is a quarter, so halve and halve again.)

We found 45 enormous leg bones. 20% were from a T-Rex. How many is that?

(Hint: Find 10%, then multiply your answer by 2.)

We had 200 people helping. 35% were volunteers – how many is that?

(Hint: Find 35% of 100, then multiply by 2.)

Can you find a route to the dinosaur skeleton? Answer each question, and follow the correct answer on to the next question to find the route.

Start here.
5% of 80

4

90% of 110

99

70% of 150

8

90

105

110

15% of 60

10

20% of 25

9

5

20

75% of 12

25% of 40

15

10% of 70

7

9

3% of 200

10

18

9

8

6

50% of 36

3

25% of 12

16

10

169

The red cable cars have 12 seats, and the blue cable cars have 10 seats.

This car is 75% full. How many people are inside?

[ ]

6 of the seats in here are full. What's that as a percentage of the total?

[ ] %

Only 3 of the seats are taken. What percentage is free?

[ ] %

There are 3 free seats in here. What percentage of the total seats is that?

[ ] %

SKI SHOP

There's a sale on at the ski shop. Can you write in the new prices?

You can use the roof for your working, if you like.

20% OFF

Gloves were $10.00
Now
$

Jacket was $20.00
Now
$

Boots were $30.00
Now
$

Skis were $15.00
Now
$

170

There are 120 pupils at the ski school. 20% of them are beginners – how many is that?

25% of the pupils fell over – how many is that?

15% of the pupils skied down the steepest slope. How many is that?

Can you fill in the price list? An adult is 50% cheaper than a family, and a child is 60% cheaper than an adult.

This survey asked 500 people which sport they liked best. Can you turn the results into percentages?

SKI PASSES

❄ PRICES ❄

Family £10.00

Adult £

Child £

	Number of people	%
Snowboarding	200	
Skiing	250	
Tobogganing	50	

Remember, your answers should add up to 100%.

Convert these fractions and decimals into percentages.

0.08 =

$\frac{3}{4}$ =

0.35 =

$\frac{1}{5}$ =

$\frac{16}{20}$ =

Convert these percentages into decimals.

66% =

3% =

30% =

Work out the value of these percentages.

50% of 26 =

20% of 15 =

15% of 40 =

30% of 150 =

80% of 30 =

75% of 60 =

Score

$\frac{\quad}{8}$

Star

Score

$\frac{\quad}{6}$

Star

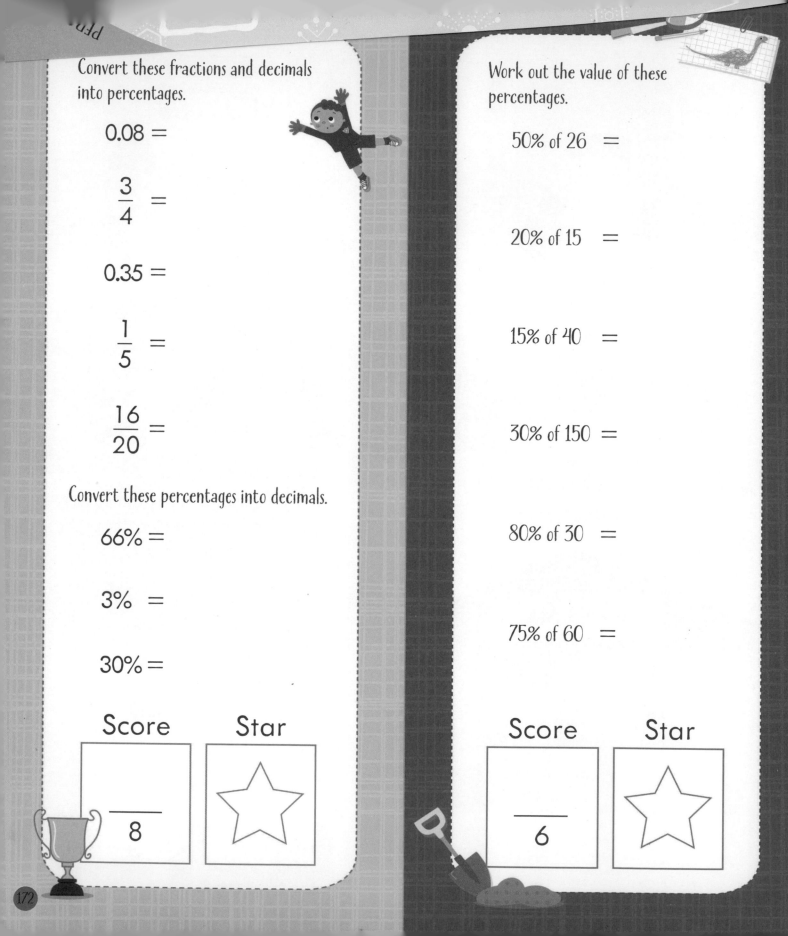

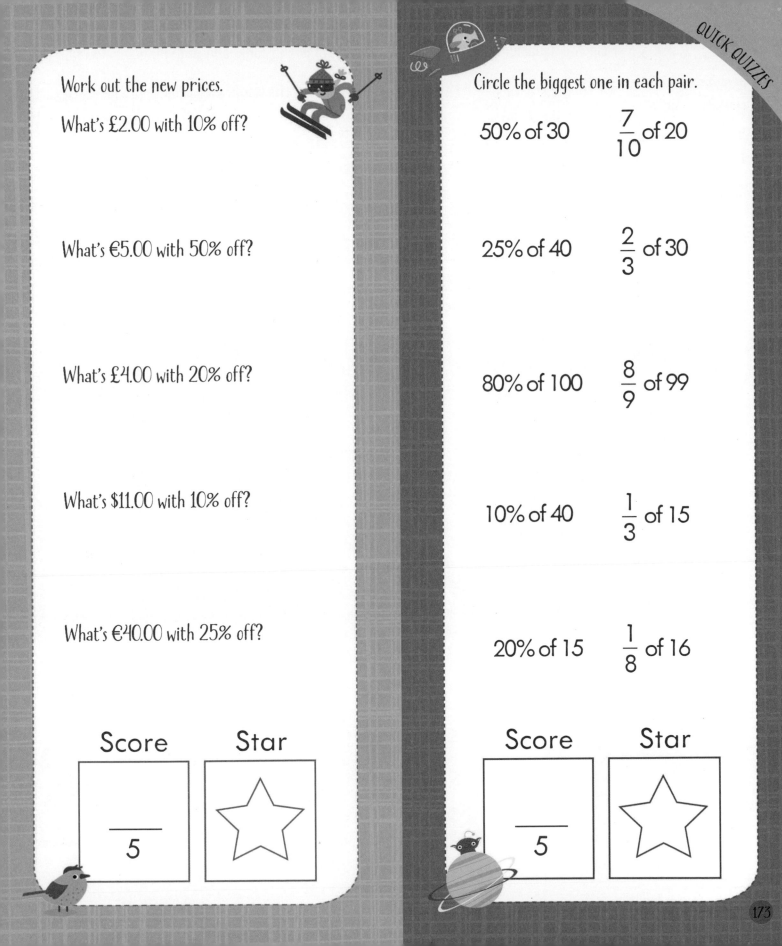

Work out the new prices.

What's £2.00 with 10% off?

What's €5.00 with 50% off?

What's £4.00 with 20% off?

What's $11.00 with 10% off?

What's €40.00 with 25% off?

Score

Star

$\dfrac{\quad}{5}$

Circle the biggest one in each pair.

50% of 30 $\dfrac{7}{10}$ of 20

25% of 40 $\dfrac{2}{3}$ of 30

80% of 100 $\dfrac{8}{9}$ of 99

10% of 40 $\dfrac{1}{3}$ of 15

20% of 15 $\dfrac{1}{8}$ of 16

Score

Star

$\dfrac{\quad}{5}$

These final pages have more practice for fractions, decimals and percentages.

Help the aquarium keep track of the creatures in this tank, and simplify your answers.

Of the sharks, what fraction has stripes?

Of the starfish, what fraction is red?

Of the sea horses, what fraction is green?

Of the turtles, what fraction has spots?

The aquarium shop is having a sale. Can you work out the new prices of these toys?

40% off!

WAS €10.00
NOW

20% off!

WAS €15.00
NOW

50% off!

WAS €9.00
NOW

Fill in the fractions for each tank.

[ ] of the fish in this tank are green.

[ ] of the fish in this tank are blue.

[ ] of the fish in this tank are red.

These guides asked visitors what they liked best at the aquarium. Can you work out their results as percentages?

I asked 100 visitors and 60 liked lobsters the best.

I asked 80 visitors and 20 of them preferred the giant squid.

80 out of the 160 visitors I asked liked the sharks the best.

%

%

%

Use this space for working out.

Can you find the astronaut's route back to Earth? Answer the questions on the planets, then follow the arrow with the right answer.

START

10

4

What's 0.2 of 20?

What's $\frac{3}{4}$ of 12?

What's $\frac{2}{3}$ of 24?

9

70

10

14

What's 60% of 110?

What's 0.75 of 20?

15

30

7

3

What's 75% of 40?

25

66

What's 0.5 of 14?

9

6

30

35

What's 20% of 150?

What's $\frac{2}{9}$ of 27?

What's $\frac{2}{5}$ of 30?

176

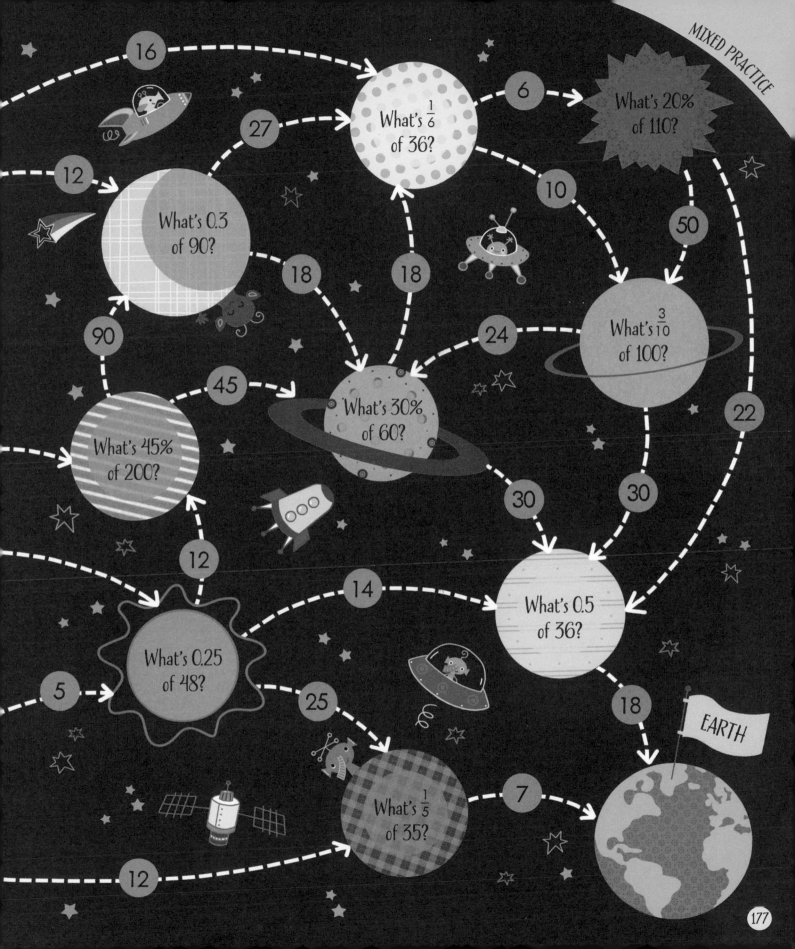

16

6

What's 20% of 110?

27

What's $\frac{1}{6}$ of 36?

12

10

50

What's 0.3 of 90?

18

18

What's $\frac{3}{10}$ of 100?

90

24

22

45

What's 30% of 60?

What's 45% of 200?

30

30

12

14

What's 0.5 of 36?

5

What's 0.25 of 48?

25

18

EARTH

7

What's $\frac{1}{5}$ of 35?

12

177

Fraction wall

This 'fraction wall' shows how the most common fractions compare. You can use it to help you with the puzzles in this section.

Use the fraction wall to compare the sizes of fractions.

Find equivalent fractions by looking for groups of bricks with the same width.

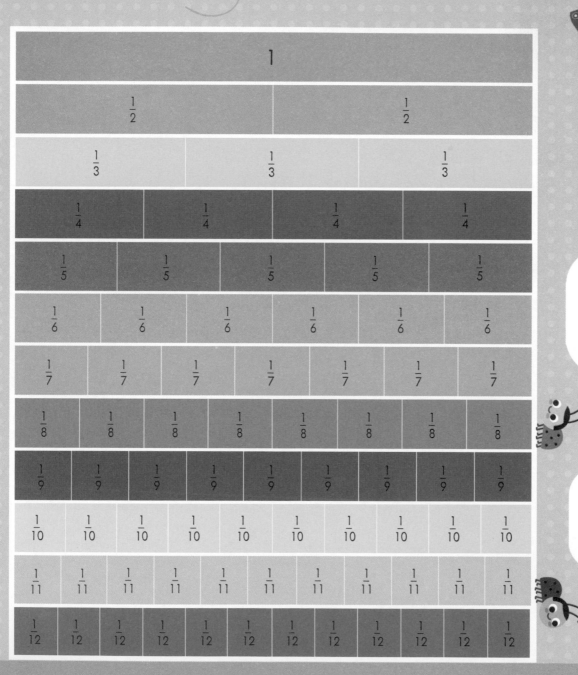

As you go up the wall, the fractions get bigger.

As you go down, they get smaller.

Conversions

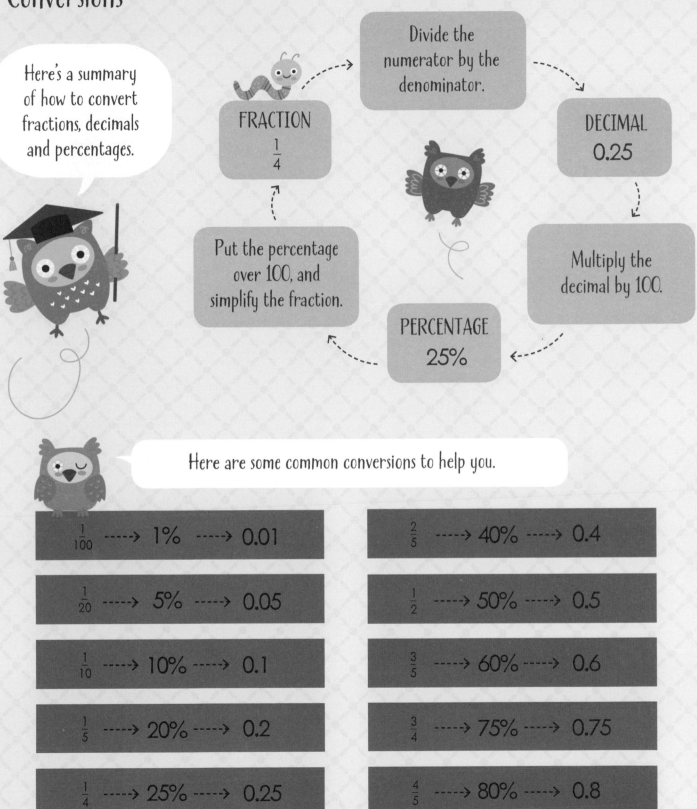

Here's a summary of how to convert fractions, decimals and percentages.

FRACTION
$\frac{1}{4}$

Divide the numerator by the denominator.

DECIMAL
0.25

Multiply the decimal by 100.

PERCENTAGE
25%

Put the percentage over 100, and simplify the fraction.

Here are some common conversions to help you.

$\frac{1}{100}$ -----> 1% -----> 0.01

$\frac{1}{20}$ -----> 5% -----> 0.05

$\frac{1}{10}$ -----> 10% -----> 0.1

$\frac{1}{5}$ -----> 20% -----> 0.2

$\frac{1}{4}$ -----> 25% -----> 0.25

$\frac{2}{5}$ -----> 40% -----> 0.4

$\frac{1}{2}$ -----> 50% -----> 0.5

$\frac{3}{5}$ -----> 60% -----> 0.6

$\frac{3}{4}$ -----> 75% -----> 0.75

$\frac{4}{5}$ -----> 80% -----> 0.8

Section 4

Answers

8×9

6×4

$10 - 3$

FINISH

$\frac{1}{5}$

0.6

Section 1: Adding and Subtracting
8–9 Counting on (and back)

Total petals in each pot, from left to right:
10, 9, 7, 11

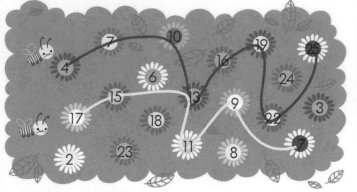

From left to right, you should fill in:
3 leaves, 2 leaves and 1 leaf

The top box needs 2 more flowers.
The bottom box needs 3 more flowers.

There are 2 more red peppers than green peppers. There are 3 more yellow flowers than purple flowers. There are 2 fewer red tomatoes than yellow tomatoes.

10–11 Number lines

Number lines, from top to bottom:
6, 3, 8, 1

Frog = 5, Orange bug = 7
Red bug = 17, Toad = 3
Dragonfly = 12
Butterfly = 19

12–13 Which order?

Number machines, from top to bottom:
8, 8, 14, 3

Joined-together machines, from left to right:
2, 8, 4, 7
7, 5, 10, 14
5, 12, 6, 3

14–15 Fact families

Fact families on the first page:

7 + 3 = 10	8 + 4 = 12	5 + 15 = 20
3 + 7 = 10	4 + 8 = 12	15 + 5 = 20
10 − 7 = 3	12 − 8 = 4	20 − 5 = 15
10 − 3 = 7	12 − 4 = 8	20 − 15 = 5

Fact families on the second page:

7 + 4 = 11	11 + 4 = 15	2 + 11 = 13	9 + 2 = 11
4 + 7 = 11	4 + 11 = 15	11 + 2 = 13	2 + 9 = 11
11 − 4 = 7	15 − 4 = 11	13 − 11 = 2	11 − 2 = 9
11 − 7 = 4	15 − 11 = 4	13 − 2 = 11	11 − 9 = 2

2 balls of yarn are left. You still need 11 squares. There are 11 spools of thread. 4 buttons are missing. There are 7 pins left.

16–17 Missing number sums

The sandwich with the number 3 is left.

18-19 Adding three or more numbers

From left to right, the bugs add up to:
14, 12, 19

Fly = 2, Snail = 9, Caterpillar = 4

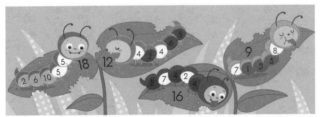

These two flowers have matching answers:

Red slug = 12
Purple slug = 16
Blue slug = 19
Orange slug = 18

20-21 More practice

The moon sums are:
4 + 6 = 10
5 + 2 = 7
5 + 7 = 12
4 + 4 = 8
6 + 5 = 11

Answers to the sums on the craters:
8 + 4 + 8 = 20
8 + 6 + 6 = 20
11 + 2 + 9 = 22
8 + 5 + 2 = 15 (this crater is the odd one out)
7 + 7 + 8 = 22

22-23 Quick Quizzes

9 + 7 = 16   7 + 5 = 12
7 + 9 = 16   5 + 7 = 12
16 - 9 = 7   12 - 7 = 5
16 - 7 = 9   12 - 5 = 7

6 + 8 = 14   5 + 10 = 15
8 + 6 = 14   10 + 5 = 15
14 - 6 = 8   15 - 5 = 10
14 - 8 = 6   15 - 10 = 5

15 - 3 = 12	1 + 7 + 2 = 10	8 + 7 + 2 = 17
16 - 7 = 9	2 + 10 + 2 = 14	2 + 3 + 2 = 7
1 + 8 = 9	8 + 9 + 2 = 19	6 + 3 + 6 = 15
3 + 9 = 12	7 + 8 + 1 = 16	1 + 5 + 2 = 8
7 + 5 = 12	7 + 1 + 6 = 14	8 + 1 + 4 = 13
14 - 4 = 10	4 + 3 + 3 = 10	10 + 4 + 1 = 15
6 + 3 = 9	2 + 9 + 6 = 17	6 + 4 + 4 = 14
15 - 10 = 5	5 + 6 + 2 = 13	4 + 1 + 5 = 10
4 + 7 = 11	5 + 3 + 5 = 13	1 + 7 + 3 = 11
9 - 5 = 4	4 + 2 + 8 = 14	3 + 5 + 7 = 15
	3 + 10 + 4 = 17	
	7 + 6 + 4 = 17	

24-25 Number bonds to 10

The pin with the number 7 is left standing.

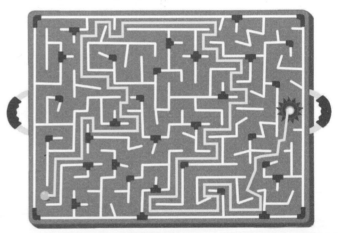

There are 3 ways to win: 7 + 3, 6 + 4, 5 + 5

26-27 Number bonds to 20

The music player with the number 7 is left. You'd add 13 to make 20.

From left to right, the bags' numbers are: 4+16, 5+15, 18+2, 13+7, 10+10
The total sum of all the bags is 100.

The first journey takes 20 hours.
The second journey takes 21 hours.

The green plane takes off first.

28-29 Other pairs

From left to right, the sweets in the jars add up to 12 pennies, 18 pennies, 13 pennies and 15 pennies.

30-31 Using doubles

The answers to the sums in the yellow box are:

$8 + 9 = 17$ $5 + 7 = 12$
$10 + 9 = 19$ $16 + 6 = 22$

Red kayak = 15   Purple kayak = 13
Pink kayak = 20   Orange kayak = 8
Yellow kayak = 17   Blue kayak = 10

This boat has no purple on its sails.

On the blocks, the sums from left to right are:
$8 + 7 = 15$, $14 + 4 = 18$, $7 + 6 = 13$

32-33 More practice

You could buy the dinosaur pencil case and the red monster pencil case with the money in the blue purse ($12 + 9 = 21$).

Two notebooks with pink cupcakes = 13
Two notebooks with birds = 15
One medium and two small notebooks = 11
Two rainbow notebooks = 20

Notebook & paintbrush: $15 + 5 = 20$
Paint & stapler: $13 + 4 = 17$
Ruler & glue: $11 + 7 = 18$
Scissors & paint: $8 + 13 = 21$

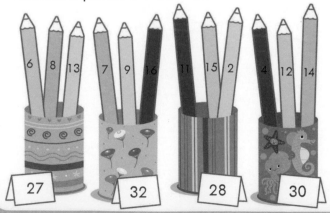

34-35 More practice

The secret message says: the pharaoh's treasure is beneath the pyramids

36-37 Quick Quizzes

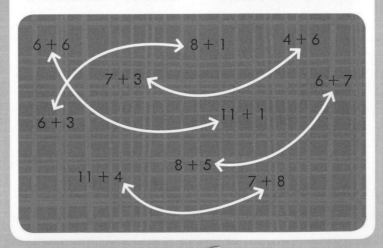

$9 + 9 = 18$
$6 - 3 = 3$
$2 + 2 = 4$
$12 - 6 = 6$
$10 + 10 = 20$
$4 + 4 = 8$
$18 - 9 = 9$
$18 + 8 = 26$
$14 - 7 = 7$
$5 + 5 = 10$
$22 - 11 = 11$
$7 + 7 = 14$

$9 + 10 = 19$
$6 + 7 = 13$
$12 + 2 = 14$
$10 + 11 = 21$
$8 + 9 = 17$
$12 + 11 = 23$
$16 + 6 = 22$
$5 + 4 = 9$
$13 + 4 = 17$
$8 + 7 = 15$
$5 + 14 = 19$
$14 + 16 = 30$

38-39 Number bonds to 100

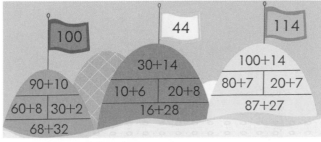

This umbrella matches.

Answers to the sums on the rainclouds:
$99 = 90 + 9$
$100 = 80 + 20$
$82 = 80 + 2$
$76 = 70 + 6$
$66 = 60 + 6$

40-41 Partitioning

The cactus answers are: $64 = 60$ and 4
$76 = 70$ and 6 $45 = 40$ and 5
$92 = 90$ and 2 $99 = 90$ and 9

From left to right, the desert lizards are purple, yellow, pink and blue.

40–41 Partitioning CONTINUED

67 + 37
60 + 7   30 + 7
90 + 14
104

55 + 47
50 + 5   40 + 7
90 + 12
102

65 + 35
60 + 5   30 + 5
90 + 10
100

84 + 12
80 + 4   10 + 2
90 + 6
96

42–43 Rounding up

83 + 29 = 83 + 30 − 1
67 + 38 = 67 + 40 − 2
58 + 27 = 60 + 27 − 2
62 + 59 = 62 + 60 − 1

19 + 59 = 20 + 60 − 2

110 − 38 = 110 − 40 + 2
79 − 24 = 80 − 24 − 1
97 − 29 = 97 − 30 + 1
108 − 60 = 110 − 60 − 2

Join the dots in this order: 96, 44, 112, 36, 156, 13, 175, 106, 45, 21

This robot isn't in a group:

44–45 Jumping on

46–47 More practice

The numbers on the instruments are:
36 = 30 + 6   42 = 40 + 2
25 = 20 + 5   56 = 50 + 6
The two saxophones add up to 61.
The two trumpets add up to 98.

157 tickets have been sold altogether.

From left to right, the performers' guitars are pink, red and green.

48–49 Quick Quizzes

(80 + 20)	60 + 50
(70 + 30)	60 + 60
50 + 60	90 + 30
(50 + 50)	(40 + 60)
70 + 10	20 + 50

$76 = 70 + 6$
$84 = 80 + 4$
$92 = 90 + 2$
$66 = 60 + 6$

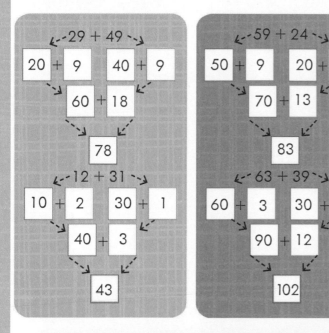

$\leftarrow 29 + 49 \rightarrow$
$20 + 9 \qquad 40 + 9$
$60 + 18$
78

$\leftarrow 12 + 31 \rightarrow$
$10 + 2 \qquad 30 + 1$
$40 + 3$
43

$\leftarrow 59 + 24 \rightarrow$
$50 + 9 \qquad 20 + 4$
$70 + 13$
83

$\leftarrow 63 + 39 \rightarrow$
$60 + 3 \qquad 30 + 9$
$90 + 12$
102

$37 + 39 = 37 + 40 - 1 = 76$
$69 - 43 = 70 - 43 - 1 = 26$
$33 + 28 = 33 + 30 - 2 = 61$
$59 + 39 = 60 + 40 - 2 = 98$
$38 - 19 = 38 - 20 + 1 = 19$
$49 + 23 = 50 + 23 - 1 = 72$
$60 - 48 = 60 - 50 + 2 = 12$
$19 + 69 = 20 + 70 - 2 = 88$
$93 - 38 = 93 - 40 + 2 = 55$
$45 + 69 = 45 + 70 - 1 = 114$

50–51 Adding in columns

There are 94 zebras, 51 elephants, 105 kangaroos and 64 lions.

Top row of scales, from left to right:
121, 132, 91, 123

Bottom row of scales, from left to right:
62, 181, 141, 75

52–53 Carrying a ten

The giraffe munches the leaves numbered 120, 151 and 105.

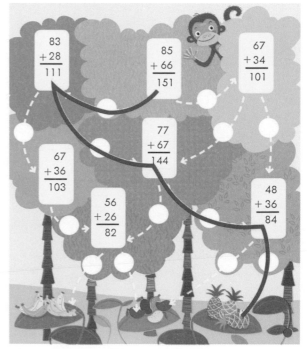

The monkey will eat pineapples today.

54–55 Subtracting in columns

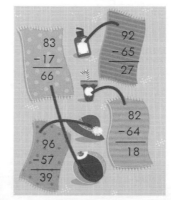

From left to right, the huts have: a yellow roof, a striped roof, a roof with spots and a purple roof.

From left to right, the surfers rode this many more waves: 19, 24, 16

56-57 More practice

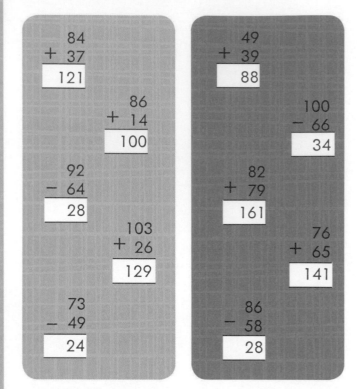

Answers for the window cleaners:

$$\begin{array}{r} 45 \\ + \ 37 \\ \hline 82 \end{array} \qquad \begin{array}{r} 90 \\ - \ 67 \\ \hline 23 \end{array}$$

$$\begin{array}{r} 90 \\ - \ 36 \\ \hline 54 \end{array} \qquad \begin{array}{r} 98 \\ - \ 37 \\ \hline 61 \end{array}$$

29 19   19   38
17 23   17   39
46 42   36   77

58-59 More practice

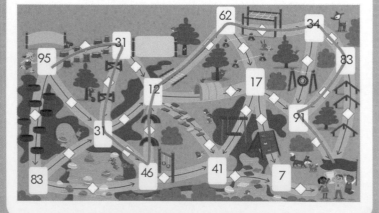

60-61 Quick Quizzes

$$\begin{array}{r} 84 \\ + \ 37 \\ \hline 121 \end{array}$$

$$\begin{array}{r} 86 \\ + \ 14 \\ \hline 100 \end{array}$$

$$\begin{array}{r} 92 \\ - \ 64 \\ \hline 28 \end{array}$$

$$\begin{array}{r} 103 \\ + \ 26 \\ \hline 129 \end{array}$$

$$\begin{array}{r} 73 \\ - \ 49 \\ \hline 24 \end{array}$$

$$\begin{array}{r} 49 \\ + \ 39 \\ \hline 88 \end{array}$$

$$\begin{array}{r} 100 \\ - \ 66 \\ \hline 34 \end{array}$$

$$\begin{array}{r} 82 \\ + \ 79 \\ \hline 161 \end{array}$$

$$\begin{array}{r} 76 \\ + \ 65 \\ \hline 141 \end{array}$$

$$\begin{array}{r} 86 \\ - \ 58 \\ \hline 28 \end{array}$$

$$\begin{array}{r} 77 \\ + \ 52 \\ \hline 129 \end{array}$$

$$\begin{array}{r} 105 \\ - \ 93 \\ \hline 12 \end{array}$$

$$\begin{array}{r} 76 \\ + \ 39 \\ \hline 115 \end{array}$$

$$\begin{array}{r} 67 \\ + \ 63 \\ \hline 130 \end{array}$$

$$\begin{array}{r} 90 \\ - \ 59 \\ \hline 31 \end{array}$$

$$\begin{array}{r} 83 \\ - \ 49 \\ \hline 34 \end{array}$$

$$\begin{array}{r} 75 \\ + \ 59 \\ \hline 134 \end{array}$$

$$\begin{array}{r} 56 \\ - \ 37 \\ \hline 19 \end{array}$$

$$\begin{array}{r} 56 \\ + \ 34 \\ \hline 90 \end{array}$$

$$\begin{array}{r} 98 \\ - \ 69 \\ \hline 29 \end{array}$$

Section 2: Times Tables
66–67 2x table

2x4 = 8 worms
2x6 = 12 acorns
2x3 = 6 wings

8 butterflies make 4 pairs. 16 butterflies make 8 pairs. 10 butterflies make 5 pairs.

The frog eats the flies with the numbers: 4, 18, 14, 22, 10, 6

The spider can spin 16 webs.

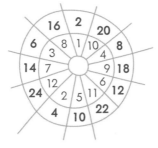

The pink caterpillar's numbers are:
  18, **16**, 14, 12, **10**
The yellow caterpillar's numbers are:
  12, **14**, 16, **18**, 20, **22**
The purple caterpillar's numbers are:
  4, **6**, 8, 10, **12**

68–69 4x table

4x3 = 12 legs
4x2 = 8 bones
4x4 = 16 spots

The iguanas' medals from left to right say: 36, 28, 48, 44

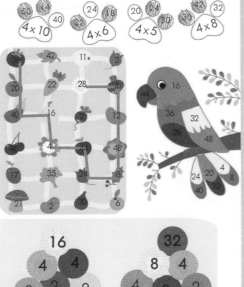

70–71 More practice (2x, 4x)

The player's number is 10.
The sunshine shirt with 24 on it is left.

20 sports socks = 10 pairs
10 gloves = 5 pairs
8 mittens = 4 pairs
16 hiking socks = 8 pairs

12 weeks = 6 boxes and 3 bottles
16 weeks = 8 boxes and 4 bottles
24 weeks = 12 boxes and 6 bottles

The sock with stripes that's hanging on peg number 8 is in the wrong place.

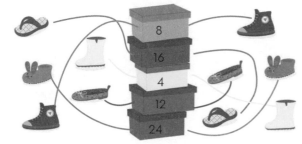

72–73 5x table

5x3 = 15 lights   5x4 = 20 dials   5x2 = 10 wheels

The trail leads to this robot.

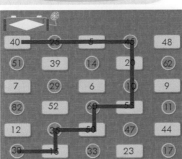

74-75 10x table

10x5 = 50 spikes 10x6 = 60 teeth 10x3 = 30 eyes

There are 70 mini-monsters in 7 puddles,
90 mini-monsters in 9 puddles and
120 mini-monsters in 12 puddles.

11 squirts scare 110 monsters, 5 squirts scare
50 monsters, 2 squirts scare 20 monsters.

A big monster can gobble 30 mini-monsters in 3
minutes, 60 in 6 minutes and 100 in 10 minutes.

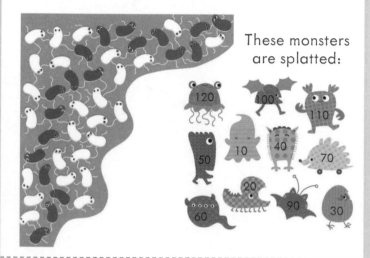

These monsters
are splatted:

76-77 More practice (5x, 10x)

The alien with the
number 35 is chosen
for the space mission.

The crater puzzles are:
5x3 = 15   10x6 = 60
10x9 = 90   5x7 = 35

The answers on the
planets from left to
right are:
5x4 = 20 days
5x2 = 10 days
5 planets
30 days
45 days

78-79 Quick Quizzes

2x2 = 4	4x10 = 40	5x5 = 25	10x8 = 80
2x4 = 8	4x7 = 28	5x9 = 45	10x9 = 90
2x6 = 12	4x5 = 20	5x11 = 55	10x3 = 30
2x11 = 22	4x2 = 8	5x2 = 10	10x6 = 60
2x3 = 6	4x6 = 24	5x6 = 30	10x4 = 40
2x1 = 2	4x12 = 48	5x3 = 15	10x12 = 120
2x10 = 20	4x9 = 36	5x10 = 50	10x10 = 100
2x12 = 24	4x11 = 44	5x8 = 40	10x2 = 20
2x9 = 18	4x3 = 12	5x4 = 20	10x5 = 50
2x5 = 10	4x1 = 4	5x12 = 60	10x11 = 110
2x8 = 16	4x4 = 16	5x7 = 35	10x1 = 10
2x7 = 14	4x8 = 32	5x1 = 5	10x7 = 70

80-81 3x table

3x2 = 6 flags
3x3 = 9 flowers
3x4 = 12 scoops

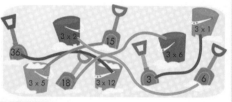

These shells aren't in
the 3 times table:
14, 23, 32

The number pattern
is the 3 times table:
3, **6**, **9**, 12, **15**, **18**, 21,
24, **27**, **30**, **33**, 36

82-83 6x table

6x3 = 18 cartons
6x8 = 48 muffins
6x6 = 36 bagels

Count the eggs using the 6
times table: 6, 12, 18, 24, 30,
36, 42, 48, 54, 60, 66, 72

Shopping list:
12 sandwiches
36 tomatoes
24 breadsticks
18 cereal bars
60 cherries
6 apples

There are 3 coconut cookies,
2 chocolate cookies and
4 cherry cookies.

These groceries are in the
6 times table:

84-85 More practice (3x, 6x)

These shuttlecocks are in the 3x and 6x tables:
12, 6, 24, 18, 36, 30

The basketball with the number 18 is left.

The skier with the blue flags gets 42 points.
The skier with the red flags gets 24 points.

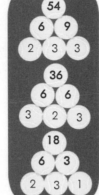

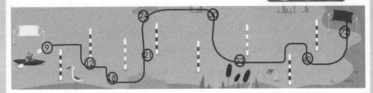

86-87 7x table

7x2 = 14 bells
7x3 = 21 fish

Checkpoint 3: 21 days
Checkpoint 5: 35 days
Checkpoint 7: 49 days
63 days = Checkpoint 9
77 days = Checkpoint 11

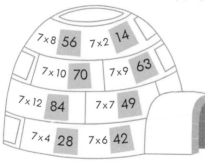

She catches these fish: 56, 21, 42, 63, 35, 84, 70

Connect the dots: a seal is swimming under the ice.

88-89 8x table

8x3 = 24 tentacles
8x6 = 48 spikes

The seahorse with 8x2 has the smallest number.
The clownfish with 96 has the biggest number.

90-91 Quick Quizzes

3x8 = 24	6x6 = 36	7x1 = 7	8x4 = 32
3x1 = 3	6x10 = 60	7x9 = 63	8x6 = 48
3x7 = 21	6x3 = 18	7x11 = 77	8x9 = 72
3x6 = 18	6x4 = 24	7x12 = 84	8x12 = 96
3x3 = 9	6x7 = 42	7x6 = 42	8x2 = 16
3x9 = 27	6x12 = 72	7x3 = 21	8x7 = 56
3x5 = 15	6x2 = 12	7x10 = 70	8x3 = 24
3x10 = 30	6x11 = 66	7x7 = 49	8x5 = 40
3x4 = 12	6x8 = 48	7x4 = 28	8x8 = 64
3x12 = 36	6x1 = 6	7x8 = 56	8x11 = 88
3x11 = 33	6x9 = 54	7x5 = 35	8x10 = 80
3x2 = 6	6x5 = 30	7x2 = 14	8x1 = 8

92-93 9x table

9x2 = 18 test tubes
9x5 = 45 crystals

3 droppers hold 27 droplets. 8 droppers hold 72 droplets. 12 droppers hold 108 droplets.

8 reactions make 72 bubbles. 4 reactions make 36 bubbles. 11 reactions make 99 bubbles.

She needs 18 test tubes for 2 experiments, 54 test tubes for 6 experiments and 81 test tubes for 9 experiments.

The bubbles not in the 9x table are: 73, 62, 42, 85, 19

94–95 More practice (7x, 8x, 9x)

There are 8 cake boxes, so the machine has packed 64 cakes.

From left to right, the red machines make 28 cakes, 42 cakes, 21 cakes.

From left to right, the people want 14 cakes, 27 cakes and 32 cakes.

The cupcake should have 5 stars, 4 flowers, 3 sprinkles and 6 swirls.

To make 7 cakes:
7 eggs
14 oranges
21 lemons
28 cups of sugar
35 cups of flour

To make 8 cakes:
8 eggs
16 oranges
24 lemons
32 cups of sugar
40 cups of flour

To make 9 cakes:
9 eggs
18 oranges
27 lemons
36 cups of sugar
45 cups of flour

96–97 11x table

$11 \times 3 = 33$ wheels
$11 \times 8 = 88$ diamonds

The car will be at these flags:
11 seconds = black
44 seconds = orange
55 seconds = yellow
77 seconds = blue
110 seconds = black
132 seconds = pink

It takes the mechanics 132 seconds to change all the wheels.

This is the next car.

98–99 12x table

$12 \times 3 = 36$ stars
$12 \times 2 = 24$ windows

Shopping list:
48 onions
24 chickens
120 potatoes
36 loaves of bread
72 apples
60 sausages

From top to bottom, the archers win 36, 48, 60.

100–101 Quick Quizzes

$9 \times 11 = 99$	$11 \times 2 = 22$	$12 \times 6 = 72$	$12 \times 3 = 36$
$9 \times 9 = 81$	$11 \times 11 = 121$	$12 \times 3 = 36$	$8 \times 8 = 64$
$9 \times 4 = 36$	$11 \times 3 = 33$	$12 \times 11 = 132$	$6 \times 10 = 60$
$9 \times 12 = 108$	$11 \times 10 = 110$	$12 \times 5 = 60$	$4 \times 4 = 16$
$9 \times 7 = 63$	$11 \times 1 = 11$	$12 \times 4 = 48$	$12 \times 10 = 120$
$9 \times 1 = 9$	$11 \times 12 = 132$	$12 \times 1 = 12$	$11 \times 12 = 132$
$9 \times 8 = 72$	$11 \times 5 = 55$	$12 \times 2 = 24$	$8 \times 6 = 48$
$9 \times 3 = 27$	$11 \times 4 = 44$	$12 \times 7 = 84$	$8 \times 7 = 56$
$9 \times 6 = 54$	$11 \times 6 = 66$	$12 \times 10 = 120$	$12 \times 6 = 72$
$9 \times 10 = 90$	$11 \times 7 = 77$	$12 \times 12 = 144$	$3 \times 9 = 27$
$9 \times 2 = 18$	$11 \times 9 = 99$	$12 \times 8 = 96$	$9 \times 4 = 36$
$9 \times 5 = 45$	$11 \times 8 = 88$	$12 \times 9 = 108$	$9 \times 9 = 81$

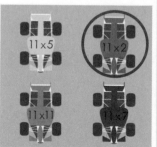

102-103 Treasure island

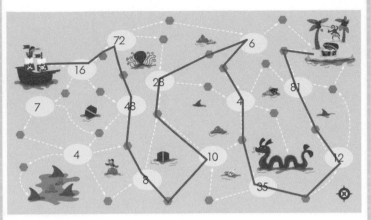

104-105 At the fair

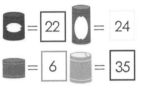

The 9 times table is on the flags: 9, **18**, 27, **36**, **45**, **54**, 63, **72**, 81, **90**, 99, 108

The 12 times table is on the 'Test Your Strength' Game: 12, **24**, 36, **48**, **60**, 72, **84**, 96, **108**, **120**, 132, 144

You need 3 hits to win the lion and 7 hits to win the panda.

This duck wins the most points. 11

This is the pattern on the train.

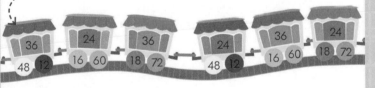

106-107 Creepy-crawlies

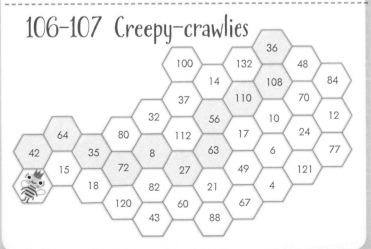

This pair of bugs wins the race.

108-109 Times tables town

8 x 3 — This letter goes to the house with the red front door.

3 x 7 — This letter goes to the house with the yellow front door.

2 x 3 — This letter goes to the house with two chimneys.

110-111 Air show

The 7x banner: **7**, **14**, 21, 28, **35**, **42**, 49, **56**, **63**, **70**, 77, **84**
The 12x banner: 12, 24, **36**, **48**, **60**, 72, **84**, 96, **108**, 120, 132, **144**

Helicopter 54 has a blue propeller.
Helicopter 20 has a green propeller.
Helicopter 36 has a red propeller.
Helicopter 100 has a yellow propeller.

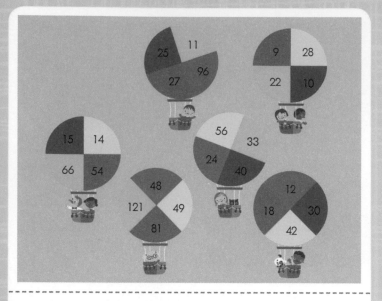

3x3 = 9	6x6 = 36	8x4 = 32	11x12 = 132
9x9 = 81	5x7 = 35	6x3 = 18	8x12 = 96
7x10 = 70	7x9 = 63	4x5 = 20	7x8 = 56
2x7 = 14	4x9 = 36	4x8 = 32	9x3 = 27
9x12 = 108	12x11 = 132	8x8 = 64	3x12 = 36
10x10 = 100	9x8 = 72	12x9 = 108	5x3 = 15
7x12 = 84	7x7 = 49	11x9 = 99	7x5 = 35
4x6 = 24	8x2 = 16	12x6 = 72	10x9 = 90
6x8 = 48	4x11 = 44	7x4 = 28	10x11 = 110
10x7 = 70	12x4 = 48	9x6 = 54	11x6 = 66
6x9 = 54	11x10 = 110	8x6 = 48	6x2 = 12
12x12 = 144	3x4 = 12	5x8 = 40	2x3 = 6

112–113 On safari

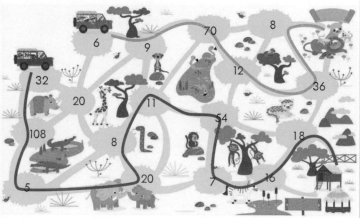

The blue truck ends up at the Lion Look-out.
The red truck ends up at the Jungle Campsite.

118–119 Robots

The biggest multiple of 12 is 84.
The biggest multiple of 7 is 77.
The biggest multiple of 5 is 55.

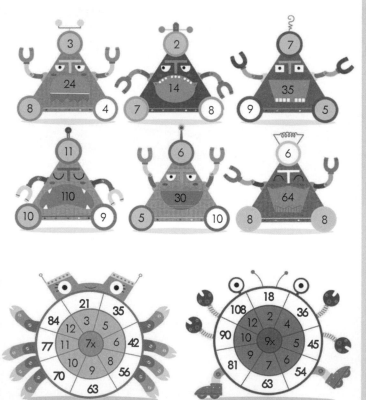

114–115 Message in a bottle/Ferry trip

The first
message says:
A RESCUE
BOAT IS ON
THE WAY

The second
message says:
NO THANKS
ENJOYING
THE BEACH

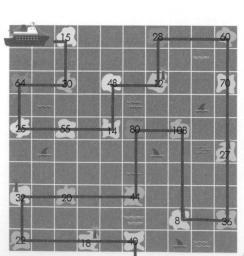

Section 3: Fractions, decimals and percentages

124-125 Halves, thirds and quarters

This mouse has eaten a half.

This mouse has eaten a quarter.

From left to right, the mice have eaten $\frac{1}{2}$, $\frac{1}{4}$ and $\frac{1}{3}$.

The brown mouse eats 2 chunks of cheese. The white mouse eats 2 chunks of cheese.

There should be 6 brown mice, 4 black mice and 2 white mice.

The white mouse eats more.

126-127 How many shares?

The customers at the table will get $\frac{2}{3}$ of an ice cream each.

$\frac{2}{10}$ of the sundaes have sprinkles.

$\frac{3}{10}$ of the sundaes have pink ice cream.

$\frac{1}{10}$ of the sundaes have orange ice cream.

$\frac{5}{10}$ of the sundaes have strawberries.

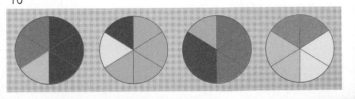

128-129 Equivalent fractions

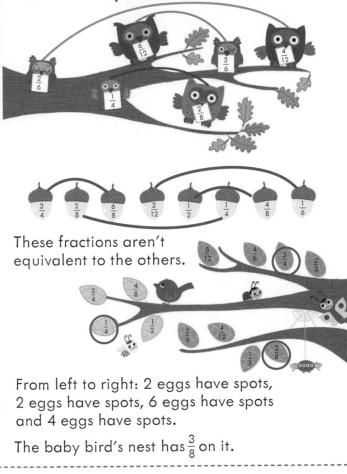

These fractions aren't equivalent to the others.

From left to right: 2 eggs have spots, 2 eggs have spots, 6 eggs have spots and 4 eggs have spots.

The baby bird's nest has $\frac{3}{8}$ on it.

130-131 Simplifying fractions

$\frac{6}{13}$ and $\frac{4}{7}$ can't be simplified any further.

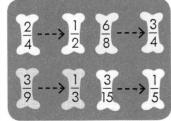

$\frac{4}{6}$ or $\frac{2}{3}$ of the dogs have a collar.

$\frac{2}{4}$ or $\frac{1}{2}$ of the collars are pink.

$\frac{3}{6}$ or $\frac{1}{2}$ of the dogs have bows.

$\frac{6}{9}$ or $\frac{2}{3}$ of the bows are yellow.

First place: SOCKS
Second place: ALFIE
Third place: FLICK

132–133 Proper, improper and mixed fractions

The knight with $\frac{15}{5}$ defeated the dragon.

Yes, there are enough pies. (They want $3\frac{2}{3}$ in total.)

134–135 Using fractions to divide

3 slices are on each plate, so $\frac{3}{4}$ of a *whole* cake is on each plate.

The answers to the pizza puzzle are: $\frac{2}{3}$ of a pineapple pizza, $\frac{4}{7}$ of a pepperoni pizza and $\frac{5}{6}$ of a mushroom pizza.

There will be $\frac{2}{3}$ of a carton of apple juice in each cup, $\frac{1}{2}$ of a carton of popcorn in each bowl, and $\frac{1}{2}$ of a slice of melon on each plate.

The balloon with $1\frac{2}{3}$ doesn't match.

136–137 Finding a fraction of a number

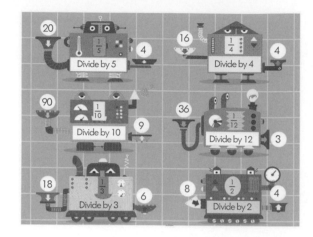

From left to right, the robots delivered 3 boxes, 5 boxes, 9 boxes and 5 boxes.

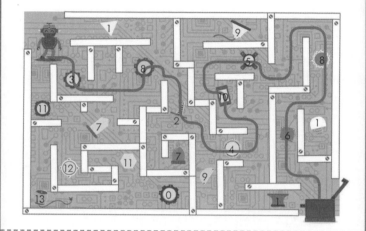

138–139 Finding more fractions

$\frac{3}{10}$ of 60 is 18.

This box contains the most treasure.

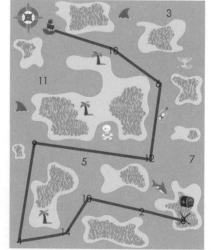

The pirate ship does avoid sharks and whirlpools.

140-141 Comparing fractions

The scarves ($\frac{12}{15}$ off) are a better deal than the T-shirts ($\frac{10}{15}$ off).

The dresses ($\frac{8}{14}$ off) are a better deal than the bags ($\frac{7}{14}$ off).

The watch stand has sold the biggest fraction ($\frac{15}{20}$ compared to $\frac{12}{20}$).

From left to right the shoppers' bags have zigzags, flowers, spots and stripes.

142-143 Adding and subtracting fractions

In total, the goat and her kid eat $\frac{5}{6}$ of the food.

From left to right, the stables have a brown horse, a black horse and a grey horse.

The sum of all the fractions on the sheep is 3.

In total, the chickens, chicks and roosters eat $2\frac{7}{8}$ bags of seed.

144-145 More practice

From left to right, the monkeys have: $\frac{1}{3}, \frac{2}{3}$ and $\frac{1}{2}$.

You should colour 4 yellow frogs and 3 red frogs.

Each toucan gets $2\frac{2}{3}$ mangos.

This butterfly doesn't show an answer from the list.

The orange snake has 2 yellow sections and 4 blue sections.

The pink snake has 2 purple sections, 5 green sections and 1 yellow section.

The blue snake has 3 yellow sections, 2 red sections and 4 green sections.

146-147 Quick Quizzes

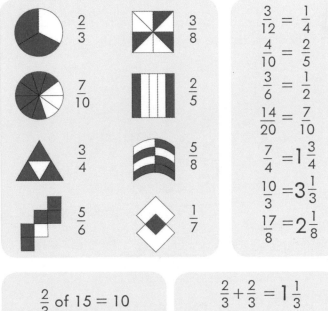

$$\frac{2}{3}$$

$$\frac{7}{10}$$

$$\frac{3}{4}$$

$$\frac{5}{6}$$

$$\frac{3}{8}$$

$$\frac{2}{5}$$

$$\frac{5}{8}$$

$$\frac{1}{7}$$

$$\frac{3}{12} = \frac{1}{4}$$
$$\frac{4}{10} = \frac{2}{5}$$
$$\frac{3}{6} = \frac{1}{2}$$
$$\frac{14}{20} = \frac{7}{10}$$
$$\frac{7}{4} = 1\frac{3}{4}$$
$$\frac{10}{3} = 3\frac{1}{3}$$
$$\frac{17}{8} = 2\frac{1}{8}$$

$$\frac{2}{3} \text{ of } 15 = 10$$
$$\frac{3}{4} \text{ of } 12 = 9$$
$$\frac{3}{10} \text{ of } 30 = 9$$
$$\frac{4}{7} \text{ of } 21 = 12$$
$$\frac{5}{6} \text{ of } 18 = 15$$
$$\frac{1}{4} \text{ of } 20 = 5$$

$$\frac{2}{3} + \frac{2}{3} = 1\frac{1}{3}$$
$$\frac{1}{3} - \frac{1}{6} = \frac{1}{6}$$
$$\frac{4}{5} - \frac{3}{10} = \frac{1}{2}$$
$$\frac{1}{12} + \frac{2}{6} = \frac{5}{12}$$
$$\frac{3}{5} + \frac{2}{10} = \frac{4}{5}$$
$$\frac{1}{3} - \frac{1}{4} = \frac{1}{12}$$

148-149 What are decimals?

$$\frac{7}{10} = 0.7 \quad \frac{2}{100} = 0.02 \quad \frac{6}{1000} = 0.006$$

From left to right, the numbers on the number line are: 7.5, 10.3, 11.7 and 13.3.

150–151 Tenths and hundredths

The answers in the box on the left-hand page, from left to right, are: 0.8, 2.3 and 7.7.

$\frac{3}{10}$ or 0.3 of the cars are red.

$\frac{6}{10}$ or 0.6 of the cars have open tops.

$\frac{2}{10}$ or 0.2 of the cars are blue.

The space with 0.2 hasn't been reserved.

The answers in the box on the right-hand page, from left to right, are: 0.04 and 0.36.

152–153 Decimal measurements

From top to bottom the sweets are 6.6 cm, 6.2 cm and 6.5 cm.

The customer should buy the 1.2 kg bag of flour.

154–155 Decimal money

Everything will cost €20.00, so the customer won't get any change.

The lampshade cost £6.50. The mop cost $5.60. The planks cost €10.20.

The saw is now $2.25. The spade is now $1.60. The toolbox is now $2.50.

The customers will pay £2.50 for the pink paint, £3.00 for the blackboard paint and £2.40 for the glow in the dark paint.

156–157 More conversions

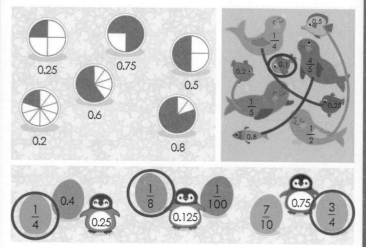

The giant squid has 4 tentacles with yellow spots, 2 tentacles with pink spots and 2 tentacles with green spots.

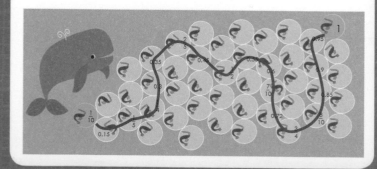

158-159 Finding a decimal of a number

This is the winning card.

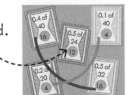

The darts have won 20 points altogether.

2 balls go in the left basket and 3 balls go in the right basket.

He hits all 4 bumper cars.

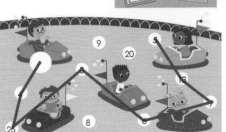

160-161 Rounding decimals

The numbers rounded to the nearest whole number are 6, 7, 10, 4 and 5.

The numbers rounded to the nearest tenth are: 4.5, 1.0, 3.6, 9.8 and 7.4.

£7.40 £9.20
£6.60 £5.25
£8.00

$3.20 $1.50
$4.50 $2.10
$2.90 $3.80

To the nearest pound, the souvenirs cost £8.00.

162-163 Quick Quizzes

$\frac{7}{10} = 0.7$

$\frac{3}{4} = 0.75$

$\frac{57}{100} = 0.57$

$\frac{2}{5} = 0.4$

$0.4 = \frac{4}{10}$

$0.55 = \frac{55}{100}$

$0.8 = \frac{8}{10}$

$0.09 = \frac{9}{100}$

0.9 of 20 = 18
0.25 of 12 = 3
0.5 of 30 = 15
0.75 of 16 = 12
0.2 of 20 = 4
0.3 of 100 = 30

5.05 --->5
1.49 --->1
2.75 --->3
8.09 --->8
8.34 --->8.3
0.37 --->0.4
0.89 --->0.9
1.99 --->2.0

2.1 + 0.4 = 2.5
8.2 − 2.8 = 5.4
0.65 − 0.3 = 0.35
£2.50 + £3.20 = £5.70
$1.20 − $0.90 = $0.30
0.5 + 1.05 = 1.55

164-165 What are percentages?

The missing percentages are 22% and 60%.

50% of 8 = 4
25% of 8 = 2

166-167 Converting percentages

75% of the total support Red Rovers and 25% support Blues United.

The percentages are: 70% saved, 40% headers, 50% home games and 75% wins.

The league table should look like this:

	Games	Wins	% wins
Town Tigers	10	3	30%
City Cubs	5	2	40%
Red Rovers	20	5	25%
Soccer Union	12	9	75%
Blues United	10	6	60%

Blues United and Red Rovers both scored 3 goals.

Soccer Union are top of the league.

With a member's discount, Blues United tickets are £15.00 and Red Rovers are £10.00 so Red Rovers are cheaper.

168-169 Finding percentages

35 of the bones were from a diplodocus skeleton.

9 of the enormous leg bones were from a T-Rex.

70 of the people helping were volunteers.

170-171 More practice

From left to right, the answers on the cable cars are: 9, 60%, 75% and 30%.

The gloves are now $8.00. The jacket is now $16.00. The boots are now $24.00. The skis are now $12.00.

24 pupils are beginners. 30 pupils fell over. 18 pupils skied down the steepest slope.

An adult costs £5.00. A child costs £2.00.

40% liked snowboarding best, 50% liked skiing best and 10% liked tobogganing best.

172-173 Quick Quizzes

0.08 = 8%	50% of 26 = 13
$\frac{3}{4}$ = 75%	20% of 15 = 3
	15% of 40 = 6
0.35 = 35%	30% of 150 = 45
$\frac{1}{5}$ = 20%	80% of 30 = 24
	75% of 60 = 45
$\frac{16}{20}$ = 80%	
66% = 0.66	£2.00 with 10% off = £1.80
	€5.00 with 50% off = €2.50
3% = 0.03	£4.00 with 20% off = £3.20
	$11.00 with 10% off = $9.90
30% = 0.3	€40.00 with 25% off = €30.00

50% of 30 (15) is bigger than $\frac{7}{10}$ of 20 (14).

$\frac{2}{3}$ of 30 (20) is bigger than 25% of 40 (10).

$\frac{8}{9}$ of 99 (88) is bigger than 80% of 100 (80).

$\frac{1}{3}$ of 15 (5) is bigger than 10% of 40 (4).

20% of 15 (3) is bigger than $\frac{1}{8}$ of 16 (2).

174-175 Mixed practice

$\frac{1}{2}$ of the sharks have stripes.

$\frac{3}{5}$ of the starfish are orange.

$\frac{1}{4}$ of the sea horses are green.

$\frac{3}{4}$ of the turtles have spots.

The lobster toy is now €6.00.
The squid toy is now €12.00.
The shark toy is now €4.50.

From left to right, the fish tanks have: $\frac{1}{2}$ green fish, $\frac{3}{4}$ blue fish and $\frac{3}{5}$ red fish.

60% of the visitors liked lobsters the best, 25% of visitors preferred the giant squid and 50% of visitors liked the sharks the best.

176-177 Mixed practice

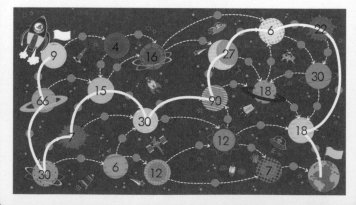

Edited by Rosie Dickins   Managing designer: Zoe Wray
First published in 2017 by Usborne Publishing Ltd., 83-85 Saffron Hill, London, EC1N 8RT, England. www.usborne.com Copyright © 2017, 2016 Usborne Publishing Ltd.
The name Usborne and the devices ♡ ⊕ are Trade Marks of Usborne Publishing Ltd. All rights reserved. No part of this publication may be reproduced, stored in a retrieval system, or transmitted in any form or by any means, electronic, mechanical, photocopy, recording or otherwise, without prior permission of the publisher. UKE.